SUZANNE COLLINS

HUNGER GAMES

Il canto della rivolta

Traduzione di Simona Brogli

OSCAR MONDADORI

© 2010 Suzanne Collins
Titolo dell'opera originale *Mockinjay*
© 2012 Arnoldo Mondadori Editore S.p.A., Milano, per l'edizione italiana

Prima edizione Chrysalide maggio 2012
Prima edizione Grandi bestsellers maggio 2013

ISBN 978-88-04-63224-5

Questo volume è stato stampato
presso ELCOGRAF S.p.A.
Stabilimento di Cles (TN)
Stampato in Italia. Printed in Italy

Anno 2013 - Ristampa   7

www.librimondadori.it

Hunger Games
Il canto della rivolta

Per Cap, Charlie e Isabel

PRIMA PARTE

LE CENERI

CAPITOLO 1

Mi guardo le scarpe e osservo il sottile strato di cenere che si deposita sulla pelle logora. Qui è dove c'era il letto che dividevo con mia sorella Prim. Laggiù c'era il tavolo di cucina. I mattoni del camino, crollati in un mucchio carbonizzato, fanno da punto di riferimento per il resto della casa. Come potrei orientarmi altrimenti, in questo mare di grigio?

Non rimane quasi nulla del Distretto 12. Un mese fa, le bombe incendiarie di Capitol City hanno distrutto le misere casupole dei minatori di carbone del Giacimento, i negozi della città, persino il Palazzo di Giustizia. Solo la zona del Villaggio dei Vincitori è scampata all'incenerimento, non so bene per quale motivo. Forse perché chi è costretto a venire qui in rappresentanza per conto di Capitol City abbia un posto piacevole in cui stare. L'occasionale giornalista. Una commissione incaricata di valutare le condizioni delle miniere di carbone. Una squadra di Pacificatori in cerca di profughi che ritornano.

Ma non ritornerà nessuno, a parte me. E anch'io sono qui solo per una breve visita. Le autorità del Distretto 13

11

erano contrarie al mio ritorno. Lo consideravano un azzardo costoso e inutile, dato che almeno una dozzina di invisibili hovercraft volteggia sopra la mia testa per proteggermi e non ci sono informazioni da ottenere. Però io dovevo vedere con i miei occhi, al punto che l'ho posto come condizione per la mia collaborazione a qualunque loro piano.

Alla fine, Plutarch Heavensbee, il capo degli Strateghi che aveva guidato i ribelli di Capitol City, si è dovuto arrendere. — Lasciatela andare. Meglio sprecare un giorno piuttosto che un mese. Forse un piccolo tour al Distretto 12 è quello che le serve per convincersi che siamo dalla stessa parte.

La stessa parte. Un dolore mi trafigge la tempia sinistra e vi premo contro la mano. Proprio nel punto in cui Johanna Mason mi ha colpito con la spoletta di filo metallico. I ricordi vorticano mentre cerco di capire cosa è vero e cosa è falso. Quale successione di eventi mi ha portato a ritrovarmi qui, fra le rovine della mia città? È difficile, perché gli effetti della commozione cerebrale che Johanna mi ha regalato non sono svaniti del tutto e i miei pensieri tendono ancora a confondersi. Come se non bastasse, i farmaci che usano per tenere sotto controllo i miei dolori e il mio umore a volte mi fanno vedere cose strane. Credo. Non sono ancora persuasa di avere avuto delle allucinazioni la notte in cui il pavimento della mia stanza d'ospedale si è trasformato in un tappeto di serpenti che si contorcevano.

Uso la tecnica che mi ha consigliato uno dei dottori. Inizio dalle cose più semplici che so essere vere e procedo fino a quelle più complicate. L'elenco comincia a srotolarsi nella mia testa...

Mi chiamo Katniss Everdeen. Ho diciassette anni.

Sono nata nel Distretto 12. Ho partecipato agli Hunger Games. Sono fuggita. Capitol City mi odia. Peeta è stato fatto prigioniero. Si pensa che sia morto. È molto probabile che sia morto. Forse è meglio che sia morto...

— Katniss. Vuoi che scenda? — La voce di Gale, il mio migliore amico, mi arriva attraverso la cuffia col microfono che i ribelli hanno insistito per farmi mettere. Lui è su un hovercraft e mi osserva con attenzione, pronto a intervenire al volo se qualcosa dovesse andare storto. Mi rendo conto che ora sono accovacciata, i gomiti sulle cosce e la testa stretta tra le mani. Devo sembrare sull'orlo di un qualche genere di tracollo. Ma non succederà. Non ora che mi stanno finalmente disintossicando dai farmaci.

Mi raddrizzo e respingo la sua offerta con un cenno della mano. — No. Sto bene. — Per avvalorare la mia affermazione, comincio ad allontanarmi dalla mia vecchia casa e a muovermi verso la città. Gale ha chiesto di poter scendere nel Distretto 12 insieme a me, ma non ha insistito quando ho rifiutato la sua compagnia. Capisce che non voglio nessuno con me, oggi. Neppure lui. Certe passeggiate bisogna farle da soli.

L'estate è stata torrida e completamente secca. La quasi totale assenza di pioggia non ha portato via i cumuli di cenere rimasti dopo l'attacco. Si sollevano sotto i miei passi, ma non c'è vento a disperderli. Tengo gli occhi fissi su quella che ricordo essere la strada perché, quando sono atterrata sul Prato, non sono stata abbastanza attenta e sono andata a sbattere su un grosso sasso. Solo che non era un sasso... era il cranio di qualcuno. Ha rotolato più volte e si è fermato a faccia in su, e per molto tempo non sono riuscita a smettere di guardare quei denti, chiedendomi di chi fossero, pensando che quasi certamente i miei avrebbero avuto lo stesso aspetto, in circostanze analoghe.

Seguo la strada per abitudine, ma è una pessima scelta, perché è piena dei resti di chi ha cercato di scappare. Alcuni sono stati completamente inceneriti. Altri invece, forse soffocati dal fumo, sono fuggiti dal grosso delle fiamme e ora giacciono lì, nel fetore dei diversi stadi della decomposizione, carogne per i saprofagi, ricoperti di mosche. *Vi ho ucciso io*, penso mentre oltrepasso un ammasso di cadaveri. E ho ucciso voi. E voi.

Perché è quello che ho fatto. È stata la mia freccia, diretta al punto debole del campo di forza che circondava l'arena, a scatenare questa tempesta di fuoco castigatrice. A far piombare tutto Panem nel caos.

Sento nella testa le parole che il presidente Snow pronunciò la mattina in cui stavo per iniziare il Tour della Vittoria. «Katniss Everdeen, la ragazza di fuoco. Lei ha acceso una scintilla che, se lasciata incustodita, può crescere e trasformarsi in un incendio che distruggerà Panem.» Non stava esagerando o solo provando a spaventarmi, evidentemente. Forse cercava davvero di assicurarsi il mio aiuto. Ma io avevo già messo in moto qualcosa che non ero minimamente in grado di controllare.

Sta bruciando. Sta ancora bruciando, penso intontita. Gli incendi delle miniere di carbone eruttano fumo nero in lontananza. Però non è rimasto nessuno a preoccuparsene. Più del novanta per cento della popolazione del distretto ha perso la vita. I circa ottocento superstiti sono sfollati nel Distretto 13, il che, per quanto ne so, equivale a essere esiliati per sempre.

So che non dovrei pensarlo, che dovrei essere riconoscente per il modo in cui ci hanno accolti. Malati, feriti, affamati e nullatenenti. Eppure non riesco a ignorare il fatto che il Distretto 13 ha contribuito in modo decisivo alla distruzione del 12. Questo non assolve le mie colpe: di queste ne ho in abbondanza. Ma, senza di loro, io non avrei fatto parte di una più vasta congiura per rovesciare Capitol City, né avrei avuto i mezzi per farlo.

Gli abitanti del Distretto 12 non hanno avuto un loro movimento di resistenza organizzato. Nessuna voce in capitolo, in tutto ciò che è accaduto. Hanno avuto solo la disgrazia di ritrovarsi la sottoscritta. Alcuni sopravvissuti pensano che sia stata comunque una fortuna l'essersi liberati del Distretto 12, finalmente. Essere sfuggiti alla fame perenne e all'oppressione, al pericolo delle miniere, alla frusta del nostro ultimo capo dei Pacificatori, Romulus Thread. Il solo fatto di avere una nuova casa viene considerato un miracolo, dal momento che, sino a poco tempo fa, non sapevamo nemmeno che il Distretto 13 esistesse ancora.

Il merito per la fuga dei superstiti è andato tutto a Gale, anche se lui è restio ad ammetterlo. Non appena l'Edizione della Memoria si fu conclusa – non appena io fui prelevata dall'arena – nel Distretto 12 la corrente elettrica venne tagliata, i televisori si oscurarono e il Giacimento divenne così silenzioso che ognuno riusciva a sentire i battiti del cuore dell'altro. Nessuno fece nulla per protestare o per festeggiare quanto era successo nell'arena. Eppure, nel giro di quindici minuti, il cielo si riempì di aerei e le bombe cominciarono a cadere.

Fu Gale a pensare al Prato, uno dei pochi posti non traboccanti di vecchie case di legno ricoperte di polvere di carbone. Guidò in quella direzione tutte le persone che poteva, comprese mia madre e Prim. Formò il gruppo che abbatté la recinzione, ormai ridotta a un'inoffensiva barriera di rete metallica senza più corrente, e condusse la gente nei boschi. Portò i fuggiaschi nell'unico luogo cui riuscì a pensare, il lago che mio padre mi aveva mostrato quando ero bambina. E da lì guardarono le fiamme lontane divorare tutto ciò che conoscevano al mondo.

Prima dell'alba, i bombardieri se ne erano andati da un pezzo, gli incendi cominciavano a spegnersi ed erano stati radunati anche gli ultimi ritardatari. Mia madre e Prim avevano allestito uno spazio medico per i feriti e tentavano di curarli con qualunque cosa si potesse racimolare dai boschi. Gale aveva due serie di archi e frecce, un coltello da caccia, una rete da pesca, e più di ottocento persone terrorizzate da sfamare. Con l'aiuto dei più validi, se la cavarono per tre giorni. E fu allora che, inaspettatamente, arrivò l'hovercraft a evacuarli nel Distretto 13, dove trovarono abitazioni bianche e pulite in numero più che sufficiente, abbondanza di vestiti e tre pasti al giorno. Le abitazioni avevano l'inconveniente di essere sotterranee, i vestiti erano tutti uguali e il cibo piuttosto insapore, ma per i profughi del Distretto 12 si trattava di questioni secondarie. Erano salvi. Avevano chi si prendeva cura di loro. Erano vivi ed erano stati accolti a braccia aperte.

Quell'entusiasmo fu interpretato come gentilezza. Ma un uomo di nome Dalton, un profugo del Distretto 10 che qualche anno prima era riuscito a raggiungere il 13 a piedi, me ne rivelò la vera ragione. — Hanno bisogno di voi. Di me. Hanno bisogno di tutti noi. Un po' di tempo fa, c'è stata una epidemia di varicella che ha ucciso parecchi di loro e ne ha lasciati sterili molti di più. Nuovi riproduttori. È così che ci considerano. — Nel Distretto 10, Dalton aveva lavorato in un ranch di bovini, mantenendo la diversità genetica della mandria grazie all'impianto di embrioni di mucca congelati da tempo. Molto probabilmente ha ragione riguardo al Distretto 13, perché non sembra proprio che in giro ci siano abbastanza bambini. Ma anche se fosse? Non ci tengono in recinti, ci insegnano un mestiere, i bambini vanno a scuola. I ragazzi e le ragazze con più di quindici anni hanno ottenuto i gradi di base dell'esercito e vengono chiamati "soldato" con rispetto. A ogni profugo, le autorità del 13 hanno concesso in automatico la piena cittadinanza.

Malgrado ciò, li detesto. Ma io detesto praticamente tutti, ormai. Me stessa più di chiunque altro.

La superficie sotto i miei piedi si indurisce e, oltre il tappeto di cenere, sento le pietre che pavimentano la piazza. Il perimetro è orlato da montagnole di macerie là dove c'erano i negozi. Un grosso cumulo di rottami anneriti ha sostituito il Palazzo di Giustizia. Avanzo sino al punto approssimativo in cui si trovava la panetteria di proprietà della famiglia di Peeta. Non è rimasto granché, a parte il grumo fuso del forno. I genitori di Peeta, i suoi due fratelli più grandi... nessuno di loro è riuscito ad arrivare al 13. Tra quelli che erano ritenuti i benestanti del Distretto 12, meno di una dozzina è sfuggita all'incendio. Peeta non avrebbe comunque nulla a cui tornare. Tranne me...

Mi allontano dalla panetteria e sbatto contro qualcosa, perdo l'equilibrio e mi ritrovo seduta su un grosso pezzo di metallo caldo di sole. Mi scervello pensando a cosa potesse essere, poi ricordo gli ultimi lavori di restauro della piazza fatti da Thread. La gogna, i pali per le fustigazioni e questo, ossia ciò che resta della forca. Male. Pessima cosa. Dà la stura al diluvio di immagini che mi tormenta, quando sono sveglia e quando dormo. Peeta che viene torturato – quasi affogato, ustionato, lacerato, folgorato, mutilato, picchiato – mentre Capitol City tenta di ottenere informazioni sulla ribellione che lui non possiede. Serro più che posso gli occhi e cerco di arrivare fino a lui attraverso centinaia di chilometri, di inviare i miei pensieri nella sua mente, di fargli sapere che non è solo. Ma lo è. E io non posso aiutarlo.

Correre. Via dalla piazza e verso l'unico luogo che il fuoco non ha distrutto. Oltrepasso le macerie della casa del sindaco, dove abitava la mia amica Madge. Di lei e della sua famiglia non si sa nulla. Sono stati evacuati a Capitol City in virtù della posizione di suo padre o li hanno abbandonati alle fiamme? Le ceneri si levano a folate tutto intorno a me, così mi copro la bocca con l'orlo della camicia. Non è il fatto di chiedermi cosa respiro, ma *chi*, a minacciare di soffocarmi.

L'erba si è inaridita e la neve è caduta anche qui, ma i dodici begli edifici che compongono il Villaggio dei Vincitori sono integri. Entro di corsa nella casa in cui abitavo l'anno scorso, richiudo la porta con un tonfo e mi ci appoggio contro. Il posto sembra intatto. Pulito. Silenzioso in modo inquietante. Perché sono tornata nel Distretto 12? Come può questa visita aiutarmi a rispondere alla domanda cui non posso sfuggire?

— Cosa farò? — sussurro alle pareti. Perché davvero non lo so.

La gente continua a parlarmi senza curarsi di ascoltare quello che ho da dire, e parla, parla, parla. Plutarch Heavensbee. Fulvia Cardew, quell'intrigante della sua assistente. Un'accozzaglia di funzionari del distretto. Ufficiali dell'esercito. Ma non Alma Coin, presidente del Distretto 13, lei osserva e basta. Ha una cinquantina d'anni e capelli grigi che le scendono sulle spalle come una lastra solida. Sono affascinata dai suoi capelli, dalla loro uniformità, dalla totale assenza di imperfezioni, ciuffi, persino doppie punte. I suoi occhi sono grigi, ma non come quelli della gente del Giacimento. Sono chiarissimi, come se ne avessero aspirato quasi tutto il colore. È il colore della neve sciolta che vorresti si sciogliesse del tutto.

Quello che vogliono è che io assuma il ruolo che loro hanno concepito per me. Il simbolo della rivoluzione. La Ghiandaia Imitatrice. Non basta ciò che ho fatto in passato, sfidando Capitol City ai Giochi e offrendo loro un motivo di aggregazione. Adesso bisogna che diventi il vero leader, il volto, la voce, l'incarnazione della rivoluzione. La persona su cui i distretti – gran parte dei quali è ormai apertamente in guerra con Capitol City – potranno contare perché indichi loro la via della vittoria. Non dovrò farlo da sola. Hanno un'intera équipe di specialisti pronti a trasformarmi, vestirmi, scrivere i miei discorsi, coordinare le mie apparizioni – come se *questo* non mi fosse orrendamente noto – e tutto quello che dovrei fare io è recitare la mia parte. A volte li ascolto e a volte mi limito a osservare la linea perfetta dei capelli della Coin, cercando di decidere se si tratta o no di una parrucca. Poi esco dalla stanza perché la testa comincia a farmi male, o perché è ora di mangiare, o perché se non torno in superficie potrei mettermi a urlare. Non mi prendo il disturbo di dire niente. Mi alzo e me ne vado, semplicemente.

Ieri pomeriggio, mentre la porta si chiudeva alle mie spalle, ho sentito la Coin dire: — Ve l'avevo detto che avremmo dovuto soccorrere il ragazzo per primo. — Si riferiva a Peeta. Non potrei essere più d'accordo. Lui sarebbe stato un eccellente portavoce.

E chi hanno ripescato dall'arena, invece? Me, che non collaboro. Beetee, un anziano inventore del Distretto 3, che non vedo quasi mai perché è stato trascinato allo sviluppo armamenti nel momento stesso in cui è riuscito a mettersi seduto. Letteralmente: hanno portato il suo letto d'ospedale in una qualche zona ultrasegreta, e adesso lui si fa vedere solo di tanto in tanto, all'ora dei pasti. Beetee è molto intelligente e più che disposto a dare il suo contributo alla causa, ma non è realmente portato a fare il sovversivo. Poi c'è Finnick Odair, il sex symbol del distretto della pesca, che ha protetto Peeta quando io non ne ero in grado. Vogliono trasformare anche Finnick in un leader dei ribelli, ma prima dovranno riuscire a farlo stare sveglio per più di cinque minuti: anche quando è cosciente, bisogna dirgli le cose tre volte prima che gli arrivino al cervello. I dottori dicono che è per via della scossa elettrica che ha subito nell'arena, ma io so che le cose sono molto più complicate di così. So che Finnick non riesce a concentrarsi su niente, qui nel 13, perché si sforza in tutti i modi di immaginare cosa ne sia di Annie, la ragazza folle del suo distretto, l'unica persona al mondo che ami, a Capitol City.

Nonostante le gravi riserve che nutrivo, ho dovuto perdonare Finnick per il suo ruolo nella cospirazione che mi ha condotta qui. Lui, almeno, ha un'idea di cosa sto passando. E ci vorrebbe troppa energia per restare arrabbiati con qualcuno che piange così tanto.

Mi muovo per il pianterreno con passi da predatore, attenta a non fare rumore. Raccolgo qualche souvenir: una foto dei miei genitori nel giorno del loro matrimonio, un nastro per capelli azzurro destinato a Prim, il libro di famiglia delle piante medicinali e commestibili. Il libro si apre da solo su una pagina con dei fiori gialli e io lo richiudo alla svelta perché è stato il pennello di Peeta a dipingerli.

Cosa farò?

C'è davvero un motivo per fare qualcosa? Mia madre, mia sorella e la famiglia di Gale sono finalmente in salvo. Quanto agli altri abitanti del 12, o sono morti, il che è irreversibile, o sono al sicuro nel 13. Rimangono i ribelli dei distretti. Odio Capitol City, naturalmente, ma non sono sicura che essere la Ghiandaia Imitatrice gioverà a chi sta tentando di rovesciare il governo. Come posso aiutare i distretti se causo vittime e sofferenze ogni volta che muovo un dito? Il vecchio del Distretto 11, ucciso per aver fischiato. Il giro di vite nel 12, dopo la mia intromissione nella fustigazione di Gale. Il mio stilista, Cinna, trascinato fuori dalla Camera di Lancio sanguinante e svenuto prima dei Giochi. Le fonti di Plutarch ritengono che sia stato ucciso durante l'interrogatorio. Il brillante, enigmatico, splendido Cinna è morto per causa mia. Respingo quel pensiero, perché l'indugiarvi mi provoca un dolore insostenibile e rischio di perdere del tutto il fragile controllo che ho sulla situazione.

Cosa farò?

Diventare la Ghiandaia Imitatrice... è possibile che quel po' di bene che faccio abbia più peso dei danni? Di chi posso fidarmi per avere una risposta a questa domanda? Certo non della combriccola del 13. Adesso che la mia famiglia e quella di Gale sono al sicuro, giuro che scapperei, se non fosse per un affare ancora in sospeso. Peeta. Se sapessi per certo che è morto, potrei semplicemente scomparire nei boschi senza mai voltarmi indietro. Ma finché non lo saprò, sono bloccata.

Mi giro sui tacchi sentendo un sibilo. Sulla soglia della cucina, con la schiena inarcata e le orecchie appiattite, c'è il gatto più brutto del mondo. — Ranuncolo — dico. Migliaia di persone sono morte, ma lui è sopravvissuto e sembra persino ben nutrito. Nutrito di cosa? Può entrare e uscire di casa attraverso una finestra della dispensa che abbiamo sempre lasciato socchiusa. Dev'essersi messo a mangiare i topi di campagna. Mi rifiuto di prendere in considerazione l'alternativa.

Mi accovaccio e gli tendo una mano. — Vieni qui, piccolo. — Improbabile. È arrabbiato per l'abbandono. Per di più, non gli sto offrendo cibo: la capacità di rifornirlo di avanzi è sempre stata la mia qualità più importante, ai suoi occhi. Per un po', quando ci incontravamo nella vecchia casa, dato che quella nuova non piaceva a nessuno dei due, tra noi si era stabilita una parvenza di legame. Ma è evidente che questa è una storia finita. Batte le palpebre sugli sgradevoli occhi gialli.

— Ti va di vedere Prim? — chiedo. Quel nome attira la sua attenzione. A parte il suo nome, è l'unica parola che significhi qualcosa per lui. Emette un miagolio arrugginito e mi si avvicina. Lo prendo in braccio, accarezzandogli il pelo, poi vado all'armadio, ripesco la mia bisaccia e ce lo ficco dentro senza tante cerimonie. Non c'è altro modo. Potrò portarmelo sull'hovercraft, lui vuol dire tanto per mia sorella. La sua capretta Lady, un animale che vale davvero qualcosa, purtroppo non ha dato segni di sé.

Negli auricolari, sento la voce di Gale dirmi che dobbiamo tornare indietro. Ma la bisaccia mi ha ricordato un'altra cosa. Appendo la tracolla della borsa allo schienale di una sedia e salgo di corsa gli scalini che portano alla mia camera da letto. Nell'armadio, c'è la giacca da caccia di mio padre. Prima dell'Edizione della Memoria, l'ho portata qui dalla vecchia casa, pensando che la sua presenza avrebbe potuto essere di conforto a mia madre e a mia sorella, quando fossi morta. E meno male, altrimenti adesso sarebbe cenere.

La pelle morbida è rassicurante e, per un istante, mi sento tranquillizzata dal ricordo delle ore che ci ho trascorso dentro. Poi, inspiegabilmente, i palmi delle mie mani cominciano a sudare. Una strana sensazione strisciante mi risale lungo la nuca. Mi giro di scatto a guardare la stanza e la trovo vuota. In ordine. Tutto al suo posto. Nessun rumore che potesse spaventarmi. Allora cosa?

Mi si arriccia il naso. È l'odore. Nauseante e artificiale. Una pennellata di bianco spunta da un vaso di fiori secchi che sta sul mio tavolino da toeletta. Mi avvicino con passo guardingo. Lì, quasi nascosta dai cugini conservati, scorgo una rosa bianca fresca. Perfetta. Fino all'ultima spina e petalo setoso.

E so subito chi me l'ha mandata.

Il presidente Snow.

Quando comincio ad avere conati di vomito per il tanfo, indietreggio e me la filo. Da quanto tempo è qui? Un giorno? Un'ora? I ribelli hanno fatto una perlustrazione di sicurezza del Villaggio dei Vincitori prima che io fossi autorizzata a venire qui, cercando esplosivi, cimici, qualunque cosa insolita. Ma forse, a loro, la rosa non è parsa degna di nota. Lo è solo per me.

A pianterreno, strappo la bisaccia dalla sedia e la faccio rimbalzare sul pavimento finché non ricordo che è abitata. Sul prato, faccio segni frenetici all'hovercraft mentre Ranuncolo si dibatte. Gli rifilo una gomitata, ma questo lo fa solo infuriare. Si materializza un aereo da cui cade una scaletta. Ci salgo e la corrente mi blocca fintanto che non vengo tirata a bordo.

Gale mi aiuta a scendere. — Tutto a posto?

— Sì — dico, asciugandomi il sudore sul viso con una manica.

Mi ha lasciato una rosa! vorrei gridare, ma non è un'in-

23

formazione che sono sicura di voler condividere in presenza di uno come Plutarch. Innanzitutto perché mi farebbe sembrare pazza, come se l'avessi immaginato, il che è possibilissimo, o come se reagissi in modo eccessivo, il che mi procurerebbe un nuovo viaggio in quel farmacologico paese dei sogni da cui sto facendo di tutto per fuggire. Nessuno capirebbe fino in fondo che non si tratta solo di un fiore, e nemmeno di un fiore del presidente Snow, ma di una promessa di vendetta, perché nessun altro era seduto nello studio insieme a lui quando mi minacciò, prima del Tour della Vittoria.

Piazzata sulla mia toeletta, quella rosa bianca come la neve è un messaggio personale riservato a me. Sussurra: *Posso trovarti. Posso raggiungerti. Forse ti sto guardando proprio in questo momento.*

CAPITOLO 2

Arriveranno i velocissimi apparecchi di Capitol City ad abbatterci? Mentre sorvoliamo il Distretto 12, cerco ansiosamente segnali di un attacco imminente, ma non c'è niente che ci insegua. Dopo diversi minuti, una conversazione tra Plutarch e il pilota conferma che lo spazio aereo è libero e io comincio a rilassarmi un po'.

Gale accenna con la testa agli ululati provenienti dalla mia bisaccia. — Adesso so perché dovevi tornare.

— Nel caso ci fosse stata anche solo una possibilità di recuperarlo. — Poso la borsa su un sedile e quell'odiosa creatura attacca con un basso brontolio che sembra risalire dalle profondità della sua gola. — Oh, chiudi il becco — dico alla sacca mentre mi lascio cadere sul sedile imbottito accanto al finestrino.

Gale si siede vicino a me. — Spettacolo bruttino, laggiù?

— Peggio di così non poteva essere — rispondo. Lo guardo negli occhi e ci vedo riflesso il mio stesso dolore. Le nostre mani si trovano, aggrappandosi forte a una parte del Distretto 12 che in un modo o nell'altro Snow non è riuscito a distruggere. Restiamo seduti in silenzio per il resto del viaggio, fino al 13, solo quarantacinque minuti. Una settimana di cammino. Bonnie e Twill, le profughe del Distretto 8 che ho incontrato nei boschi l'inverno scorso, non erano poi così lontane dalla loro meta. Però non ce l'hanno fatta, a quanto pare. Quando ho chiesto di loro, nel 13, sembrava che nessuno sapesse di chi parlavo. Immagino che siano morte nei boschi.

Dall'alto, il Distretto 13 ha lo stesso aspetto gradevole del 12. Le macerie non mandano fumo, come Capitol City mostra in TV, ma in superficie la vita è pressoché assente. Nei settantacinque anni successivi ai Giorni Bui – quando si diceva che il Distretto 13 era stato annientato nella guerra tra Capitol City e i distretti – l'attività di costruzione si svolse quasi interamente sottoterra. C'era già un grande complesso sotterraneo, ampliato nel corso dei secoli, per costituire o un rifugio segreto per i capi di governo in tempo di guerra o un'ultima risorsa per l'umanità nel caso in cui la vita in superficie fosse diventata impossibile. Cosa più importante per i suoi abitanti, il distretto era il fulcro del programma di sviluppo degli armamenti nucleari di Capitol City. Durante i Giorni Bui, i ribelli del 13 strapparono il controllo alle forze governative, puntarono i loro missili nucleari contro Capitol City e conclusero un patto: avrebbero fatto finta di essere morti se li avessero lasciati in pace. Il governo aveva un altro arsenale nucleare a ovest, ma non poteva attaccare il 13 senza andare incontro a sicure rappresaglie. Fu costretto ad accettare l'accordo. Capitol City demolì i resti visibili del distretto e bloccò ogni via di accesso dall'esterno. Forse i leader di governo pensavano che, senza aiuti, il 13 si sarebbe estinto per conto suo. E in alcune occasioni è stato sul punto di scomparire, ma è sempre riuscito a farcela grazie a un rigido razionamento delle risorse, una dura disciplina e una vigilanza costante verso possibili, ulteriori attacchi da parte di Capitol City.

Adesso i cittadini vivono quasi esclusivamente sottoterra. Si può uscire per fare del moto e vedere la luce del sole, ma solo negli orari specificati dal programma individuale. E il programma è qualcosa che non puoi evitare. Tutte le mattine, devi ficcare il braccio destro in un aggeggio che sta nella parete e che tatua il tuo programma giornaliero nella parte interna e liscia dell'avambraccio con un disgustoso inchiostro viola. *Ore 7.00 Colazione. Ore 7.30 Lavori di cucina. Ore 8.30 Centro Studi, aula 17.* E via dicendo. L'inchiostro è indelebile fino alle *Ore 22.00 Bagno.* A quel punto, la sostanza che lo mantiene idrorepellente, qualunque sia, si decompone, e tu puoi sciacquarti via l'intero programma. Le luci che si spengono alle 22.30 segnalano che tutte le persone non impegnate nel turno di notte devono essere a letto.

All'inizio, quando ero in ospedale e stavo malissimo, potevo astenermi dal farmi stampare il programma. Ma una volta trasferita all'unità 307 con mia madre e mia sorella, era previsto che seguissi le regole. A parte farmi vedere ai pasti, però, tengo in scarsa considerazione le parole sul mio braccio. Mi limito a tornare nella nostra unità o a girovagare per il 13 o ad addormentarmi in qualche posto nascosto: un condotto d'aria abbandonato, o dietro le tubature dell'acqua in lavanderia. C'è un armadio nel Centro Studi che è fantastico, perché sembra che nessuno abbia mai bisogno di articoli scolastici. Qui sono molto parsimoniosi con le cose, lo spreco è praticamente un crimine Per fortuna, la gente del Distretto 12 non è mai stata sprecona. Una volta, però, ho visto Fulvia Cardew appallottolare un foglio di carta con solo due o tre parole scritte sopra e, a giudicare dalle occhiate che ha ricevuto, si sarebbe detto che avesse ucciso qualcuno. La sua faccia è diventata rossa come un pomodoro, rendendo ancora più evidenti i fiori argentati che le incrostano le guance grassocce. Il ritratto sputato dell'eccesso. Uno dei miei pochi piaceri, qui nel 13, è guardare il gruppetto dei viziati "ribelli" di Capitol City che strisciano cercando di farsi accettare.

Non so per quanto sarò in grado di passarla liscia, col mio totale disprezzo per quella precisione meccanica che esigono i miei ospiti. Adesso mi lasciano in pace perché sono classificata come "mentalmente confusa" – c'è scritto così sul braccialetto medico di plastica che porto – e tutti devono tollerare i miei vagabondaggi. Ma non durerà per sempre. Così come la loro pazienza sulla faccenda della Ghiandaia Imitatrice.

Dalla piattaforma di atterraggio, io e Gale scendiamo una serie di scale fino all'unità 307. Potevamo prendere l'ascensore, solo che mi ricorda troppo quello che mi portò nell'arena. Sto faticando molto per adattarmi a stare sottoterra così tanto. Ma dopo l'incontro surreale con la rosa, per la prima volta quella discesa mi fa sentire più sicura.

Esito davanti alla porta marcata 307, prevedendo le domande della mia famiglia. — Cosa racconterò del Distretto 12? — chiedo a Gale.

— Dubito che ti chiederanno i dettagli. L'hanno visto bruciare. Saranno preoccupate soprattutto per come tu affronti la cosa. — Gale mi tocca una guancia. — E lo sono anch'io.

Premo il viso sulla sua mano per un istante. — Sopravviverò.

Poi respiro a fondo e apro la porta. Mia madre e mia

sorella sono in casa per le *Ore 18.00 Riflessione*, trenta minuti di relax prima di cena. Vedo l'ansia sui loro volti mentre tentano di valutare il mio stato emotivo. Svuoto la bisaccia, e la pausa si trasforma in *Ore 18.00 Adorazione del gatto*. Prim si siede subito per terra piangendo e cullando l'orribile Ranuncolo, che interrompe le sue fusa solo per soffiarmi contro di tanto in tanto. Mi lancia uno sguardo particolarmente compiaciuto quando lei gli lega il nastro azzurro intorno al collo.

Mia madre stringe forte al petto la foto del suo matrimonio e poi la piazza, insieme al libro delle piante, sul cassettone fornitoci dal governo. Io appendo la giacca di mio padre allo schienale di una sedia. Per un attimo, quel posto sembra quasi casa, perciò penso che la gita nel 12 non sia stata uno spreco totale.

Stiamo scendendo verso il refettorio per le *Ore 18.30 Cena*, quando il bracciale comunicatore di Gale comincia a fare *bip bip*. Ha l'aspetto di un orologio più grosso del normale, ma riceve messaggi scritti. L'assegnazione di un bracciale comunicatore è un privilegio speciale riservato a chi è considerato essenziale per la causa, posizione che Gale ha raggiunto con il salvataggio degli abitanti del Distretto 12. — Ci vogliono al Comando — dice.

Rimango qualche passo indietro rispetto a Gale e cerco di riprendermi prima di essere scaraventata in quella che, ne sono certa, sarà un'altra interminabile seduta sulla Ghiandaia Imitatrice. Indugio sulla porta del Comando, l'iper-tecnologica sala destinata alle riunioni e ai consigli di guerra, dotata di computer parlanti a tutta parete, mappe digitali su cui compaiono i movimenti di truppe nei diversi distretti, e un enorme tavolo rettangolare con quadri comandi che non ho il permesso di toccare. Nessuno si accorge di me, comunque, perché sono tutti radunati davanti a uno schermo televisivo che sta all'estremità opposta della sala e trasmette i programmi di Capitol City ventiquattr'ore su ventiquattro. Sto pensando che potrei anche riuscire a sgattaiolare via, quando Plutarch, la cui massiccia corporatura copre il televisore, mi scorge e mi fa insistentemente cenno di raggiungerli. Riluttante, mi sposto in avanti, tentando di immaginare perché la trasmissione dovrebbe interessarmi. È sempre la stessa roba. Filmati di guerra. Propaganda che ripropone i bombardamenti del Distretto 12. Un sinistro messaggio del presidente Snow. Perciò è quasi divertente vedere Caesar Flickerman, l'eterno anfitrione degli Hunger Games con la faccia dipinta e il completo scintillante, che si prepara a fare un'intervista. Finché la telecamera non indietreggia e vedo che il suo ospite è Peeta.

Mi sfugge un suono: la medesima combinazione di ansito e gemito che deriva dall'essere sommersi dall'acqua, privati di ossigeno sino al punto di provare dolore. Scosto la gente a spintoni finché non sono proprio davanti a lui, una mano appoggiata allo schermo. Cerco nei suoi occhi un segno di sofferenza, un riflesso dell'agonia della tortura. Non c'è niente. Peeta ha un'aria così sana da sembrare florido. La sua pelle riluce, perfetta, come se gli avessero fatto un trattamento levigante completo. L'atteggiamento è composto, serio. Non riesco a conciliare questa immagine con quella del ragazzo malmenato e sanguinante che ossessiona i miei sogni.

Caesar si accomoda meglio sulla poltrona di fronte a Peeta e gli lancia una lunga occhiata. — Allora... Peeta... bentornato.

Peeta accenna un sorriso. — Scommetto che credevi di avermi già fatto l'ultima intervista, Caesar.

— Lo ammetto, sì — dice Caesar. — La sera prima

dell'Edizione della Memoria... be', chi avrebbe mai pensato che ti avremmo rivisto?

— Non faceva parte del mio piano, questo è sicuro — dice Peeta, accigliandosi.

Caesar si china un po' verso di lui. — Credo che il tuo piano fosse chiaro a tutti noi. Volevi sacrificarti nell'arena perché Katniss Everdeen e tuo figlio potessero sopravvivere.

— Esatto. Chiaro e semplice. — Le dita di Peeta seguono il motivo in rilievo sul bracciolo della poltrona. — Ma anche altre persone avevano un piano.

Sì, altre persone avevano un piano, penso. Peeta l'ha capito che i ribelli ci hanno usati come pedine, allora? Che il mio salvataggio era preparato fin dall'inizio? E infine che il nostro mentore, Haymitch Abernathy, ci ha traditi entrambi per una causa alla quale fingeva di non essere interessato?

Nel silenzio che segue, noto le rughe che si sono formate tra le sopracciglia di Peeta. L'ha capito o gliel'hanno detto. Ma Capitol City non l'ha ucciso, e nemmeno punito. Per adesso, questo fatto supera le mie più rosee speranze. Bevo la sua buona salute, la solidità del suo corpo e della sua mente. Mi scorre dentro come la morfamina che mi danno in ospedale, alleviando il dolore delle ultime settimane.

— Perché non ci racconti di quell'ultima notte nell'arena? — suggerisce Caesar. — Aiutaci a chiarire alcune cose.

Peeta annuisce ma si prende tempo per parlare. — Quell'ultima notte... per raccontarvi di quell'ultima notte... be', anzitutto dovete immaginare come ci si sentiva nell'arena. Era come essere un insetto intrappolato sotto una scodella piena di aria rovente. E tutto intono, la giungla... verde e viva e ticchettante. Quel gigantesco orologio che gira e si porta via la tua vita. Ogni ora con la promessa di un nuovo orrore. Pensi che nei due giorni precedenti sono morte sedici persone, e alcune di loro per difendere proprio te. Con quel ritmo, gli ultimi otto rimasti saranno morti in mattinata. Tranne uno. Il vincitore.

E il tuo piano è che quel vincitore non sarai tu.

A quel ricordo, tutto il mio corpo si mette a sudare. La mano scivola lungo lo schermo e pende inerte al mio fianco. Peeta non ha bisogno di un pennello per dipingere immagini dei Giochi. Se la cava altrettanto bene con le parole.

— Non appena sei nell'arena, il resto del mondo si fa molto lontano — continua. — Le persone e le cose che amavi o alle quali tenevi smettono quasi di esistere. Il cielo rosa e i mostri nella giungla e i tributi che vogliono il tuo sangue diventano una realtà definitiva, l'unica che conti davvero. Per quanto ti faccia star male, dovrai uccidere qualcuno, perché nell'arena hai un solo desiderio, che costa molto caro.

— Ti costa la vita — conclude Caesar.

— Oh, no, ti costa molto più della vita. Assassinare persone innocenti? — dice Peeta. — Ti costa tutto ciò che sei.

— Tutto ciò che sei — ripete Caesar sottovoce.

Il silenzio è calato nella sala, e riesco a sentirlo, mentre si diffonde da una parte all'altra di Panem. Un'intera nazione che si protende verso lo schermo. Perché finora nessun altro ha mai parlato di com'è realmente dentro l'arena.

Peeta va avanti. — Perciò ti aggrappi al tuo desiderio. E quell'ultima notte, sì, il mio desiderio era di salvare Katniss. Ma anche se non sapevo niente dei ribelli, qualcosa non andava. Era tutto troppo complicato. Mi sono sorpreso a rimpiangere di non essere scappato prima insieme a lei, come aveva suggerito. Ma a quel punto non c'era più via d'uscita.

— Eravate troppo coinvolti nel piano di Beetee per elettrificare il lago salato — dice Caesar.

— Troppo impegnati a fingere di essere alleati con gli altri. Non avrei mai dovuto permettere che ci separassero! — esclama Peeta. — È stato allora che l'ho perduta.

— Quando tu sei rimasto all'albero del fulmine, mentre lei e Johanna Mason hanno portato la spoletta di filo metallico giù verso l'acqua — spiega Caesar.

— Io non volevo! — L'agitazione fa arrossire Peeta.

— Ma non potevo mettermi a discutere con Beetee senza rivelare che eravamo sul punto di rompere l'alleanza. Quando quel filo è stato tagliato, le cose hanno perso ogni logica. Ho solo ricordi frammentari. Ricordo di aver tentato di trovare Katniss. Di aver visto Brutus uccidere Chaff. Di aver ucciso Brutus io stesso. So che lei gridava il mio nome. Poi il fulmine ha colpito l'albero e il campo di forza intorno all'arena... è esploso.

— È stata Katniss a farlo esplodere, Peeta — dice Caesar. — Hai visto il filmato.

— Non sapeva quello che faceva. Nessuno di noi riusciva a seguire il piano di Beetee. La si vede che cerca di capire cosa fare con quel filo — scatta Peeta di rimando.

— Va bene, va bene. Solo che sembra una cosa sospetta — dice Caesar. — Come se lei facesse parte del piano dei ribelli fin dall'inizio.

Peeta è in piedi, chino sul viso di Caesar, le mani serrate sui braccioli della poltrona del suo intervistatore.

— Davvero? E faceva parte del suo piano che Johanna per poco non la uccidesse? Che quella scossa elettrica la paralizzasse? Che si scatenassero i bombardamenti? — Adesso sta urlando. — Non lo sapeva, Caesar! Né io né lei sapevamo niente, solo che cercavamo di tenerci in vita l'un l'altro!

Caesar mette entrambe le mani sul petto di Peeta in un gesto che è al tempo stesso difensivo e conciliatorio. — D'accordo, Peeta, ti credo.

— Bene. — Peeta si allontana da Caesar, tira indietro le mani e se le passa tra i capelli, scompigliando i riccioli biondi accuratamente pettinati. Stravolto, si lascia cadere di nuovo sulla sua poltrona.

Caesar attende un istante, studiando Peeta. — E il vostro mentore, Haymitch Abernathy?

L'espressione di Peeta si indurisce. — Non sono a conoscenza di cosa sapesse Haymitch.

— Potrebbe aver fatto parte della cospirazione? — chiede Caesar.

— Non ne ha mai fatto cenno — risponde Peeta.

Caesar continua. — Cosa ti dice il tuo cuore?

— Che non avrei dovuto fidarmi di lui — dice Peeta. — Questo è quanto.

Non ho più visto Haymitch da quando l'ho aggredito sull'hovercraft e gli ho lasciato sul viso i lunghi segni delle mie unghie. So che per lui è stata dura, qui. Il Distretto 13 proibisce severamente la produzione e il consumo di bevande che possono causare ubriachezza, persino l'alcol per frizioni dell'ospedale viene tenuto al sicuro sotto chiave. Alla fine, Haymitch viene costretto alla sobrietà, e senza nascondigli segreti o misture casalinghe che gli facilitino la transizione. Lo hanno messo in isolamento, in attesa che si disintossichi del tutto, perché non lo ritengono ancora pronto per mostrarsi in pubblico. Deve soffrire come un cane, ma tutta la mia comprensione per lui è svanita nel momento in cui mi sono resa conto che ci aveva ingannati. Spero che adesso stia guardando la trasmissione di Capitol City e veda che anche Peeta ha tagliato i ponti con lui.

Caesar batte leggermente sulla spalla di Peeta. — Possiamo fermarci qui, se vuoi.

— C'era altro di cui parlare? — dice Peeta in tono beffardo.

— Avevo intenzione di chiederti cosa pensi della guerra, ma se sei troppo sconvolto... — comincia Caesar.

— Oh, non sono troppo sconvolto per rispondere a questa domanda. — Peeta fa un respiro profondo e poi guarda dritto in macchina. — Voglio che tutti voi spettatori, che siate dalla parte di Capitol City o da quella dei ribelli, vi fermiate solo un attimo a riflettere su ciò che questa guerra potrebbe significare per gli esseri umani. In passato, ci siamo quasi estinti combattendo l'uno contro l'altro. Adesso siamo ancora meno di allora. E in condizioni più precarie. È davvero questo che vogliamo fare? Sterminarci completamente? Nella speranza di... cosa? Che una specie più adatta erediti le rovine fumanti della terra?

— Ecco, io davvero... non credo di riuscire a seguirti... — dice Caesar.

— Non possiamo combatterci l'un l'altro, Caesar — spiega Peeta. — Quelli di noi che resteranno non saranno abbastanza numerosi per continuare a vivere. Se non depongono tutti le armi, all'istante, intendo, è finita in ogni caso.

— Quindi... stai chiedendo un cessate il fuoco? — domanda Caesar.

— Sì. Sto chiedendo un cessate il fuoco — conferma stancamente Peeta. — E adesso perché non chiediamo

35

alle guardie di riportarmi nel mio alloggio, così posso mettermi a fare altri cento castelli di carte?

Caesar si gira verso la telecamera. — Bene. Credo sia tutto. Riprendiamo con le trasmissioni in programma.

Parte una musica di chiusura, poi compare una donna che legge un elenco degli articoli che si prevede scarseggeranno a Capitol City: frutta fresca, batterie solari, sapone. Rimango a guardarla con una concentrazione insolita, so che tutti stanno aspettando la mia reazione all'intervista, ma io proprio non riesco a elaborare questa massa di dati così in fretta: la gioia di vedere Peeta vivo e illeso, la sua difesa della mia innocenza di fronte all'accusa di avere tramato coi ribelli, la sua innegabile complicità con Capitol City, adesso che ha chiesto un cessate il fuoco. Oh, l'ha fatta sembrare una condanna di entrambe le parti in guerra. Ma a questo punto, coi ribelli che hanno ottenuto solo piccole vittorie, un cessate il fuoco avrebbe come unico risultato il ritorno alla situazione precedente. O peggio.

Alle mie spalle, sento accumularsi le accuse contro Peeta. Le parole *traditore, bugiardo e nemico* rimbalzano sulle pareti. Visto che non posso unirmi all'indignazione dei ribelli né rintuzzarla, decido che la cosa migliore da fare è andarmene. Mentre raggiungo la porta, la voce della Coin si leva sopra le altre. — Non sei stata congedata, soldato Everdeen.

Uno dei suoi uomini mi mette una mano sul braccio. Non è un gesto aggressivo, in realtà, ma, dopo l'arena, qualsiasi tocco estraneo mi provoca reazioni difensive. Mi libero il braccio con uno strattone e filo di corsa lungo i corridoi. Dietro di me sento scoppiare un tafferuglio, ma non mi fermo. La mia mente esegue un veloce inventario dei bizzarri posticini in cui nascondermi, e mi ri-

trovo nell'armadio del materiale scolastico, raggomitolata contro una cassa di gessetti.

— Sei vivo — sussurro, premendomi i palmi delle mani
sulle guance, sentendomi un sorriso così largo che deve
sembrare una smorfia. Peeta è vivo. Ed è un traditore.
Ma per il momento non me ne importa niente. Non mi
importa di quello che dice, o per conto di chi lo dice, mi
importa solo che sia ancora in grado di parlare.

Dopo un po', lo sportello si apre e qualcuno si intrufola dentro. Gale scivola al mio fianco, gocce di sangue
gli colano dal naso.

— Cos'è successo? — chiedo.

— Ho ostacolato Boggs — risponde con un'alzata di spalle. Uso una manica per pulirgli il naso. — Fa' attenzione!

Provo a essere più delicata. Colpetti leggeri, niente
strofinate. — Qual è Boggs?

— Oh, lo sai. Il lacché più fidato della Coin. Quello
che ha cercato di fermarti. — Mi spinge via la mano. —
Smettila! Mi farai morire dissanguato.

Il gocciolio si è trasformato in un fiotto costante. Lascio perdere i tentativi di primo soccorso. — Hai fatto a
botte con Boggs?

— No, ho solo bloccato la soglia della porta quando ha
cercato di seguirti e il suo gomito mi ha colpito il naso
— dice Gale.

— Probabilmente ti puniranno — dico.

— Già fatto. — Solleva il polso. Lo fisso senza capire.
— La Coin si è ripresa il bracciale comunicatore.

Mi mordo un labbro, tentando di rimanere seria, ma
tutta la faccenda sembra piuttosto ridicola. — Sono spia-
cente, soldato Gale Hawthorne.

— Non esserlo, soldato Katniss Everdeen. — Sogghigna. — Comunque mi sentivo uno stupido ad andarme-

ne in giro con quell'affare. — Cominciamo a ridere. — Credo proprio che mi abbiano degradato.

Questa è una delle poche cose belle del 13. Avere riavuto Gale. Eliminata la pressione del matrimonio che Capitol City aveva combinato tra me e Peeta, io e Gale siamo riusciti a recuperare la nostra amicizia. Lui non si spinge oltre: non cerca di baciarmi né parla d'amore. Forse sono stata troppo male, oppure è disposto a lasciarmi spazio, o semplicemente sa che sarebbe crudele, con Peeta nelle mani di Capitol City. Comunque sia, ho di nuovo qualcuno a cui raccontare i miei segreti.

— Chi è questa gente? — chiedo.

— Siamo noi. Se avessimo avuto armi nucleari, anziché qualche pezzo di carbone... — risponde.

— Mi piace pensare che in quel caso il 12 non avrebbe abbandonato gli altri ribelli, all'epoca dei Giorni Bui — dico.

— Avremmo potuto farlo, se la scelta fosse stata tra questo, arrendersi o dare inizio a una guerra nucleare — ribatte Gale. — In un certo senso, è già notevole che siano sopravvissuti.

Sarà perché ho ancora le ceneri del mio distretto sulle scarpe, ma per la prima volta riconosco agli abitanti del 13 qualcosa che finora ho negato loro: il merito di essere rimasti vivi contro ogni aspettativa.

I primi anni devono essere stati terribili, tutti accalcati nelle stanze sotterranee dopo che la loro città era stata ridotta in cenere dalle bombe. La popolazione decimata, nessun possibile alleato cui rivolgersi per avere aiuto. Nel corso degli ultimi settantacinque anni, hanno imparato a essere autosufficienti, trasformato i cittadini in un esercito e costruito una nuova società senza l'aiuto di nessuno. E sarebbero ancora più forti, se quell'epidemia di varicella non avesse azzerato il loro tasso di natalità, rendendoli così disperatamente bisognosi di nuovi geni e nuovi riproduttori. Saranno anche militaristi, troppo programmati e un po' carenti di senso dell'umorismo. Ma sono qui. E sono prontissimi a sfidare Capitol City.

— Però ce ne hanno messo di tempo, per farsi vedere — dico.

— Non è stato facile. Hanno dovuto creare un nucleo ribelle dentro Capitol City e fare in modo che nei distretti venisse organizzato una specie di movimento clandestino — replica. — Poi hanno avuto bisogno di qualcuno che mettesse in moto il meccanismo. Hanno avuto bisogno di te.

— Hanno avuto bisogno anche di Peeta, ma sembra che questo se lo siano dimenticato — ribatto.

L'espressione di Gale si incupisce. — Peeta potrebbe aver fatto un bel po' di danni, stasera. La maggior parte dei ribelli ci metterà un attimo a respingere quello che ha detto, naturalmente, ma ci sono distretti in cui la resistenza non è così solida. È chiaro che il cessate il fuoco è un'idea del presidente Snow. Però sembra molto più ragionevole se esce dalla bocca di Peeta.

Ho paura della risposta di Gale, ma glielo chiedo lo stesso: — Perché credi che l'abbia detto?

— Potrebbero averlo torturato. O convinto. Secondo me, ha stretto un accordo di qualche genere per proteggerti: lui avrebbe proposto il cessate il fuoco se Snow gli avesse permesso di dipingerti come una ragazza incinta e confusa che non aveva idea di quello che stava succedendo quando venne fatta prigioniera dai ribelli. In questo modo, se i distretti perdono, tu avresti ancora qualche possibilità di clemenza, se te la giochi bene. — Forse continuo ad avere un'aria perplessa, perché Gale pronuncia la battuta successiva molto lentamente. — Katniss... lui sta ancora cercando di tenerti in vita.

Di tenermi in vita? Poi capisco. I Giochi sono ancora in corso. Abbiamo lasciato l'arena ma, visto che io e Peeta non siamo stati uccisi, il suo ultimo desiderio di salvaguardare la mia vita rimane valido. La sua idea è che io non mi faccia vedere e me ne resti imprigionata al sicuro finché la guerra non finirà. A quel punto, nessuna delle due parti avrà davvero motivo di uccidermi. E Peeta? Se vincono i ribelli, sarà un disastro per lui. Se vince Capitol City, chi lo sa? Magari concederanno a entrambi di vivere – se me la gioco bene – per assistere ai Giochi che verranno...

Nella mia mente balenano alcune immagini: la lancia che trafigge il corpo di Rue nell'arena, Gale sospeso privo di sensi al palo della fustigazione, il deserto ricoperto di cadaveri del mio distretto. E per cosa? Per cosa? Mentre il mio sangue comincia a ribollire, ricordo altre cose. La prima volta che ho intravisto un'insurrezione nel Distretto 8. I vincitori stretti mano nella mano la sera prima dell'Edizione della Memoria. E ricordo che non è stato un caso se ho scagliato quella freccia contro il campo di forza nell'arena. E che ho desiderato con tutte le mie forze che si conficcasse profondamente nel cuore del mio nemico.

Balzo in piedi, rovesciando una scatola da cento matite e disseminandole per tutto il pavimento.

— Cosa c'è? — chiede Gale.

— Non può esserci un cessate il fuoco. — Mi chino, armeggiando per rimettere a forza le matite di grafite grigio scuro nella loro scatola. — Non possiamo tornare indietro.

— Lo so. — Gale raccoglie una manciata di matite e le picchietta sul pavimento per allinearle perfettamente.

— Qualunque ragione avesse per dire quelle cose, Peeta si sbaglia. — Quegli stupidi bastoncini non entrano nella scatola e ne spezzo alcuni per la frustrazione.

— Lo so. Dai qua. Li stai riducendo in pezzi. — Mi prende la scatola dalle mani e la riempie di nuovo con pochi, rapidi movimenti.

— Lui non sa cos'hanno fatto al 12. Se vedesse cosa c'era a terra... — comincio.

— Katniss, non ti sto contestando. Se potessi premere un pulsante e uccidere ogni essere vivente che sta dalla parte di Capitol City, lo farei, senza esitare. — Fa scivolare l'ultima matita nella scatola e chiude il coperchio. — La domanda è: cosa farai tu?

A conti fatti, la domanda che ha continuato a rodermi per tutto questo tempo ha sempre avuto una sola risposta possibile. Ma ci è voluta la manovra di Peeta perché lo capissi.

Cosa farò?

Respiro a fondo. Le mie braccia si sollevano leggermente – come ricordando le ali bianche e nere che mi aveva donato Cinna – poi tornano lungo i fianchi.

— Sarò la Ghiandaia Imitatrice.

CAPITOLO 3

Gli occhi di Ranuncolo riflettono il debole chiarore della luce di sicurezza che sta sopra la porta, mentre lui, disteso nell'incavo del braccio di Prim, è di nuovo all'erta per proteggerla dalla notte. Lei è rannicchiata vicino a mia madre. Addormentate, hanno lo stesso aspetto che avevano la mattina della Mietitura che mi condusse per la prima volta ai Giochi. Io ho un letto tutto mio perché mi sto ristabilendo e perché in ogni caso, tra incubi e soprassalti, nessuno riesce a dormire con me.

Dopo essermi girata e rigirata per ore, alla fine accetto l'idea che sarà una notte insonne. Sotto lo sguardo vigile di Ranuncolo, attraverso in punta di piedi il freddo pavimento piastrellato fino al cassettone.

Il cassetto di mezzo contiene la mia fornitura governativa di abiti. Tutti portano identici pantaloni e camicia entrambi grigi, con la camicia infilata nella cintura. Sotto i vestiti, conservo le poche cose che avevo con me quando venni prelevata dall'arena. La mia spilla con la ghiandaia imitatrice. Il dono di Peeta, il medaglione d'oro che racchiude la foto di mia madre e Prim e quella di Gale.

Un paracadute argentato che avvolge una spillatrice per attingere acqua dagli alberi. E la perla che Peeta mi ha regalato qualche ora prima che facessi saltare il campo di forza. Il Distretto 13 ha confiscato il tubetto di pomata per la pelle perché venga usato in ospedale, e il mio arco con le frecce, perché solo le guardie sono autorizzate a portare armi. È stato preso in custodia dall'armeria.

Cerco a tastoni il paracadute e faccio scivolare le dita all'interno finché non si stringono intorno alla perla. Torno a sedermi sul letto a gambe incrociate e mi scopro a strofinarmi quella liscia superficie iridescente sulle labbra. Per qualche motivo, è rassicurante. Un fresco bacio proveniente dalla persona che mi ha regalato la perla.

— Katniss? — bisbiglia Prim. È sveglia e mi sta scrutando nel buio. — Cosa c'è che non va?

— Niente. Solo un brutto sogno. Torna a dormire. — È automatico. Chiudere fuori da tutto mia madre e Prim per proteggerle.

Attenta a non svegliare la mamma, Prim scende delicatamente dal letto, prende in braccio Ranuncolo e si siede accanto a me. Tocca la mano che teneva la perla. — Tu hai freddo. — Prende una coperta di scorta dal fondo del letto e copre tutti e tre, avvolgendomi nel suo tepore, oltre che nel calore peloso di Ranuncolo. — Potresti parlarmene, sai. Sono brava a mantenere i segreti. Anche con la mamma.

ـSe ne è proprio andata, allora. La ragazzina con la camicetta che sporgeva sulla schiena come la coda di una paperella, quella che aveva bisogno di aiuto per arrivare ai piatti e ti supplicava di farle vedere i dolci glassati nella vetrina della panetteria. Il tempo e la catastrofe l'hanno costretta a crescere troppo in fretta, almeno per i miei gusti, e a trasformarsi in una giovane donna che ricuce ferite sanguinanti e sa che nostra madre non è in grado di darle retta più di tanto.

— Ho intenzione di accettare il ruolo della Ghiandaia Imitatrice, domattina — le dico.

— Perché lo vuoi o perché ti senti obbligata a farlo? — chiede lei.

Faccio una risatina. — Entrambe le cose, immagino. No, voglio farlo. Anzi devo, se questo può aiutare i ribelli a sconfiggere Snow. — Stringo con più forza la perla nel pugno. — È solo che... Peeta. Temo che, se vinceremo, i ribelli lo giustizieranno come traditore.

Prim ci riflette su. — Katniss, non credo che tu capisca quanto sei importante per la causa. Di solito le persone importanti ottengono ciò che vogliono. Se vuoi proteggere Peeta dai ribelli, puoi farlo.

Immagino di essere importante. Si sono presi un bel po' di disturbo, per salvarmi. Mi hanno portato nel 12. — Vuoi dire che... potrei chiedere loro di concedere l'immunità a Peeta? E che sarebbero costretti ad accettare?

— Credo che tu potresti chiedere praticamente tutto e che loro sarebbero costretti ad accettare. — Prim aggrotta la fronte. — Solo, come si fa a sapere che manterranno la parola?

Ricordo tutte le frottole che Haymitch raccontava a Peeta e a me per farci fare quello che voleva. Cosa impedirebbe ai ribelli di sconfessare l'accordo? Una promessa verbale fatta a porte chiuse, persino una dichiarazione scritta, sarebbe facile farle svanire, dopo la guerra. La loro stessa esistenza potrebbe essere negata. Inutile avere testimoni appartenenti al Comando. Di fatto, è probabile che sarebbero proprio loro a decretare la condanna a morte di Peeta. Mi servirà una cerchia di testimoni molto più ampia. Mi serviranno tutti quelli che riesco a trovare.

— Dovrà essere un accordo pubblico — dico. Ranuncolo dà un colpetto di coda che prendo come un cenno di assenso. — Farò in modo che la Coin lo annunci davanti a tutta la popolazione del 13.

Prim sorride. — Ottimo. Non è una garanzia, ma per loro sarà molto più difficile ritirare la parola data.

Provo il genere di sollievo che segue a una vera soluzione. — Dovrei svegliarti più spesso, paperella.

— Vorrei che lo facessi — dice Prim. Mi dà un bacio. — Cerca di dormire adesso, va bene? — E io dormo.

La mattina, vedo che la voce *Ore 7.00 Colazione* è seguita direttamente da *Ore 7.30 Comando*, il che mi va benissimo, perché non c'è ragione di rimandare la prima mossa. Nel refettorio mostro rapidamente il mio programma, che comprende un qualche tipo di numero di identificazione, a un sensore. Mentre faccio scivolare il vassoio sul ripiano metallico davanti alle vaschette del cibo, vedo che il menu della colazione va sul sicuro, come al solito: una scodella di cereali, una tazza di latte e una piccola porzione di frutta o di verdura. Oggi, purea di rape. Il tutto viene dalle fattorie sotterranee del 13. Siedo al tavolo assegnato alle Everdeen, agli Hawthorne e a qualche altro profugo, e ingollo il mio cibo, desiderando un bis che qui non c'è mai. Hanno fatto dell'alimentazione una scienza. Te ne vai con le calorie che ti bastano per arrivare al pasto successivo, né più né meno. Le dimensioni delle porzioni si basano sull'età, l'altezza, il tipo di corporatura, le condizioni di salute e l'entità dello sforzo fisico richiesto dal programma di ognuno. Noi del 12 stiamo già ricevendo porzioni leggermente più abbondanti rispetto alla gente del 13, perché vogliono farci aumentare di peso. Immagino che i soldati scheletrici si stanchino troppo in fretta. Però funziona. Nel giro di un solo mese, cominciamo ad avere un aspetto più sano, soprattutto i bambini.

Gale mette il vassoio accanto a me e io cerco di non fissare le sue rape con espressione eccessivamente patetica, perché davvero ne vorrei ancora e lui è già fin troppo rapido nell'allungarmi il suo cibo. Anche se dedico tutta la mia attenzione a piegare con cura il tovagliolo, una cucchiaiata di rape mi si rovescia comunque nella scodella.

— Devi smettere di farlo — dico. Ma, visto che sto già spazzolando quell'extra, le mie parole non suonano molto convincenti. — Davvero. Probabilmente è illegale o roba del genere. — Hanno regole severissime sul cibo. Per esempio, se non finisci qualcosa e vuoi tenertela per dopo, non puoi portarla fuori dal refettorio. Nel primo periodo, a quanto pare, si sono verificati casi di accaparramento di vettovaglie. Per due persone come me e Gale, che abbiamo provveduto al sostentamento delle nostre famiglie per anni, la cosa non è molto piacevole. Sappiamo cosa significa avere fame, ma non siamo abituati a sentirci dire come usare i nostri viveri. Per certi versi, il Distretto 13 è persino più dispotico di Capitol City.

— Cosa possono farmi? Si sono già presi il mio bracciale comunicatore — dice Gale.

Mentre raschio il fondo della mia scodella, ho un'ispirazione. — Ehi, forse dovrei imporlo come condizione per fare la Ghiandaia Imitatrice.

— Cosa, che io ti passi le rape?

— No, che io e te possiamo andare a caccia. — Questo attira la sua attenzione. — Dovremmo dare tutto alle cucine. Però potremmo comunque... — Non ho bisogno di concludere la frase, perché lui lo sa. Potremmo andare in superficie. Nei boschi. Essere di nuovo noi stessi.

— Fallo — dice. — È il momento giusto. Potresti chiedere la luna e loro sarebbero costretti a trovare un modo per procurartela.

Lui non sa che sto già per chiedere la luna, pretendendo che risparmino la vita di Peeta. Prima di decidere se dirglielo o no, una campanella segnala la fine del nostro turno in mensa. Il pensiero di affrontare la Coin da sola mi rende nervosa. — Cosa prevede il tuo programma?

Gale si controlla il braccio. — Corso di Storia del Nucleare. Nel quale, tra l'altro, la tua assenza è stata notata.

— Devo andare al Comando. Vieni con me? — chiedo.

— Va bene. Ma potrebbero anche sbattermi fuori, dopo quel che è successo ieri. — Mentre andiamo a deporre i nostri vassoi, dice: — Sai, faresti meglio a mettere anche Ranuncolo nel tuo elenco di richieste. Non credo che il concetto di animale domestico privo di utilità sia molto conosciuto, da queste parti.

— Oh, gli troveranno un lavoro, vedrai. E glielo tatueranno sulla zampa ogni mattina — dico. Ma prendo un appunto mentale di includere anche lui, per il bene di Prim.

Quando arriviamo al Comando, la Coin, Plutarch e tutti i loro accoliti sono già riuniti. La vista di Gale fa inarcare qualche sopracciglio, ma nessuno lo sbatte fuori. I miei appunti mentali sono diventati troppo confusi, perciò chiedo subito un pezzo di carta e una matita. Il mio apparente interesse per la riunione (è la prima volta che lo dimostro, da quando mi trovo qui) li coglie di sorpresa. Parecchi di loro si scambiano occhiate. È probabile che avessero in programma di rifilarmi un predicozzo coi fiocchi. E invece è la Coin in persona a porgermi carta e penna, e tutti attendono in silenzio mentre siedo al tavolo e scarabocchio il mio elenco. *Ranuncolo. Caccia. Immunità per Peeta, annunciata in pubblico.*

47

Ecco qua. Forse la mia unica occasione di negoziare. Pensa. *Cos'altro vuoi?* Lo sento, in piedi alle mie spalle. *Gale,* aggiungo. Non credo di essere in grado di farcela senza di lui.

Sta arrivando l'emicrania e i miei pensieri cominciano a ingarbugliarsi. Chiudo gli occhi e attacco a recitare in silenzio.

Mi chiamo Katniss Everdeen. E ho diciassette anni. Sono nata nel Distretto 12. Ho partecipato agli Hunger Games. Sono fuggita. Capitol City mi odia. Peeta è stato fatto prigioniero. È vivo. È un traditore, ma è vivo. Devo mantenerlo in vita...

L'elenco. Sembra ancora troppo breve. Dovrei cercare di pensare più in grande, di vedere oltre la situazione presente nella quale sono molto importante e immaginare un futuro nel quale potrei anche non valere più niente. Non dovrei chiedere di più? Per la mia famiglia? Per quelli che restano della mia gente? Mi prude la pelle per le ceneri dei morti. Sento l'impatto rivoltante di un cranio contro la mia scarpa. L'odore di sangue e di rose mi punge le narici.

La matita si muove da sola sulla pagina. SARÒ IO A UCCIDERE SNOW. *Se verrà catturato, pretendo questo privilegio.*

Plutarch dà un colpo di tosse discreto. — Hai fatto? — Alzo gli occhi e noto l'orologio. Sono rimasta seduta qui per venti minuti. Finnick non è l'unico ad avere problemi di attenzione.

— Sì — dico. La mia voce suona roca, perciò mi schiarisco la gola. — Sì. Allora, questi sono i patti. Sarò la vostra Ghiandaia Imitatrice.

Aspetto per dare loro la possibilità di esprimere sollievo, congratularsi e distribuirsi pacche sulle spalle.

La Coin rimane impassibile come sempre e mi osserva, niente affatto colpita.

— Però, ho alcune condizioni. — Spiego l'elenco e comincio. — La mia famiglia potrà tenere il nostro gatto.

— La più piccola delle mie richieste solleva una discussione. I ribelli di Capitol City la considerano un'inezia — certo che posso tenere il mio animale domestico – mentre quelli del 13 si diffondono in spiegazioni sulle enormi difficoltà che ciò comporterebbe. Alla fine si decide che verremo trasferite al piano più alto, dove disporremo del lusso di una finestra che sporge alla luce di una ventina di centimetri. Ranuncolo potrà andare e venire e farsi gli affari suoi. Dovrà nutrirsi da sé. Se mancherà il coprifuoco, rimarrà chiuso fuori. Se causerà un problema di sicurezza qualsiasi, verrà ucciso all'istante.

Sembra passabile. Non molto diverso dal modo in cui ha vissuto da quando ce ne siamo andati, eccetto la parte dell'uccisione.

Nel caso dovesse dimagrire troppo, posso allungargli io qualche frattaglia, sempre che la mia prossima richiesta venga accettata.

— Voglio andare a caccia. Con Gale. Nei boschi — dico. Questo fa esitare tutti.

— Non andremo lontano. Useremo i nostri archi. E voi potreste avere la carne per le cucine — aggiunge Gale.

Proseguo in fretta, prima che possano dire di no. — È solo che... non riesco a respirare, chiusa qui dentro... Migliorerei più rapidamente, se potessi andare a caccia.

Plutarch comincia a spiegare gli inconvenienti che ci sono qui – i pericoli, le misure di sicurezza extra, il rischio di ferirsi – ma la Coin lo interrompe. — No. Lasciali fare. Dagli due ore al giorno, detraendole da quelle dell'addestramento. Un raggio d'azione di quattrocento metri, con unità di comunicazione e localizzatori da caviglia. La prossima richiesta?

Scorro il mio elenco. — Gale. Avrò bisogno di averlo con me per fare quello che mi chiedete.

— Con te in che modo? Fuori onda? Sempre al tuo fianco? Vuoi che venga presentato come il tuo nuovo innamorato? — chiede la Coin.

Non l'ha detto con particolare malignità, anzi, si è espressa in tono molto pratico. Ma io rimango comunque a bocca aperta per lo stupore. — Cosa?

— Penso che dovremmo mantenere l'attuale idillio con Peeta. Un rapido allontanamento da Peeta potrebbe farle perdere il sostegno del pubblico — dice Plutarch. — Tanto più che tutti la credono incinta di suo figlio.

— D'accordo. Quindi, in video, Gale può essere presentato semplicemente come un compagno di lotta. Va bene così? — dice la Coin. La fisso e basta. Lei ripete la domanda, impaziente. — Per Gale. Ti basta?

— Possiamo sempre inserirlo come tuo cugino — dice Fulvia.

— Non siamo cugini — replichiamo io e Gale all'unisono.

— Vero, ma forse è meglio che davanti alle telecamere manteniamo questa versione, per salvare le apparenze — dice Plutarch. — Fuori onda, è tutto tuo. Qualcos'altro?

Sono innervosita dalla piega che ha preso la conversazione. Dall'insinuazione che potrei sbarazzarmi di Peeta con tanta facilità, che sono innamorata di Gale, che tutta la faccenda non è stata altro che una messinscena. Le mie guance cominciano a bruciare. L'idea stessa che io dedichi anche un solo pensiero a chi voglio che sia presentato come mio innamorato, tenuto conto delle attuali circostanze, è umiliante. Lascio che la rabbia mi sia di stimolo per porre la domanda più importante. — Quando la guerra sarà finita, se vinciamo, Peeta verrà graziato.

Silenzio completo. Sento irrigidirsi il corpo di Gale. Immagino che avrei dovuto dirglielo prima, ma non ero sicura di come avrebbe reagito, considerando che la cosa riguardava Peeta.

— Non gli sarà inflitta alcuna pena, sotto nessuna forma — continuo. Un nuovo pensiero mi balena in testa. — Lo stesso vale per gli altri tributi catturati, Johanna ed Enobaria. — Per essere sincera, non mi importa niente di Enobaria, la brutale rappresentante del Distretto 2. In realtà mi è proprio antipatica, ma lasciarla fuori mi sembra sbagliato.

— No — dice la Coin recisamente.

— Sì — ribatto. — Non è colpa loro se li avete abbandonati nell'arena. E chissà cosa gli sta facendo Capitol City.

— Verranno giudicati insieme ad altri criminali di guerra e trattati come il tribunale riterrà opportuno — dice lei.

— Loro riceveranno l'immunità! — Sento il mio corpo alzarsi dalla sedia, la mia voce risuonare netta e squillante. — Lei si impegnerà personalmente a concederla davanti all'intera popolazione del Distretto 13 e ai superstiti del 12. Oggi stesso. La sua dichiarazione sarà registrata a futura memoria. Lei e il suo governo sarete responsabili della loro incolumità, altrimenti potete anche trovarvi un'altra Ghiandaia Imitatrice!

Le mie parole rimangono sospese nell'aria per un lungo istante.

— È lei! — sento Fulvia sibilare a Plutarch. — Uniforme completa, spari in sottofondo e appena un po' di fumo intorno.

— Sì, è questo che vogliamo — dice Plutarch sottovoce. Vorrei lanciare loro un'occhiataccia, ma sento che sarebbe un errore distogliere la mia attenzione dalla Coin. La osservo mentre valuta il prezzo del mio ultimatum, lo soppesa in rapporto al mio possibile valore.

— Cosa ne dice, presidente? — chiede Plutarch. — Potrebbe concedere un perdono ufficiale, date le circostanze. Il ragazzo... non è neppure maggiorenne.

— Benissimo — dice alla fine la Coin. — Ma farai meglio a recitare bene la tua parte.

— Reciterò la mia parte quando lei avrà dato l'annuncio — replico.

— Convocate una riunione di sicurezza nazionale durante la Riflessione, oggi — ordina. — Darò l'annuncio allora. È rimasto nient'altro sul tuo elenco, Katniss?

Il foglio di carta è appallottolato nel mio pugno destro. Liscio la pagina sul tavolo e leggo le lettere sgangherate. — Solo un'altra cosa. Sarò io a uccidere Snow.

Per la prima volta in assoluto, vedo l'accenno di un sorriso sulle labbra della presidente. — Quando verrà il momento, io e te ce la giocheremo a sorte.

Forse ha ragione. Di certo, non sono l'unica a vantare un credito nei confronti della vita di Snow. E credo di poter contare su di lei perché il lavoro venga eseguito. — Va bene.

Gli occhi della Coin sono guizzati verso il suo braccio, verso l'orologio. Anche lei ha un programma cui attenersi. — La lascio nelle tue mani, Plutarch. — Esce dalla stanza, seguita dalla sua équipe, e rimaniamo solo io, Plutarch, Fulvia e Gale.

— Eccellente. Eccellente. — Plutarch sprofonda in una sedia, i gomiti sul tavolo, strofinandosi gli occhi. — Sapete cosa mi manca? Il caffè. Sarebbe poi tanto impensabile avere qualcosa che aiuti a mandare giù la farinata e le rape, vi chiedo?

— Non pensavamo che ci sarebbero state regole così ferree, qui — ci spiega Fulvia mentre massaggia le spalle di Plutarch. — Non ai livelli più alti.

— O almeno credevamo che una piccola scappatoia fosse possibile — dice Plutarch. — Voglio dire, persino il 12 aveva un mercato nero, no?

— Sì, il Forno — dice Gale. — È lì che facevamo i nostri baratti.

— Ecco, vedete? E guarda un po' quanto siete onesti voi due! Praticamente incorruttibili. — Plutarch sospira. — Oh, be', le guerre non durano per sempre. Dunque, lieto di avervi in squadra. — Allunga una mano di lato, dove Fulvia sta già tendendo un grande album di schizzi rilegato in pelle nera. — In generale, sai già cosa ti chiediamo, Katniss. So che hai sensazioni contrastanti sulla tua partecipazione. Spero che questo possa esserti d'aiuto.

Plutarch fa scivolare l'album attraverso il tavolo verso di me. Lo guardo, sospettosa. Poi la mia curiosità ha la meglio. Sollevo la copertina e trovo un'immagine che mi ritrae, dritta e vigorosa, con una uniforme nera. C'è solo una persona che può aver disegnato quella tenuta, a prima vista estremamente pratica, un'opera d'arte a un esame più attento. La forma dell'elmetto, la curva delle piastre che proteggono il torace , l'ampiezza delle maniche che rende visibili le pieghe bianche sotto le braccia. Nelle sue mani, sono di nuovo una ghiandaia imitatrice.

— Cinna — sussurro.

— Sì. Mi ha fatto promettere di non mostrarti questo album finché tu non avessi deciso da te di essere la Ghiandaia Imitatrice. Ero molto tentato, credimi — dice Plutarch. — Va' avanti. Sfoglialo.

Giro le pagine pian piano, osservando ogni dettaglio dell'uniforme. Gli strati su misura del giubbotto antiproiettile, le armi nascoste negli stivali e nella cintura, il rinforzo speciale sopra il cuore. Nell'ultima pagina, sotto uno schizzo della mia spilla con la ghiandaia, Cinna ha scritto: *Io scommetto ancora su di te.*

— Quando l'ha... — Mi manca la voce.

— Vediamo... Be', dopo l'annuncio dell'Edizione della Memoria. Qualche settimana prima dei Giochi, forse? Ma non ci sono solo i disegni. Abbiamo le tue uniformi. Oh, e Beetee ha qualcosa di davvero speciale che ti aspetta di sotto, nell'armeria. Non voglio parlarne per non rovinarti la sorpresa — dice Plutarch.

— Sarai la ribelle meglio vestita della storia — osserva Gale con un sorriso. Di colpo, mi rendo conto che anche lui mi ha nascosto delle cose. Come Cinna, ha voluto sin dall'inizio che fossi io a prendere questa decisione.

— Il nostro piano è lanciare un Attacco via Etere — dice Plutarch. — Realizzare una serie di quelli che noi chiamiamo "pass-pro", abbreviazione di "passaggi propagandistici", in cui appari tu, e diffonderli tra tutta la popolazione di Panem.

— E come? Capitol City ha il controllo esclusivo delle trasmissioni — replica Gale.

— Ma noi abbiamo Beetee. Circa dieci anni fa, ha in sostanza ridisegnato la rete sotterranea che trasmette l'intera programmazione. Lui crede che ci siano buone possibilità di farla funzionare. Naturalmente, ci serve qualcosa da mandare in onda. Perciò, Katniss, lo studio è a tua disposizione. — Plutarch si rivolge alla sua assistente. — Fulvia?

— Io e Plutarch abbiamo parlato a lungo di come diavolo potevamo realizzare tutto questo. Secondo noi, la cosa migliore da fare è costruire il tuo personaggio di leader della nostra rivolta dall'esterno verso l'interno. In altre parole, dobbiamo trovare il look da Ghiandaia Imitatrice più sbalorditivo possibile e poi modellare lá tua personalità di conseguenza! — dice vivacemente.

— La sua uniforme l'avete già — obietta Gale.

— Sì, ma su Katniss ci sono forse cicatrici e sangue? Risplende del fuoco della ribellione? Sino a che punto possiamo coprirla di sporcizia senza disgustare la gente? In ogni caso, la sua deve essere una figura a effetto. Voglio dire, è ovvio che questo — rapida, Fulvia si avvicina e mi incornicia il viso con le mani — non sarà sufficiente. — Per riflesso tiro indietro la testa di scatto, ma lei è già occupata a radunare le sue cose. — E pensando alla tua immagine, ti abbiamo riservato un'altra piccola sorpresa. Vieni, vieni.

Fulvia ci fa un cenno con la mano, e io e Gale seguiamo lei e Plutarch nel corridoio.

— Così benintenzionata eppure così sgradevole — mi bisbiglia all'orecchio Gale.

— Benvenuto a Capitol City — ribatto, muovendo solo le labbra. Ma le parole di Fulvia non hanno alcun effetto su di me. Stringo forte l'album di schizzi tra le braccia e mi concedo di sentirmi ottimista. Questa dev'essere la decisione giusta, se era voluta da Cinna.

Saliamo su un ascensore e Plutarch controlla i suoi appunti. — Vediamo un po'. È la Sezione 3908. — Preme un pulsante marcato 39, ma non succede niente.

— Devi usare la chiave — dice Fulvia.

Plutarch estrae da sotto la camicia una chiave attaccata a una catenella e la inserisce in una fessura che prima non avevo notato. Le porte scorrevoli si richiudono. — Ah, ci siamo.

L'ascensore scende per dieci, venti, trenta livelli, molto più giù della profondità cui pensavo arrivasse il Distretto 13. Si apre su un ampio corridoio bianco ai lati del quale si allineano delle porte rosse, quasi ornamentali rispetto a quelle grigie dei piani superiori. Ognuna è contrassegnata solo da un numero. 3901, 3902, 3903...

Mentre usciamo, lancio un'occhiata dietro di me per guardare l'ascensore chiudersi e vedo una grata metallica scorrere sulle porte vere e proprie. Quando mi giro, un sorvegliante si è materializzato da una delle stanze in fondo al corridoio. Una porta si richiude silenziosamente alle sue spalle mentre avanza a grandi passi verso di noi.

Plutarch si muove per andargli incontro, con noialtri al seguito e una mano sollevata in segno di saluto. C'è qualcosa di molto sbagliato, quaggiù. Più dell'ascensore blindato, più della sensazione claustrofobica che dà il trovarsi tanto al di sotto del livello del suolo, più dell'odore pungente di disinfettante. Un'occhiata al viso di Gale e capisco che lo avverte anche lui.

— Buongiorno, stavamo cercando... — comincia a dire Plutarch.

— Siete al piano sbagliato — lo interrompe bruscamente il sorvegliante.

— Davvero? — Plutarch ricontrolla i suoi appunti. — Qui c'è scritto 3908. Forse potresti fare una telefonata di sopra a...

— Temo di dovervi chiedere di andarvene subito. Per le variazioni di incarico, potete rivolgervi all'Ufficio Centrale — dice lui.

È proprio davanti a noi. Sezione 3908. Ad appena qualche passo di distanza. La porta, anzi, tutte le porte sembrano incomplete. Niente maniglie. Devono girare liberamente sui cardini come quella da cui è sbucata la guardia.

— E dov'è? — chiede Fulvia.

— Troverete l'Ufficio Centrale al Livello 7 — dice il

sorvegliante, tendendo il braccio per indirizzarci di nuovo verso l'ascensore.

Da dietro la porta 3908 proviene un suono. Un lievissimo mugolio. Tipo quello che potrebbe emettere un cane impaurito per evitare di essere picchiato, ma sin troppo umano e familiare. I miei occhi incontrano lo sguardo di Gale solo per un istante, ma è sufficiente, per due come noi. Lascio cadere l'album di Cinna ai piedi del sorvegliante con gran fragore. Un secondo dopo, lui si china a raccoglierlo. Anche Gale si china, battendo deliberatamente la testa contro la sua. — Oh, scusa — dice con una risatina, afferrandogli il braccio come per riacquistare l'equilibrio e facendolo girare leggermente da una parte rispetto a me.

È la mia occasione. Sfreccio intorno al sorvegliante distratto, spingo la porta 3908 e li trovo: mezzi nudi, coperti di lividi e incatenati alla parete.

Il mio staff di preparatori.

CAPITOLO 4

Il fetore di corpi non lavati, urina stantia e suppurazione oltrepassa la nube di disinfettante. Le tre figure sono appena riconoscibili per le loro caratteristiche più sensazionali in fatto di moda: i tatuaggi facciali dorati di Venia, i riccioli a cavatappi color carota di Flavius, la pelle verde chiaro di Octavia, una pelle che ora pende troppo mollemente, come se il suo corpo fosse un palloncino che si sta sgonfiando poco a poco.

Vedendomi, Flavius e Octavia si ritirano contro le pareti piastrellate, quasi si aspettassero un'aggressione, benché io non abbia mai fatto loro alcun male. Pensieri poco gentili, questa è stata la mia peggiore offesa nei loro confronti, e anche quelli li tenevo per me, quindi perché indietreggiano?

Il sorvegliante mi sta ordinando di uscire, ma dallo strascicare di piedi che segue deduco che Gale lo ha trattenuto in qualche modo. In cerca di risposte, attraverso il locale e raggiungo Venia, da sempre la più forte dei tre. Mi accovaccio e prendo le sue mani gelide, che stringono le mie come morse.

— Cos'è successo, Venia? — chiedo. — Cosa ci fate qui?

— Ci hanno portati via. Da Capitol City — dice lei con voce roca.

Plutarch entra dietro di me. — Cosa diavolo sta succedendo?

— Chi vi ha portati via? — la sollecito.

— Delle persone — dice in tono vago. — La notte che sei scappata.

— Pensavamo che per te sarebbe stato confortante avere il tuo solito staff — dice Plutarch alle mie spalle. — Lo ha chiesto Cinna.

— Cinna ha chiesto questo? — gli ringhio contro. Se c'è una cosa al mondo di cui sono certa è che Cinna non avrebbe mai approvato che si usasse violenza su questi tre, lui che li dirigeva con gentilezza e pazienza. — Perché li trattano come criminali?

— Onestamente non lo so. — Qualcosa nella sua voce mi induce a credergli, e il pallore sul viso di Fulvia lo conferma. Plutarch si rivolge al sorvegliante, che è appena comparso sulla soglia con Gale appena dietro di lui. — Mi era stato detto solo che erano confinati. Per quale motivo vengono puniti?

— Per avere rubato cibo. Abbiamo dovuto imprigionarli dopo un litigio per il pane — dice il sorvegliante.

Le sopracciglia di Venia si uniscono, come se stesse ancora cercando di capirci qualcosa. — Nessuno ci diceva niente. Avevamo molta fame. E lei ne ha preso solo una fetta.

Octavia comincia a piangere, soffocando i singhiozzi nella tunica stracciata. Penso alla prima volta in cui sono sopravvissuta all'arena, a quando Octavia mi passò di nascosto un panino sotto il tavolo perché non riusciva a sopportare che avessi fame. Mi avvicino carponi alla sua forma tremante. — Octavia? — La tocco e lei si tira indietro. — Octavia? Andrà tutto bene. Vi tirerò fuori da qui, d'accordo?

— Tutto questo mi sembra un'esagerazione — dice Plutarch.

— E per una fetta di pane? — chiede Gale.

— Ci sono state ripetute infrazioni, prima di arrivare a questo. Sono stati avvertiti. Ma hanno rubato comunque altro pane. — Il sorvegliante si interrompe un attimo, come sconcertato dalla nostra stupidità. — Non si può rubare il pane.

Non riesco a indurre Octavia a scoprirsi il viso, però lo solleva un po'. I ceppi ai suoi polsi scivolano di qualche centimetro, mostrando le piaghe vive che stanno sotto. — Vi porto da mia madre. — Mi rivolgo al sorvegliante. — Liberali.

Lui scuote la testa. — Non è permesso.

— Liberali! Adesso! — urlo.

Ciò infrange la sua compostezza. I cittadini ordinari non gli si rivolgono in quel modo. — Non ho nessun ordine di scarcerazione. E voi non avete nessuna autorità per...

— Fallo in base alla mia, di autorità — dice Plutarch.

— In ogni caso, noi siamo venuti a prendere questi tre. C'è bisogno di loro alla Difesa Speciale. Me ne assumo la piena responsabilità.

Il sorvegliante esce per fare una telefonata. Torna con un mazzo di chiavi. I preparatori sono stati costretti a starsene rattrappiti per così tanto tempo che faticano a camminare anche dopo che i ceppi sono stati rimossi. Gale, Plutarch e io dobbiamo aiutarli. Il piede di Flavius si impiglia in una grata metallica che copre un foro circolare praticato nel pavimento, e il mio stomaco si contrae quando penso al motivo per cui una stanza ha bisogno di uno scolo, alle macchie di umana miseria che devono essere state tolte a forza di getti d'acqua da queste piastrelle bianche...

In ospedale trovo mia madre, la sola di cui mi fidi per prendersi cura di loro. Ci mette un po' a riconoscerli, visto come sono ridotti, ma ha già assunto un'aria costernata. E io so che non è dovuta alla vista di corpi che hanno subito violenze, perché quelli erano il suo pane quotidiano, nel Distretto 12, ma al fatto che si è resa conto che questo genere di cose succede anche nel 13.

Mia madre è stata bene accolta in ospedale, ma viene vista più come un'infermiera che come un medico, malgrado abbia passato la vita a guarire la gente. Comunque, nessuno si intromette quando conduce i tre in un ambulatorio per valutare le loro ferite. Mi piazzo su una panca nel corridoio fuori dall'entrata dell'ospedale, in attesa di sentire il suo responso. Lei sarà in grado di leggere in quei corpi il dolore che è stato loro inflitto.

Gale si siede accanto a me e mi mette un braccio intorno alle spalle. — Li sistemerà. — Faccio un cenno di assenso, chiedendomi se stia pensando alla brutale fustigazione che lui stesso ha subito nel 12.

Plutarch e Fulvia occupano la panca di fronte a noi, ma non fanno commenti sulle condizioni dei miei preparatori. Se non erano a conoscenza dei maltrattamenti, allora come interpretano questa mossa della presidente Coin? Decido di dar loro una mano.

— Immagino che abbiano voluto metterci tutti sull'avviso — dico.

— Come? Cosa intendi? — chiede Fulvia.

— La punizione del mio staff di preparatori è un avvertimento — le spiego. — Non solo per me, ma anche per voi, a proposito di chi comanda davvero e di cosa succede se non si ubbidisce. Se vi illudevate di contare qualcosa, al vostro posto lascerei perdere. A quanto pare, un pedigree di Capitol City non è una gran protezione, qui. Anzi, forse è uno svantaggio.

— Non c'è paragone tra Plutarch, che è stato il cervello della ribellione, e quei tre estetisti — dice Fulvia, glaciale.

Mi stringo nelle spalle. — Se lo dici tu, Fulvia. Ma cosa accadrebbe se vi faceste nemica la Coin? I miei preparatori sono stati rapiti. Loro, almeno, possono sperare di tornare a Capitol City, un giorno. Io e Gale possiamo vivere nei boschi. Ma voi? Dove scappereste voi due?

— Forse siamo un po' più necessari allo sforzo bellico di quanto tu pensi — dice Plutarch, noncurante.

— Certo che lo siete. Anche i tributi erano necessari ai Giochi. Finché non lo sono stati più — dico. — E poi, noi tributi eravamo sacrificabili, giusto Plutarch?

Questo pone fine alla conversazione. Aspettiamo in silenzio fintanto che mia madre non ci trova. — Si rimetteranno — riferisce. — Non ci sono danni fisici permanenti.

— Bene. Magnifico — dice Plutarch. — Quando potranno essere messi al lavoro?

— Probabilmente domani — risponde lei. — Dovrete aspettarvi un po' di instabilità emotiva, dopo quello che hanno dovuto passare. Erano decisamente impreparati, data la vita che conducevano a Capitol City.

— Non lo eravamo tutti, forse? — commenta Plutarch.

Vuoi perché lo staff dei preparatori è fuori combattimento, vuoi perché sono troppo nervosa, sta di fatto che Plutarch mi dispensa dalle mansioni di Ghiandaia Imitatrice per il resto della giornata. Io e Gale scendiamo a pranzare e ci vengono serviti stufato di fagioli e cipolle, una spessa fetta di pane e una tazza d'acqua. Dopo la faccenda di Venia, il pane mi si pianta in gola, così faccio scivolare quello che rimane sul vassoio di Gale. Né lui né io parliamo molto durante il pranzo, ma quando le nostre scodelle sono pulite, Gale si solleva la manica, mostrando il suo programma. — Ho l'addestramento, adesso.

Tiro su la mia, di manica, e metto il braccio accanto al suo. — Anch'io. — Poi ricordo che ormai l'addestramento equivale ad andare a caccia.

L'impazienza di fuggire nei boschi, anche solo per due ore, cancella le mie preoccupazioni. Un'immersione nel verde e nella luce del sole mi aiuterà di certo a mettere ordine nei miei pensieri. Una volta lontani dai corridoi principali, io e Gale facciamo a gara come scolaretti per raggiungere di corsa l'armeria, e quando ci arriviamo, non ho più fiato e mi gira la testa. Segno che non mi sono ristabilita del tutto.

Le guardie ci forniscono le nostre vecchie armi, insieme a coltelli e a un sacco di iuta che dovrebbe servire da bisaccia. Sopporto di farmi fissare il localizzatore alla caviglia e cerco di dare l'impressione di ascoltare, quando mi spiegano come si usa il comunicatore portatile. L'unica cosa che registro mentalmente è che quell'affare ha un orologio e che noi dobbiamo essere di nuovo nel 13 entro l'ora indicata, altrimenti le nostre licenze di caccia verranno revocate. Questa è una regola che credo mi sforzerò di rispettare.

Usciamo nell'ampia area di addestramento recintata, vicino ai boschi. Le guardie aprono i cancelli ben oliati senza fare commenti. Saremmo in difficoltà se dovessimo oltrepassare questa recinzione da soli: è alta circa nove metri, ronza costantemente per la corrente ed è sormontata da spirali di fil di ferro taglienti come rasoi. Avanziamo tra i boschi finché la recinzione non scompare dalla nostra vista. Ci fermiamo in una piccola radura e buttiamo indietro la testa per crogiolarci al sole. Mi metto a piroettare con le braccia allargate, girando lentamente in modo da evitare che tutto cominci a ruotarmi intorno.

L'assenza di pioggia che ho visto nel Distretto 12 ha danneggiato le piante anche qui, lasciando un fogliame friabile che forma un tappeto scricchiolante sotto i nostri piedi. Ci togliamo le scarpe. Le mie non mi vanno bene comunque, perché, in perfetto stile "il risparmio è il miglior guadagno", il Distretto 13 mi ha dato quelle di qualcuno che non ci entra più. A quanto pare, uno di noi due cammina in modo strano, perché sono ammorbidite nei punti sbagliati.

Andiamo a caccia, come ai vecchi tempi. Silenziosi, non ci servono parole per comunicare, perché qui nei boschi ci muoviamo come due parti di un solo essere. Anticipando l'uno i gesti dell'altra, guardandoci reciprocamente le spalle.

Quanto tempo è passato? Otto mesi? Nove, forse, da quando avevamo questa libertà? Non è proprio lo stesso, considerato quello che è successo, i localizzatori che abbiamo alle caviglie e il fatto che devo fermarmi a riposare così spesso. Ma direi che è la cosa più vicina alla felicità che posso avere al momento.

Gli animali, qui, sono tutt'altro che diffidenti. Quell'attimo in più che impiegano per identificare il nostro nuovo odore è la loro morte. In un'ora e mezza, abbiamo una dozzina di prede assortite – conigli, scoiattoli e tacchini – perciò decidiamo di staccare la spina e trascorrere il tempo che ci rimane vicino a uno stagno che dev'essere alimentato da una sorgente sotterranea, visto che l'acqua è dolce e fresca.

Quando Gale si offre di pulire la selvaggina, non sollevo obiezioni. Mi caccio qualche foglia di menta sulla lingua, chiudo gli occhi e mi appoggio a una roccia, impregnandomi di suoni e lasciando che il sole cocente del pomeriggio mi scotti la pelle, quasi in pace, finché la voce di Gale non viene a disturbarmi. — Katniss, perché ti importa tanto del tuo staff di preparatori?

Apro gli occhi per capire se scherza, ma lui fissa concentrato il coniglio che sta scuoiando. — Perché non dovrebbe?

— Mmm, vediamo. Forse perché hanno passato l'ultimo anno a farti bella per andare al macello? — suggerisce.

— È più complicato di così. Io li conosco. Non sono cattivi o crudeli. Non sono neppure tanto svegli. Far male a loro è come far male a dei bambini. Non capiscono... cioè, non sanno... — Mi ritrovo ingarbugliata nelle mie stesse parole.

— Non sanno cosa, Katniss? — dice lui. — Che i tributi – perché sono loro i veri bambini in gioco, qui, non il tuo terzetto di fenomeni da baraccone – sono costretti a combattere fino alla morte? Che entravi in quell'arena per divertire il pubblico? Era un grande segreto, questo, a Capitol City?

— No. Ma loro non vedono la cosa nel modo in cui la vediamo noi — dico. — Li tirano su con quella roba e...

— Li stai davvero difendendo? — Scuoia il coniglio con un solo, rapido movimento.

Quel commento mi brucia, perché in effetti è proprio quello che sto facendo, ed è ridicolo. Mi sforzo di assumere una posizione logica. — Immagino che difenderei chiunque fosse trattato in quel modo perché ha rubato una fetta di pane. Forse mi ricorda troppo quello che è successo a te per un tacchino!

Però ha ragione. Tanta preoccupazione per i miei pre-

paratori sembra proprio strana. Dovrei odiarli e desiderare di vederli impiccati. Ma sono così sciocchi, ed erano legati a Cinna, e lui era dalla mia parte, no?

— Non sto cercando di litigare — dice Gale. — Ma
non credo che la Coin volesse mandarti un qualche avvertimento punendoli per avere infranto le regole di qui.
Probabilmente, ha pensato che l'avresti visto come un
favore. — Ficca il coniglio nel sacco e si alza. — Faremmo meglio a muoverci, se vogliamo farcela a tornare indietro in tempo.

Ignoro la sua offerta di aiuto e mi rimetto in piedi
barcollando. — Bene. — Nessuno dei due parla lungo la
strada del ritorno, ma una volta passato il cancello penso un'altra cosa. — Durante l'Edizione della Memoria,
Octavia e Flavius hanno dovuto allontanarsi perché non
riuscivano a smettere di piangere per me che tornavo là
dentro. E Venia ce l'ha fatta appena a salutarmi.

— Cercherò di tenerlo a mente mentre... ti rifanno —
dice Gale.

— Bravo — commento.

Consegniamo la carne a Sae la Zozza, in cucina. Il Distretto 13 le piace abbastanza, anche se pensa che i cuo-
chi manchino un po' di immaginazione. Una che propo-
neva un gustoso stufato di cane selvatico e rabarbaro è
destinata a sentirsi le mani legate, qui.

Esausta per la caccia e la mancanza di sonno, torno
alla mia unità. La trovo completamente svuotata e solo
adesso mi ricordo che siamo state trasferite per via di
Ranuncolo. Mi dirigo all'ultimo piano e trovo l'unità
E. È identica all'unità 307, a parte la finestra, larga sessanta centimetri e alta venti, che è posizionata al centro, nella parte alta della parete esterna. La finestra si
chiude con una pesante piastra metallica che però ades-

so è tenuta aperta da un puntello, e un certo gatto non si vede da nessuna parte. Mi allungo sul letto e un raggio di sole pomeridiano gioca sul mio viso. Ancor prima che me ne accorga, mia sorella mi sta svegliando per le *Ore 18.00 Riflessione*.

Prim mi dice che stanno annunciando la riunione dall'ora di pranzo. Tutti i cittadini, eccetto quelli che occorrono per le funzioni indispensabili, sono tenuti a partecipare. Seguiamo le indicazioni per la Sala Comune, un enorme locale che contiene agevolmente le migliaia di persone che si presentano. Si capisce che è stato costruito per un'assemblea più numerosa, e forse ne ha ospitata una simile prima dell'epidemia di varicella. Prim mi indica senza parlare le diffuse conseguenze che ha avuto quel disastro: i segni della varicella sulla pelle della gente, i bambini un po' deformi. — Hanno sofferto molto, qui — dice.

Dopo questa mattina, non ho proprio voglia di sentirmi dispiaciuta per il 13. — Non più di quanto abbiamo sofferto noi nel 12 — ribatto. Vedo mia madre guidare in sala un gruppo di pazienti in grado di camminare che indossano ancora le camicie da notte e le vestaglie dell'ospedale. Finnick è tra loro, inebetito ma in buona forma. Fra le mani tiene un pezzo di corda lungo meno di trenta centimetri, troppo corto perché persino lui riesca a farci un laccio utilizzabile. Le sue dita si muovono con rapidità, stringendo e sbrogliando meccanicamente svariati nodi, mentre si guarda intorno. È probabile che faccia parte della sua terapia. Attraverso la sala per raggiungerlo e dico: — Ciao, Finnick. — Non sembra accorgersene, perciò lo tocco con il gomito per ottenere la sua attenzione. — Finnick! Come stai?

— Katniss — dice afferrandomi la mano. Credo si senta sollevato nel vedere un viso conosciuto. — Perché ci stiamo riunendo qui?

— Ho detto alla Coin che sarò la Ghiandaia Imitatrice. Ma le ho fatto promettere di concedere l'immunità agli altri tributi nel caso vincano i ribelli — gli racconto. — In pubblico, in modo che ci siano testimoni in abbondanza.

— Oh. Bene. Perché è proprio questo che mi preoccupa, riguardo a Annie. Che dica senza saperlo qualcosa che possa essere interpretato come tradimento — spiega Finnick.

Annie. Ops. L'avevo completamente dimenticata. — Niente paura, me ne sono occupata io. — Stringo la mano di Finnick e vado dritta verso il podio in fondo alla sala. La Coin, che sta scorrendo in fretta la sua dichiarazione, inarca le sopracciglia nel vedermi. — Ho bisogno che aggiunga Annie Cresta all'elenco degli amnistiati — le dico.

La presidente si acciglia leggermente. — Chi è?

— Una persona che interessa a Finnick Odair. È... — Cosa? In realtà, non so come definirla. — È amica di Finnick. Viene dal Distretto 4. Un'altra vincitrice. È stata arrestata e portata a Capitol City quando l'arena è esplosa.

— Ah, la ragazza mezza matta. Non è necessario — dice. — Non è nostra consuetudine punire qualcuno di tanto fragile.

Penso alla scena che ho visto questa mattina. A Octavia rannicchiata contro la parete. A quanto sia diversa l'interpretazione che io e la Coin diamo della fragilità. Però dico soltanto: — No? Allora non dovrebbe essere un problema aggiungere Annie.

— Bene — dice la presidente, inserendo a matita il nome di Annie. — Vuoi stare quassù con me per l'annuncio? — Scuoto la testa. — Pensavo di no, infatti. Farai meglio a nasconderti in fretta tra il pubblico. Sto per cominciare. — Mi faccio largo per tornare da Finnick.

Le parole sono un'altra cosa che non si spreca, nel Distretto 13. La Coin richiama l'attenzione dei presenti e li informa che ho acconsentito a essere la Ghiandaia Imitatrice a condizione che agli altri vincitori – Peeta, Johanna, Enobaria e Annie – venga concessa una totale amnistia per qualunque danno arrechino alla causa dei ribelli. Nel brontolio degli spettatori, sento la disapprovazione. Credo che nessuno nutrisse dubbi sulla mia volontà di essere la Ghiandaia Imitatrice. Fissarne il prezzo, e un prezzo che risparmia possibili nemici, li fa arrabbiare. Resto indifferente alle occhiate ostili lanciate nella mia direzione.

La presidente concede qualche istante di agitazione, poi continua nella sua maniera sbrigativa. Solo adesso le parole che le escono dalla bocca mi giungono nuove. — In cambio di questa richiesta senza precedenti, il soldato Everdeen ha promesso di votarsi interamente alla nostra causa. Ne consegue che qualsiasi deroga alla sua missione, nelle intenzioni o nei fatti, verrà considerata una violazione di questo accordo. L'immunità sarebbe annullata e il destino dei quattro vincitori, così come del suo, deciso dalle leggi del Distretto 13. Grazie.

In altre parole, una mossa sbagliata e siamo tutti morti.

CAPITOLO 5

Un altro abuso contro cui lottare. Un'altra funambola del potere che ha deciso di usarmi come pedina nei suoi giochi, benché le cose non sembrino mai andare secondo i piani.

Prima ci sono stati gli Strateghi, che hanno fatto di me la loro star e poi sono stati presi dalla frenesia di rifarsi per quel pugno di bacche velenose. Poi il presidente Snow, che ha cercato di usarmi per spegnere le fiamme della ribellione con il solo risultato di far diventare incendiaria ogni mia mossa. Dopo ci sono stati i ribelli, che mi hanno intrappolata in un artiglio di metallo per prelevarmi dall'arena, mi hanno eletta a loro Ghiandaia Imitatrice e infine sono stati costretti a incassare il colpo di fronte alla possibilità che non desiderassi affatto quelle ali. E adesso la Coin, con la sua manciata di preziose armi nucleari e la macchina ben oliata del suo distretto, scopre che preparare una Ghiandaia Imitatrice a svolgere il proprio ruolo è persino più difficile che catturarne una. Ma lei è stata la più veloce a capire che ho un mio piano personale e che quindi non ci si può fida-

70

re di me. Lei è stata la prima a bollarmi pubblicamente come una minaccia.

Faccio scorrere le dita nel denso strato di bolle della mia vasca da bagno. Ripulirmi è solo una tappa che prelude alla definizione della mia nuova immagine. Coi capelli rovinati dall'acido, la pelle bruciata dal sole e i brutti sfregi che mi ritrovo, lo staff dei preparatori deve prima rendermi carina e poi rovinarmi, bruciarmi e sfregiarmi in modo più attraente.

— Riportatela a Livello di Bellezza Zero — ha ordinato Fulvia come prima cosa, questa mattina. — Cominceremo a lavorare da lì. — Come risulta poi, il Livello di Bellezza Zero corrisponde all'aspetto di una persona che si è appena alzata da letto e si presenta del tutto naturale. Ciò significa che le mie unghie devono essere ben modellate ma non smaltate, i capelli morbidi e lucidi ma non pettinati, la pelle liscia e levigata ma non truccata. Si farà la ceretta e si elimineranno le occhiaie scure, ma non si apporteranno miglioramenti visibili di nessun tipo. Immagino che Cinna abbia impartito le stesse istruzioni, il primo giorno in cui arrivai a Capitol City come tributo. Solo che allora era diverso, visto che ero una concorrente. Come ribelle, pensavo che avrei potuto somigliare di più a me stessa. Ma pare che una ribelle che va in TV abbia comunque degli standard da rispettare.

Dopo essermi sciacquata la schiuma dal corpo, mi giro a cercare Octavia, che aspetta con un asciugamano. È così cambiata, rispetto alla donna che conobbi a Capitol City, spogliata dell'abbigliamento vistoso, del trucco pesante, delle tinture e dei gingilli con cui si adornava i capelli. Ricordo che un giorno si presentò con lunghe ciocche di un rosa vivace, tempestate di lucine colorate a forma di topo. Mi raccontò di avere parecchi topi a casa come animali da compagnia. All'epoca, il pensiero mi disgustò, perché da noi i topi sono considerati animali nocivi, a meno che non finiscano in pentola. Ma forse a Octavia piacevano perché erano piccoli, morbidi e squittivano. Come lei. Mentre mi asciuga a colpetti leggeri, cerco di fare la conoscenza dell'Octavia del Distretto 13. I suoi capelli naturali risultano di un bel biondo rame. Il viso è comune, ma ha un'innegabile dolcezza. È più giovane di quanto pensassi. Poco più che ventenne, forse. Prive delle unghie decorative lunghe sette centimetri, le sue dita sembrano quasi tozze, e non smettono di tremare. Vorrei dirle che va tutto bene, che farò in modo che la Coin non le faccia più del male. Ma i lividi multicolori che fioriscono sotto il verde chiaro della sua pelle non fanno altro che ricordarmi la mia impotenza.

Anche Flavius sembra slavato senza il rossetto viola e i vestiti dai colori brillanti. Però è riuscito a rimettersi più o meno in ordine i riccioli arancioni. È Venia quella che è cambiata di meno. I suoi capelli color acquamarina sono piatti invece che sparati, e si vede la crescita grigia delle radici. Tuttavia, sono sempre stati i tatuaggi la caratteristica che più colpiva in lei, e quelli sono dorati e sconvolgenti come sempre. Viene a prendere l'asciugamano dalle mani di Octavia.

— Katniss non ci farà del male — le dice in tono calmo ma deciso. — Katniss non sapeva nemmeno che fossimo qui. Ora le cose andranno meglio. — Octavia fa un leggero cenno di assenso, ma non osa guardarmi negli occhi.

Non è un compito facile riportarmi al Livello di Bellezza Zero, anche con il complesso arsenale di prodotti, strumenti e arnesi che Plutarch ha avuto la previdenza di portare da Capitol City. I miei preparatori se la cavano abbastanza bene finché non cercano di occuparsi di quella parte del braccio da cui Johanna ha estirpato il rilevatore. Tra i medici che hanno rattoppato il grosso buco, nessuno ha badato all'estetica. E adesso ho una cicatrice frastagliata e bitorzoluta che si increspa su un'area di pelle delle dimensioni di una mela. Di solito la manica la copre, ma per come è disegnata la divisa da Ghiandaia Imitatrice di Cinna, le maniche si fermano appena sopra il gomito. La faccenda suscita una tale preoccupazione che Fulvia e Plutarch vengono convocati per discuterne. La vista dello sfregio scatena in Fulvia il riflesso del vomito, lo giuro. Per essere una che lavora con uno stratega, è terribilmente sensibile. Immagino che sia abituata a vedere cose sgradevoli solo sullo schermo.

— Lo sanno tutti che ho una cicatrice, lì — dico, imbronciata.

— C'è differenza tra saperlo e vederlo — ribatte Fulvia. — È davvero ripugnante. Io e Plutarch penseremo a qualcosa durante il pranzo.

— Andrà benissimo — dice Plutarch con un cenno sprezzante della mano. — Magari con una fascia o qualcosa del genere.

Disgustata, mi vesto per poter scendere nel refettorio. I miei preparatori si stringono in un piccolo gruppo vicino alla porta. — Vi portano da mangiare qui? — chiedo.

— No — dice Venia. — Ci hanno ordinato di andare in una sala mensa.

Sospiro tra me e me, immaginando di entrare nel refettorio con questi tre al seguito. Ma tanto la gente mi fissa sempre. Anche stavolta sarà lo stesso. — Vi mostro dov'è — dico. — Venite.

Le occhiate furtive e i mormorii sommessi che suscito di solito non sono niente in confronto alla reazione provocata dalla vista dei miei preparatori dall'aspetto bizzarro. Le bocche aperte, le dita che indicano, le esclamazioni. — Ignorateli e basta — dico loro. Con gli occhi bassi e movimenti meccanici, i tre mi seguono per tutta la fila, accettando scodelle di stufato grigiastro a base di pesce e gombo e tazze d'acqua.

Prendiamo posto al mio tavolo, accanto a un gruppo di superstiti del Giacimento. Loro si mostrano un po' più riservati, rispetto alla gente del 13, anche se forse è solo per imbarazzo. Leevy, che era mia vicina di casa nel 12, saluta diffidente i preparatori, e la madre di Gale, Hazelle, che deve essere al corrente della loro reclusione, solleva una cucchiaiata di stufato. — Non preoccupatevi — dice. — È meglio di quello che sembra.

Ma l'aiuto più grande viene da Posy, la sorellina di Gale. La piccola, che ha cinque anni, si sposta lungo la panca verso Octavia e le tocca la pelle con un dito esitante. — Sei verde. Hai la nausea?

— È moda, Posy. Come portare il rossetto — dico.

— Dovrebbe essere una cosa carina — bisbiglia Octavia, e vedo che le lacrime minacciano di traboccarle dalle ciglia.

Posy ci riflette su e dice, in tono pratico: — Secondo me, saresti carina con qualunque colore.

Sulle labbra di Octavia si forma il più piccolo dei sorrisi. — Grazie.

— Se vuoi fare davvero buona impressione su Posy, devi tingerti di rosa brillante — dice Gale, posando con un tonfo il suo vassoio accanto a me. — È il suo colore preferito. — Posy ridacchia e si fa scivolare di nuovo verso sua madre. Gale accenna con la testa alla scodella di Flavius. — Non lo lascerei raffreddare, al posto tuo. Non migliora la consistenza.

Ci mettiamo tutti a mangiare. Lo stufato non è cattivo, ma ha quel tanto di viscido che è difficile ignorare. Come se si dovesse inghiottire tre volte ogni boccone prima che vada giù per davvero.

Gale, che di solito non parla granché durante i pasti, si sforza di tenere viva la conversazione, chiedendo della trasformazione. So che cerca di sistemare le cose. Abbiamo litigato, ieri sera: lui insinuava che la mia richiesta di salvezza per i vincitori avesse costretto la Coin a replicare con una pretesa da parte sua. — Katniss, lei governa questo distretto. Non potrebbe farlo se desse l'impressione di cedere ai tuoi desideri.

— Vuoi dire che non può ammettere contestazioni di nessun genere, anche se sono lecite? — avevo ribattuto.

— Voglio dire che l'hai messa in una brutta posizione, facendole concedere l'immunità a Peeta e agli altri, quando non sappiamo nemmeno che tipo di danni potrebbero causare — aveva detto Gale.

— Quindi avrei dovuto semplicemente adeguarmi al suo piano e lasciare che gli altri tributi corressero il rischio? Non che importi, comunque, visto che è quello che stiamo facendo tutti quanti! — E a quel punto gli avevo sbattuto la porta in faccia. Non mi ero seduta a fare colazione insieme a lui, e quando Plutarch l'aveva mandato all'addestramento, quella mattina, avevo lasciato che se ne andasse senza rivolgergli la parola. So che ha parlato così solo perché si preoccupa per me, ma io ho davvero bisogno che stia dalla mia parte, non da quella della Coin. Come fa a non capirlo?

Dopo pranzo, è previsto che io e Gale scendiamo alla Difesa Speciale per incontrare Beetee. Mentre siamo in ascensore, Gale alla fine dice: — Sei ancora arrabbiata.

— E tu non sei ancora dispiaciuto — replico.

— Penso ancora quello che ho detto. Vuoi che ti menta, su questo? — chiede.

— No, voglio che ci ripensi e ti faccia l'opinione giusta — gli dico. Ma le mie parole lo fanno solo ridere. Devo rinunciare. È inutile cercare di imporre a Gale quello che deve pensare. E questo, a essere onesta, è uno dei motivi per cui mi fido di lui.

Il piano della Difesa Speciale si trova quasi alla stessa profondità delle segrete in cui abbiamo trovato lo staff dei preparatori. È un alveare di stanze zeppo di computer, laboratori, apparecchiature di ricerca e aree di sperimentazione.

Quando chiediamo di Beetee, veniamo guidati attraverso il labirinto fino a raggiungere un'enorme vetrata. All'interno, c'è la prima cosa bella che ho visto nel complesso del Distretto 13: il duplicato di un prato, pieno di veri alberi e piante fiorite, brulicante di colibrì. Beetee, immobile su una sedia a rotelle al centro del prato, osserva un uccellino color verde primavera che si libra a mezz'aria suggendo il nettare di un grande fiore arancione. I suoi occhi seguono il volatile che sfreccia via, e poi ci scorge. Ci fa amichevolmente cenno di raggiungerlo dentro.

L'aria è fresca e respirabile, non umida e afosa come mi aspettavo. Da ogni parte viene un frullo di minuscole ali che una volta, nei boschi di casa nostra, confondevo col rumore degli insetti. Sono costretta a chiedermi a quale colpo di fortuna si debba la realizzazione di un posto così piacevole proprio qui.

Beetee ha ancora il pallore del convalescente ma, dietro gli occhiali storti, i suoi occhi sono accesi di eccitazione. — Non sono magnifici? Il 13 studia la loro aerodinamica da anni. Volano in avanti e all'indietro, e raggiungono i novantasei chilometri orari. Se solo potessi costruirti delle ali così, Katniss!

— Dubito che riuscirei a manovrarle, Beetee — rido.

— Un secondo sono qui, il secondo dopo sono spariti. Sei in grado di abbattere un colibrì con una freccia? — chiede.

— Non ci ho mai provato. Non c'è molta carne, nei colibrì — rispondo.

— No. E tu non sei il tipo che uccide per sport — dice lui. — Però scommetto che sarebbero difficili da uccidere.

— Forse li si può intrappolare — dice Gale. Il suo viso prende quell'espressione distante che è tipica di quando sta meditando qualcosa. — Prendi una rete a maglie molto sottili. Recinti un'area e lasci un'imboccatura grande meno di un metro quadrato. Metti un'esca di fiori da nettare. Mentre mangiano, richiudi l'imboccatura. Il rumore dello scatto li farebbe volare via, ma troverebbero solo l'altro capo della rete.

— Funzionerebbe? — chiede Beetee.

— Non lo so. È solo un'idea — risponde Gale. — Loro potrebbero essere più astuti.

— Potrebbero, sì. Ma tu sfrutti il loro istinto di sfuggire ai pericoli. Pensare come la propria preda... è così che si trovano i suoi punti deboli — dice Beetee.

Ricordo qualcosa cui non mi piace pensare. Per prepararmi all'Edizione della Memoria, vidi un nastro nel quale un Beetee ancora giovane collegava due fili e folgorava una banda di ragazzi che gli davano la caccia. I corpi in preda alle convulsioni, le espressioni grottesche. Negli istanti che lo portarono a vincere quei lontani Hunger Games, Beetee guardò gli altri morire. Non era colpa sua. Solo autodifesa. Tutti noi agivamo solo per autodifesa...

A un tratto ho voglia di uscire dalla stanza dei coli-

brì prima che qualcuno cominci a piazzare una trappola. — Beetee, Plutarch ha detto che hai qualcosa per me.
— Giusto. Ce l'ho. Il tuo nuovo arco. — Preme un comando manuale sul bracciolo della sedia a rotelle ed esce dalla stanza. Mentre lo seguiamo lungo il dipanarsi tortuoso della Difesa Speciale, ci spiega la faccenda della sedia. — Adesso riesco a camminare un po'. Solo che mi stanco in fretta. Per me è più facile muovermi così. Finnick come sta?

— Ha... problemi di concentrazione — rispondo. Non voglio dire che ha avuto un completo tracollo mentale.

— Problemi di concentrazione, eh? — Beetee fa un sorriso cupo. — Se sapessi cos'ha passato Finnick negli ultimi anni, capiresti che il solo fatto che sia ancora con noi è già un miracolo. Digli che continuo a lavorare su un nuovo tridente per lui, d'accordo? Tanto per distrarlo un po'. — A me sembra che la distrazione sia l'ultima cosa di cui Finnick ha bisogno, ma prometto di trasmettere il messaggio.

Quattro soldati sorvegliano l'entrata del corridoio contraddistinto dalla scritta ARMAMENTI SPECIALI. Il controllo dei programmi stampati sul nostro avambraccio è solo una tappa preliminare. Ci fanno anche scansioni delle impronte digitali, della retina e del DNA, e dobbiamo passare attraverso speciali metal detector. Beetee è costretto a lasciar fuori la sedia a rotelle, anche se gliene danno un'altra dopo che abbiamo superato i controlli di sicurezza. Trovo strana tutta la faccenda, perché non vedo come qualcuno che è cresciuto nel Distretto 13 possa rappresentare una minaccia contro cui il governo dovrebbe premunirsi. O queste misure precauzionali sono state adottate per via del recente afflusso di immigrati? Alla porta dell'armeria veniamo sottoposti a una seconda serie di verifiche – come se il mio DNA potesse essere cambiato nell'intervallo di tempo necessario a percorrere i venti metri tra qui e l'ingresso – e alla fine siamo autorizzati ad accedere al deposito delle armi. Devo ammettere che l'arsenale mi lascia senza fiato. File e file di armi da fuoco, lanciamissili, esplosivi, mezzi corazzati.

— Naturalmente la Divisione Aviotrasportata è ospitata altrove — ci dice Beetee.

— Naturalmente — dico, come se fosse una cosa lampante. Non so dove un semplice arco con le sue frecce potrebbe mai trovare posto in mezzo a tutto questo equipaggiamento ultramoderno, ma poi ci imbattiamo in una parete di micidiali armi da tiro. Ho giocherellato con molte armi di Capitol City, durante l'addestramento, ma nessuna progettata per usi militari. Concentro la mia attenzione su un arco dall'aspetto letale così sovraccarico di mirini telescopici e aggeggi vari che non riuscirei nemmeno a sollevarlo, ne sono certa. Figuriamoci usarlo.

— Gale, forse ti piacerebbe provare qualcuno di questi — dice Beetee.

— Sul serio? — chiede Gale.

— Per combattere, prima o poi ti verrà fornita un'arma da fuoco, naturalmente. Ma se devi comparire nei pass-pro come un membro della squadra di Katniss, uno di questi farebbe molto più scena. Ho pensato che potresti trovarne uno adatto a te — dice Beetee.

— Sì, certo. — Le mani di Gale si chiudono intorno allo stesso arco che ha attirato la mia attenzione un attimo fa, e lui ne valuta il peso sulla spalla. Lo punta di qua e di là per la stanza, scrutando attraverso il mirino.

— Non è molto leale, nei confronti del cervo — commento.

— Non mi metterei certo a usarlo contro un cervo, ti pare? — risponde.

— Torno subito — dice Beetee. Compone un codice su un pannello, e si apre un piccolo passaggio. Resto a guardare finché lui non scompare e la porta si richiude.

— Quindi per te sarebbe più facile usarlo sulle persone? — chiedo.

— Non ho detto questo. — Gale abbassa l'arco lungo il fianco. — Ma se avessi avuto un'arma in grado di arrestare ciò che ho visto succedere nel 12... se avessi avuto un'arma in grado di tenere te fuori dall'arena... l'avrei usata.

— Anch'io — confesso. Ma non so cosa dirgli dei segni che l'uccidere una persona ti imprime nell'anima. Del fatto che non ti abbandonano mai.

Beetee torna sulla sua sedia a rotelle con una cassa rettangolare, nera e lunga, malamente sistemata sul poggiapiedi. Si ferma e la inclina nella mia direzione. — Per te.

Appoggio la cassa sul pavimento e faccio scattare le serrature lungo uno dei lati. Il coperchio si apre su cardini silenziosi. Dentro la cassa, su un letto di sgualcito velluto bordeaux, giace un fantastico arco nero. — Oh — mormoro, ammirata. Lo alzo in aria con cautela per ammirarne l'equilibrio squisito, il disegno elegante e la curva dei flettenti che in qualche modo fa pensare alle ali protese di un uccello in volo. C'è qualcos'altro. Devo stare assolutamente immobile per accertarmi di non averlo sognato. No, l'arco è vivo tra le mie mani. Me lo premo contro la guancia e percepisco il leggero ronzio attraversarmi le ossa del viso. — Cosa sta facendo? — chiedo.

— Ti sta salutando — spiega Beetee con un gran sorriso. — Ha sentito la tua voce.

— Riconosce la mia voce? — chiedo.

— *Solo* la tua voce — mi dice lui. — Vedi, volevano

che io disegnassi un arco basato unicamente sull'estetica. Come parte della tua uniforme, capisci? Ma io continuavo a pensare: che spreco! Voglio dire, e se ti servisse, un giorno o l'altro? Come qualcosa di più che un accessorio di moda? Perciò ho mantenuto semplice l'esterno e ho riservato l'interno alla mia immaginazione. È meglio spiegarlo nella pratica, però. Vi va di provarli?

Li proviamo. Una piattaforma di tiro è già pronta per noi. Le frecce che ha disegnato Beetee non sono meno degne di nota dell'arco. Quando provo l'uno e le altre, riesco a tirare con precisione a una distanza di novanta metri. La varietà di frecce – taglienti come rasoi, incendiarie o esplosive – trasforma l'arco in un'arma multiuso. Ognuna è riconoscibile per l'asta di colore diverso. Posso scegliere di bypassare i controlli vocali in qualsiasi momento, ma non ho idea del perché dovrei farlo. Per disattivare le speciali caratteristiche dell'arco, mi basta dirgli "Buonanotte." A quel punto, lui si addormenta finché il suono della mia voce non lo sveglia di nuovo.

Sono di ottimo umore quando torno dai preparatori, lasciando indietro Beetee e Gale. Siedo paziente finché la fase del trucco non è completata e indosso la mia divisa, che ora comprende una benda insanguinata sulla cicatrice del braccio, a indicare che ho combattuto da poco. Venia mi appunta sul cuore la spilla con la ghiandaia. Io raccolgo il mio arco e la faretra di normalissime frecce fatte da Beetee, sapendo che non mi lascerebbero andare in giro con quelle munite di carica esplosiva. Poi passiamo al teatro di posa, dove mi sembra di rimanere per ore mentre modificano il trucco e le luci e la densità del fumo. Alla fine, gli ordini trasmessi tramite interfono dalle persone invisibili chiuse nella misteriosa cabina a vetri diventano sempre meno numerosi. Fulvia e

Plutarch passano più tempo a meditare che a mettere a punto me. Infine, sul set scende il silenzio. Per ben cinque minuti, si limitano a esaminarmi. Poi Plutarch dice: — Credo che così vada bene.

Mi fanno cenno di avvicinarmi a un monitor. Ripassano gli ultimi minuti di registrazione e io guardo la donna sullo schermo. Il suo corpo sembra più alto, più imponente del mio. Ha il viso sporco ma sexy. Le sopracciglia nere e disegnate con un'inclinazione di sfida. Volute di fumo si levano dai suoi vestiti, a suggerire che su di lei le fiamme sono state appena spente o che, al contrario, sono sul punto di prendere fuoco. Non so chi sia questa persona.

Finnick, che è rimasto a vagare sul set per qualche ora, sbuca dietro di me e dice, con un accenno del suo antico umorismo: — Vorranno ucciderti, baciarti, o essere te.

Sono tutti eccitatissimi, entusiasti del loro lavoro. È quasi ora di interrompere per la cena, ma insistono per continuare. Domani ci concentreremo sui discorsi e le interviste, simuleremo la mia partecipazione agli scontri dei ribelli. Oggi vogliono solo uno slogan, solo una battuta che possano inserire in un breve pass-pro da mostrare alla Coin.

— Popolo di Panem, combattiamo, osiamo, poniamo fine alla nostra sete di giustizia! — La battuta è questa. Da come la presentano, capisco che hanno passato mesi, forse anni, a elaborarla e ne vanno molto fieri. A me però sembra impronunciabile. E troppo formale. Non riesco a immaginare di dirla nella vita vera... a meno di non usare l'accento di Capitol City e prendermene gioco. Come quando io e Gale avevamo l'abitudine di imitare Effie Trinket e il suo "Possa la buona sorte essere sempre a vostro favore!" Ma Fulvia mi si piazza davanti e attacca a descrivere una battaglia cui ho appena partecipato, mi dice che tutti i miei compagni d'armi giacciono morti intorno a me e che, per incitare i vivi, devo rivolgermi alla telecamera e gridare la battuta!

Tornano a spingermi al mio posto, e la macchina del fumo si mette in moto. Qualcuno chiede silenzio, le telecamere cominciano a girare, e sento — Azione! — Così sollevo l'arco sopra la testa e, con tutta la rabbia che riesco a mettere insieme, urlo: — Popolo di Panem, combattiamo, osiamo, poniamo fine alla nostra sete di giustizia!

Sul set c'è un silenzio di tomba. Che continua. Ancora.

Alla fine, l'interfono crepita e l'acida risata di Haymitch riempie lo studio. Si trattiene giusto il tempo per dire: — Ecco, amici miei, come muore una rivoluzione.

CAPITOLO 6

Lo shock di sentire la voce di Haymitch, ieri, di saperlo non solo operativo ma di nuovo in possesso di un certo controllo sulla mia vita, mi ha reso furiosa. Ho abbandonato lo studio al volo e ho bellamente ignorato i suoi commenti dalla cabina. Con tutto questo, ho capito subito che aveva ragione, riguardo alla mia esibizione.

Ci ha messo tutta la mattina a convincere gli altri dei miei limiti, a persuaderli che non posso farcela. Che non sono in grado di starmene in uno studio televisivo con addosso trucco e uniforme, avvolta da una nube di fumo fasullo, a incitare i distretti alla vittoria. È sorprendente, davvero sorprendente, quanto a lungo io sia sopravvissuta alle telecamere. E il merito di tutto questo, naturalmente, spetta a Peeta. Da sola, non posso essere la Ghiandaia Imitatrice.

Ci raduniamo intorno all'enorme tavolo del Comando. La Coin e i suoi uomini. Plutarch, Fulvia e il mio staff di preparatori. Un gruppo del 12, che comprende Haymitch e Gale, oltre ad altri di cui non mi spiego la presenza, come Leevy e Sae la Zozza. All'ultimo momento,

Finnick spinge dentro Beetee, accompagnato da Dalton, l'esperto di bestiame del Distretto 10. Immagino che la Coin abbia messo insieme questo strano miscuglio di individui perché siano testimoni del mio fallimento.

Tuttavia, è Haymitch che dà il benvenuto a tutti, e da come parla capisco che sono venuti su suo invito. Questa è la prima volta che io e lui ci troviamo insieme nella stessa stanza da quando gli ho piantato le unghie in faccia. Evito di guardarlo direttamente, ma intravedo il suo riflesso su una delle lucide console di comando lungo la parete. È giallognolo e ha perso un bel po' di peso, il che gli dà un'aria raggrinzita. Per un attimo, temo che stia per morire. Devo ricordare a me stessa che la cosa non mi interessa.

La prima mossa di Haymitch è far vedere il filmato che abbiamo appena girato. Sembra che io abbia toccato il livello più basso, sotto la guida di Plutarch e Fulvia. La mia voce e il mio corpo procedono a scatti, slegati tra loro, come quelli di un burattino manovrato da forze invisibili.

— Bene — dice Haymitch al termine della proiezione. — Qualcuno desidera sostenere che quella roba può esserci utile per vincere la guerra? — Nessuno. — Questo ci fa risparmiare tempo. Allora, adesso restiamocene un attimo in silenzio. Voglio che tutti voi pensiate a un'occasione in cui Katniss Everdeen vi ha realmente commosso. Non a quando eravate invidiosi della sua pettinatura, o a quando le ha preso fuoco il vestito o ha scoccato una freccia in modo quasi accettabile. Non a quando Peeta ve l'ha fatta piacere. Voglio sentirvi parlare di un momento in cui *lei* vi ha fatto provare qualcosa di vero.

Il silenzio si protrae e sto cominciando a pensare che

non finirà mai, poi si leva la voce di Leevy. — Quando si è offerta volontaria per sostituire Prim alla mietitura. Perché sono sicura che pensasse che sarebbe morta.

— Bene. Ottimo esempio — dice Haymitch. Prende un pennarello viola e scrive su un blocco per appunti. — Si è offerta volontaria per la sorella alla mietitura. — Haymitch fa girare lo sguardo sulle persone sedute al tavolo. — Qualcun altro.

Sono sorpresa che a prendere la parola subito dopo sia Boggs, che considero un muscoloso robot agli ordini della Coin. — Quando ha cantato la canzone. Mentre la ragazzina moriva. — Da qualche parte nella mia testa emerge l'immagine di Boggs con un bimbo appoggiato al fianco. Nel refettorio, credo. Forse non è un robot, dopotutto.

— Chi non è rimasto senza parole per quello, giusto? — dice Haymitch, mettendolo per iscritto.

— Io ho pianto quando ha narcotizzato Peeta per poter andare a prendergli la medicina e quando l'ha salutato con un bacio! — si lascia sfuggire Octavia. Poi si copre la bocca, come se fosse certa di aver commesso un grave errore.

Ma Haymitch annuisce soltanto. — Ah, già. Narcotizza Peeta per salvargli la vita. Molto bello.

Le rievocazioni di momenti particolari cominciano a piovere da tutte le parti, senza un ordine preciso. Quando ho accettato Rue come mia alleata. Teso la mano a Chaff la sera dell'intervista. Cercato di trasportare Mags. E, ripetuto più volte, quando ho offerto quelle bacche, nelle quali ognuno ha letto qualcosa di diverso. L'amore per Peeta. Il rifiuto di piegarsi di fronte a difficoltà insormontabili. La sfida alla crudeltà di Capitol City.

Haymitch solleva il blocco per appunti. — Quindi la domanda è: cos'hanno in comune tutte queste azioni?

— Sono state azioni di Katniss — dice piano Gale. — Nessuno le ha detto cosa fare o dire.

— Erano improvvisate, sì! — esclama Beetee. Si protende e mi dà un colpetto sulla mano. — Allora dobbiamo solo lasciarti in pace, giusto?

I presenti ridono. Sorrido un po' persino io.

— Be', tutto questo è molto bello, ma non è di grande aiuto — dice Fulvia in tono stizzoso. — Purtroppo, le sue occasioni di suscitare meraviglia sono piuttosto limitate, qui nel 13. Perciò, a meno che tu non suggerisca di gettarla in mezzo alla battaglia...

— È esattamente quello che suggerisco — dichiara Haymitch. — Metterla sul campo e lasciare che le telecamere riprendano tutto.

— Ma la gente crede che lei sia incinta — fa notare Gale.

— Spargeremo la voce che ha perso il bambino per la scossa elettrica subita nell'arena — replica Plutarch. — Molto triste. Molto deplorevole.

L'idea di spedirmi in battaglia è controversa. Ma le argomentazioni di Haymitch sono molto stringenti. Se faccio buona impressione solo nelle situazioni reali, è nelle situazioni reali che devo lanciarmi. — Ogni volta che la prepariamo o le diamo una parte da sostenere, il meglio in cui possiamo sperare è la mediocrità. Deve venire tutto da lei. È quello a cui reagisce la gente.

— Anche muovendoci con prudenza, non possiamo garantire la sua incolumità — dice Boggs. — Sarà un bersaglio per ogni...

— Voglio andare — lo interrompo. — Ai ribelli non servo a niente, restando qui.

— E se ti uccidono? — chiede la Coin.

— Fate in modo di ottenere un filmato. Si può comunque usare quello — rispondo.

— Benissimo — dice la Coin. — Ma procediamo un passo alla volta. Troviamo la situazione meno pericolosa in grado di suscitare in te un po' di spontaneità. — Fa il giro del Comando, studiando le carte illuminate dei distretti che mostrano le posizioni in continua evoluzione delle truppe in guerra. — Portatela nel Distretto 8, oggi pomeriggio. Stamattina c'è stato un bombardamento pesante, ma l'incursione sembra essersi conclusa. Voglio che le diate una squadra di scorta. La troupe a terra. Haymitch, tu sarai in volo e in contatto con lei. Vediamo cosa succede là. Qualcuno ha altri commenti da fare?

— Lavatele la faccia — dice Dalton. Tutti si voltano verso di lui. — È ancora una bambina e dimostra trentacinque anni, per come l'avete conciata. Mi sembra sbagliato. È un atteggiamento da Capitol City.

Quando la Coin aggiorna la riunione, Haymitch le chiede se può parlare con me in privato. Gli altri escono, tranne Gale, che indugia incerto al mio fianco. — Di cosa ti preoccupi? — gli chiede Haymitch. — Sono io quello che ha bisogno della guardia del corpo.

— Va tutto bene — dico a Gale, e lui se ne va. Rimane solo il ronzio delle apparecchiature, accompagnato dalle fusa del sistema di aerazione.

Haymitch si siede dall'altra parte del tavolo rispetto a me. — Dovremo tornare a lavorare insieme. Quindi, avanti. Dillo e basta.

Penso al rabbioso, crudele scambio di opinioni che abbiamo avuto sull'hovercraft. All'amarezza che ne è seguita. Ma tutto ciò che dico è: — Non riesco a credere che tu non abbia salvato Peeta.

— Lo so — replica lui.

Aleggia un senso di incompiutezza. E non perché non si è scusato. Ma perché noi due eravamo una squadra.

Avevamo un accordo per proteggere Peeta. Un accordo poco realistico stretto tra ubriachi nel buio della notte, ma pur sempre un accordo. E nel mio intimo, so che abbiamo fallito entrambi.

— Dillo tu, adesso — lo sollecito.

— Non riesco a credere che, quella notte, tu l'abbia perso di vista — dice Haymitch.

Annuisco. Questo è il punto. — Me lo ripeto di continuo. Cosa avrei potuto fare per tenerlo accanto a me senza rompere il patto? Ma non mi viene in mente niente.

— Tu non avevi scelta. Quanto a me, anche se quella notte fossi stato in grado di costringere Plutarch a restare per salvarlo, l'hovercraft sarebbe caduto. Siamo riusciti a stento a scappare così com'era. — Alla fine, incrocio gli occhi di Haymitch. Occhi da Giacimento. Grigi e profondi e cerchiati da notti insonni. — Non è ancora morto, Katniss.

— Siamo ancora in gioco. — Provo a dirlo con ottimismo, ma la voce mi si incrina.

— Già. E io sono ancora il tuo mentore. — Haymitch punta il pennarello verso di me. — Quando sarai a terra, ricordati che io sono in volo. Avrò la visuale migliore, perciò fa' quello che ti dico.

— Vedremo — rispondo.

Torno nel Camerino Immagine e guardo le strisce di trucco scomparire giù per lo scarico mentre mi sfrego il viso per ripulirlo. La persona allo specchio ha un'aria trasandata, con quella pelle ruvida e quegli occhi stanchi, ma mi somiglia. Mi strappo la fascia dal braccio, scoprendo la brutta cicatrice del rilevatore. Ecco. Anche quella mi somiglia.

Visto che mi troverò in zona di guerra, Beetee mi aiuta con l'armatura disegnata da Cinna. Un elmetto di fili intrecciati di chissà quale metallo, che aderisce alla testa. Il materiale ha la stessa flessibilità del tessuto, e l'elmetto può essere tirato indietro come un cappuccio se non mi va di indossarlo tutto il tempo. Un giubbotto antiproiettile per proteggere i miei organi vitali. Un piccolo auricolare bianco collegato al colletto tramite un filo. Beetee mi fissa alla cintura una maschera che devo indossare nel caso si verifichi un attacco chimico. — Se vedi qualcuno cadere a terra per motivi che non riesci a spiegarti, mettila subito — dice. Infine, mi assicura alla schiena una faretra in cui le frecce sono suddivise in tre diversi cilindri. — Ricorda: al centro, frecce normali, a destra, incendiarie, a sinistra, esplosive. Non dovresti averne bisogno, ma è meglio prevenire che curare.

Boggs si presenta per scortarmi giù alla Divisione Aviotrasportata. Proprio mentre arriva l'ascensore, compare Finnick in preda a grande agitazione. — Katniss, non mi lasciano andare! Gli ho detto che sto bene, ma non mi lasciano nemmeno salire sull'hovercraft!

Esamino Finnick – le gambe nude, visibili tra la camicia da notte dell'ospedale e le pantofole, i capelli aggrovigliati, la corda mezza annodata che gli avvolge le dita, lo sguardo selvaggio negli occhi – e so che ogni supplica da parte mia sarà inutile. Persino io non credo che sia una buona idea portarselo dietro. Allora mi do una manata sulla fronte e dico: — Oh, mi sono dimenticata. È questa stupida commozione cerebrale. Dovevo dirti di presentarti a Beetee, agli Armamenti speciali. Ha disegnato un nuovo tridente per te.

Alla parola tridente, è come se il vecchio Finnick tornasse in superficie. — Davvero? Cosa fa?

— Non lo so. Ma se somiglia anche solo lontanamente al mio arco e alle mie frecce, lo adorerai — dico. — Avrai bisogno di esercitarti, però.

— Giusto. Naturalmente. Immagino sia meglio che vada là — osserva.

— Finnick? — lo richiamo. — Un paio di pantaloni, magari?

Si guarda le gambe come se si accorgesse della sua tenuta per la prima volta. Poi si sfila la camicia da notte dell'ospedale e rimane solo con le mutande. — Perché? Trovi che questo... — e assume una ridicola posa provocante — ... ti distragga?

Non posso fare a meno di ridere perché è buffo, ed è doppiamente buffo per l'imbarazzo che causa a Boggs, e sono felice, perché sembra di sentir parlare il Finnick che ho conosciuto all'Edizione della Memoria.

— Sono solo un essere umano, Odair. — Salgo prima che le porte dell'ascensore si chiudano. — Scusami — dico a Boggs.

— Non scusarti. Pensavo... l'hai gestita bene — commenta. — Meglio di me che avrei dovuto arrestarlo, in ogni caso.

— Già — dico. Sbircio di nascosto verso di lui. Deve essere sui quarantacinque, ha i capelli grigi tagliati corti e gli occhi azzurri. Un portamento incredibile. Oggi ha parlato due volte in un modo che mi fa credere che preferirebbe fossimo amici più che nemici. Forse dovrei dargli un'altra opportunità. Però sembra andare tanto d'accordo con la Coin...

C'è un susseguirsi di scatti rumorosi. L'ascensore esita leggermente e poi comincia a muoversi verso sinistra. — Si sposta di lato? — chiedo.

— Sì. C'è tutta una rete di tratte per gli ascensori, sotto il 13 — risponde. — Questa si trova appena sopra lo snodo per la quinta piattaforma di trasporto aereo. Ci sta portando all'Hangar.

L'Hangar. Le segrete. La Difesa Speciale. Da qualche parte si coltiva quello che si mangia. Viene generata corrente. Si purificano aria e acqua. — Il 13 è ancora più grande di quanto pensassi.

— In gran parte non è merito nostro — dice Boggs. — Sostanzialmente, il posto l'abbiamo ereditato. Tutto quello che abbiamo fatto è stato mantenerlo in funzione.

Gli scatti ricominciano. Scendiamo ancora per un breve istante, solo un paio di livelli, e le porte si aprono sull'Hangar.

— Oh — mi lascio sfuggire alla vista della flotta. File e file di hovercraft di generi diversi. — Avete ereditato anche questi?

— Alcuni li abbiamo fabbricati noi. Altri facevano parte delle forze aeree di Capitol City. Sono stati rimodernati, naturalmente — dice Boggs.

Avverto di nuovo quella fitta d'odio nei confronti del 13. — E così avevate tutta questa roba, ma avete lasciato gli altri distretti senza difese contro Capitol City.

— Non è così semplice — ribatte lui. — Fino a poco tempo fa, non eravamo in condizione di lanciare un contrattacco. Riuscivamo appena a rimanere in vita. Dopo aver rovesciato e giustiziato gli uomini di Capitol City, solo un pugno di noi sapeva pilotare. Avremmo potuto distruggerli coi missili nucleari, questo sì. Ma resta sempre la domanda più importante: se ingaggiamo questo tipo di guerra contro Capitol City, sopravvivrà qualcuno?

— Queste sembrano le parole di Peeta. E tutti voi gli avete dato del traditore — replico.

— Perché ha chiesto un cessate il fuoco — dice Boggs. — Ti sarai accorta che nessuna delle due fazioni ha lanciato armi nucleari. La stiamo risolvendo alla vecchia maniera. Per di qua, soldato Everdeen. — Indica uno degli hovercraft più piccoli.

Salgo la scaletta e lo trovo affollato dalla troupe televisiva e dalle attrezzature. Tutti gli altri portano la tuta militare grigio scuro del 13, anche Haymitch, per quanto sembri scontento del colletto stretto.

Fulvia Cardew si fa strada a forza ed emette un lamento di frustrazione quando vede la mia faccia pulita. — Tutto quel lavoro giù per lo scarico. Non do la colpa a te, Katniss. È solo che pochissime persone nascono con un viso già pronto per affrontare le telecamere. Come lui. — Afferra di scatto Gale, che sta parlando con Plutarch, e lo gira verso di noi. — Non è bellissimo?

In effetti, penso che Gale sia da urlo in uniforme. Ma la domanda ci mette in imbarazzo entrambi, dati i nostri trascorsi. Sto cercando di pensare a una risposta spiritosa, quando Boggs, in tono brusco, dice: — Be', non aspettarti che rimaniamo troppo colpiti. Noi abbiamo appena visto Finnick Odair in mutande. — Decido che Boggs continuerà a piacermi.

Si sente il segnale del decollo imminente e mi blocco con la cintura sul sedile accanto a Gale e di fronte a Haymitch e Plutarch. Scivoliamo attraverso un intrico di tunnel che si apre su una piattaforma. Una specie di montacarichi solleva lentamente il velivolo da un livello all'altro. Senza alcun preavviso, ci ritroviamo fuori, in un grande campo circondato dai boschi, e a quel punto ci alziamo dalla piattaforma e veniamo avvolti dalle nuvole.

Ora che il turbinio di attività che ha condotto a questa missione è terminato, mi rendo conto di non avere idea di ciò che mi troverò di fronte in questo viaggio nel Distretto 8. In effetti, so molto poco delle condizioni reali della guerra. O di quello che servirebbe per vincerla. O di cosa succederebbe se vincessimo.

Plutarch cerca di spiegarmelo in termini semplici. Per cominciare, al momento tutti i distretti sono in guerra con Capitol City salvo il 2, che ha sempre avuto rapporti privilegiati coi nostri nemici malgrado partecipi comunque agli Hunger Games. I suoi abitanti hanno più cibo e condizioni di vita migliori. Dopo i Giorni Bui e la presunta distruzione del Distretto 13, il 2 è diventato il nuovo fulcro della difesa di Capitol City, anche se in pubblico viene presentato come territorio delle cave di pietra del Paese, nello stesso modo in cui il 13 era noto per le miniere di grafite. Il Distretto 2 non solo fabbrica armamenti, ma addestra e addirittura fornisce Pacificatori.

— Vuoi dire che... alcuni Pacificatori sono nati nel 2? — chiedo. — Credevo che venissero tutti da Capitol City.

Plutarch annuisce. — È quello che devi pensare. In effetti qualcuno viene da Capitol City, ma la sua popolazione non potrebbe mai alimentare una forza di quelle dimensioni. E poi c'è il problema di reclutare cittadini nati e cresciuti a Capitol City destinandoli a una noiosa vita di privazioni nei distretti e vincolandoli per vent'anni al corpo dei Pacificatori. Vietato sposarsi, vietato avere figli. Alcuni ci entrano per la gloria, altri accettano di entrarci come alternativa a una condanna. Per esempio, unisciti ai Pacificatori e ti saranno condonati i debiti. Ci sono molte persone sommerse dai debiti a Capitol City, ma non tutte sono adatte al servizio militare. Quindi è al Distretto 2 che ci rivolgiamo per truppe supplementari. Per gli abitanti è un modo di sfuggire alla miseria e a una vita nelle cave. Li allevano con una mentalità da guerrieri. Hai visto quanto sono impazienti i loro figli di offrirsi volontari come tributi.

Cato e Clove. Brutus ed Enobaria. Ho visto la loro impazienza, sì, e anche la loro sete di sangue. — Ma tutti gli altri distretti sono dalla nostra parte? — chiedo.

— Sì. Il nostro obiettivo è prendere il potere distretto per distretto, il 2 per ultimo, e così bloccare la catena di rifornimenti di Capitol City. Poi, dopo che l'avremo indebolita, la invaderemo — dice Plutarch. — Quello sarà tutto un altro tipo di sfida. Ma ci penseremo quando sarà il momento.

— Se vinciamo, chi sarà a capo del governo? — chiede Gale.

— Tutti — gli dice Plutarch. — Abbiamo intenzione di formare una repubblica in cui gli abitanti di ogni distretto e di Capitol City possano eleggere dei rappresentanti perché siano la loro voce in un governo centralizzato. Non avere quell'aria così diffidente: prima d'ora ha funzionato.

— Nei libri — bofonchia Haymitch.

— Nei libri di storia — dice Plutarch. — E se ci sono riusciti i nostri antenati, possiamo riuscirci anche noi.

Sinceramente, i nostri antenati non mi sembrano qualcosa di cui vantarsi granché. Voglio dire, basta guardare lo stato in cui ci hanno lasciati, con le guerre e il pianeta in rovina. È evidente che non gli importava di quello che sarebbe successo a chi sarebbe venuto dopo di loro. Ma questa idea della repubblica suona come un miglioramento rispetto al nostro attuale governo.

— E se perdiamo? — chiedo.

— Se perdiamo? — Plutarch guarda le nuvole fuori dal finestrino, e un sorriso ironico gli piega le labbra. — In quel caso, mi aspetto che gli Hunger Games dei prossimi anni siano assolutamente indimenticabili. A proposito... — Prende una fiala dal giubbotto antiproiettile, si fa scendere alcune pillole viola scuro nella mano e ce le porge. — Le abbiamo chiamate *morsi della notte* in tuo onore, Katniss. I ribelli non possono più permettersi che qualcuno di noi venga catturato. Ma, te lo giuro, sarà del tutto indolore.

Afferro una capsula, incerta su dove metterla. Plutarch picchietta un punto sulla mia spalla, sulla manica sinistra. La studio e trovo una minuscola tasca che al tempo stesso protegge e nasconde la pillola. Anche se avessi le mani legate, potrei chinare la testa in avanti e tirarla fuori con i denti.

A quanto pare, Cinna ha pensato a tutto.

CAPITOLO 7

L'hovercraft compie una veloce discesa a spirale su una larga strada alla periferia del Distretto 8. Quasi all'istante, il portello si apre, la scaletta scende e noi veniamo letteralmente sputati sull'asfalto. Nell'attimo stesso in cui sbarca l'ultima persona, il congegno rientra. Poi il velivolo decolla e scompare. Sono rimasta con una scorta composta da Gale, Boggs e altri due soldati. La troupe, invece, comprende un paio di massicci operatori di Capitol City che portano pesanti telecamere mobili che somigliano a gusci di coleotteri, un direttore di nome Cressida, che ha la testa rasata e tatuata a rampicanti verdi, più il suo assistente Messalla, un giovane magro con un bel po' di orecchini. Osservandolo con attenzione, vedo che ha un piercing anche sulla lingua, una borchia con una pallina d'argento delle dimensioni di una biglia.

Boggs ci spinge via dalla strada e verso una fila di magazzini mentre arriva e atterra un secondo hovercraft. Questo porta casse di forniture mediche e un'équipe di sei dottori; lo capisco dalla loro caratteristica tenuta bianca. Tutti quanti seguiamo Boggs lungo un vicolo che passa tra due magazzini di un grigio smorto. Il metallo butterato delle pareti è interrotto di tanto in tanto dai pioli di una scala che permette di accedere al tetto. Quando sbuchiamo sulla strada, è come se fossimo entrati in un altro mondo.

Stanno radunando i feriti del bombardamento di questa mattina, con barelle di fortuna, carretti, portandoli a spalla, stringendoli tra le braccia. Sanguinanti, mutilati, incoscienti. Sospinti da gente disperata fino a un magazzino che ha una croce dipinta alla meglio sopra la porta. È una scena che viene dritta dalla mia vecchia cucina, dove mia madre assisteva i feriti gravi, ma moltiplicata per dieci, per cinquanta, per cento. Mi ero aspettata edifici distrutti dai bombardamenti, e invece mi ritrovo faccia a faccia con quei corpi straziati.

È qui che hanno in mente di riprendermi? Mi rivolgo a Boggs. — Non funzionerà — dico. — La mia presenza qui non serve a nessuno.

Deve vedere il panico nei miei occhi, perché si ferma un momento e mi mette le mani sulle spalle. — Sì, invece. Lascia solo che ti vedano. Li aiuterà più di quanto possa fare qualsiasi dottore.

Una donna che smista i pazienti in arrivo ci scorge, ha una specie di reazione a scoppio ritardato, poi si dirige a grandi passi verso di noi. I suoi occhi di un marrone scuro sono gonfi di fatica e lei odora di metallo e sudore. Ha una fasciatura intorno alla gola che doveva essere cambiata almeno tre giorni fa. La tracolla dell'arma automatica che porta appesa alla schiena le pizzica il collo, perciò muove la spalla per rimetterla in posizione. Con un brusco cenno del pollice, ordina ai medici di entrare nel magazzino. Loro eseguono senza fare domande.

— Questa è la Comandante Paylor, del Distretto 8 — dice Boggs. — Comandante, il soldato Katniss Everdeen.

Sembra giovane per essere già comandante. Poco più che trentenne. Ma nella sua voce c'è un tono di autorità che fa capire che la sua nomina non è stata casuale. Accanto a lei, nella mia tenuta nuova di zecca, lustra e pulita, mi sento come un pulcino appena uscito dal guscio, una novellina che sta imparando giusto adesso a destreggiarsi nel mondo.

— Sì, so chi è — dice la Paylor. — Sei viva, allora. Non ne eravamo sicuri. — Sbaglio o c'è una nota di accusa nella sua voce?

— Non ne sono ancora sicura nemmeno io — rispondo.

— È stata in convalescenza. — Boggs si dà qualche colpetto sulla testa. — Una brutta commozione cerebrale. — Abbassa la voce un istante. — Ha avuto un aborto spontaneo. Ma ha insistito per venire a trovare i vostri feriti.

— Be', di quelli ne abbiamo in abbondanza — dice la Paylor.

— Crede sia una buona idea? — chiede Gale, guardando accigliato l'ospedale. — Riunire i vostri feriti così?

Io non lo credo. In un posto del genere, qualunque malattia contagiosa si diffonderebbe in un baleno.

— Credo sia un tantino meglio che lasciarli morire — dice la Paylor.

— Non è questo che intendevo — le dice Gale.

— Be', al momento questa è la mia seconda alternativa. Ma se ne trovate una terza e convincete la Coin a sostenerla, sono tutta orecchie. — La Paylor mi indica la porta. — Entra pure, Ghiandaia Imitatrice. E porta i tuoi amici con te, naturalmente.

Mi volto a guardare lo stravagante spettacolo che è la mia troupe, mi faccio forza e la seguo nell'ospedale.

Una specie di pesante tenda industriale pende per tutta la lunghezza dell'edificio, formando un corridoio piuttosto grande. I cadaveri giacciono fianco a fianco, le teste sfiorate dalla tenda, i volti nascosti da panni bianchi.
— Abbiamo scavato una fossa comune, qualche isolato a ovest da qui, ma ancora non dispongo degli uomini per spostarli — dice la Paylor. Trova una fessura nella tenda e la spalanca.

Le mie dita avvolgono il polso di Gale. — Resta al mio fianco — dico sottovoce.

— Sono qui — risponde lui in tono sommesso.

Oltrepasso la tenda e i miei sensi vengono aggrediti. Il mio primo impulso è coprirmi il naso per tenere fuori il fetore di biancheria sporca, carne in putrefazione e vomito, acuito dal calore del magazzino. Hanno aperto i lucernari che intersecano l'alto tetto di metallo, ma quel po' d'aria che riesce a penetrare all'interno non può intaccare la nebbia sottostante. I lievi raggi di sole forniscono la sola illuminazione disponibile e, quando i miei occhi si adattano, distinguo file su file di feriti, nelle brande, sui pagliericci, sul pavimento, perché sono in tanti a contendersi lo spazio. Il ronzio delle mosche, i lamenti di quelli che soffrono e i singhiozzi dei familiari che li assistono si fondono in un coro straziante.

Nei distretti, non abbiamo veri ospedali. Moriamo a casa nostra, il che in questo momento sembra un'alternativa più attraente di quella che ho davanti. Poi ricordo che molte di queste persone forse hanno perso le loro case nei bombardamenti.

Il sudore comincia a colarmi lungo la schiena, mi invade i palmi delle mani. Respiro dalla bocca, nel tentativo di ridurre il tanfo. Fluttuanti macchie nere mi attraversano il campo visivo e penso di avere forti probabilità di svenire da un momento all'altro. Poi scorgo la Paylor. Mi osserva da vicino, aspettando di vedere di che pasta sono fatta, di capire se quelli tra loro che hanno deciso di poter contare su di me avevano ragione. Così lascio andare Gale e mi costringo ad avanzare ulteriormente nel magazzino, a camminare nella stretta striscia tra due file di letti.

— Katniss? — una voce si leva gracidante alla mia sinistra, aprendosi un varco nel caos generale. — Katniss? — Una mano si tende verso di me attraverso la foschia. Mi ci aggrappo per sostenermi. È la mano di una giovane donna con una gamba ferita. Il sangue è filtrato da spesse fasciature coperte di mosche. Il suo volto riflette il dolore che prova, ma anche qualcos'altro, qualcosa che sembra del tutto inadatto alla sua situazione. — Sei davvero tu?

— Sì, sono io — mi esce.

Gioia. È quella l'espressione del suo viso. Al suono della mia voce, i suoi lineamenti si illuminano, cancellano per un attimo la sofferenza.

— Sei viva! Non lo sapevamo. La gente lo diceva, ma noi non lo sapevamo! — dice in tono eccitato.

— Ero conciata piuttosto male. Ma mi sono ristabilita — dico. — Proprio come farai tu.

— Devo dirlo a mio fratello! — La donna lotta per mettersi seduta e chiama qualcuno, alcuni letti più giù. — Eddy! Eddy! È qui! C'è Katniss Everdeen!

Un ragazzo sui dodici anni si gira verso di noi. Le fasciature gli coprono metà della faccia. Il lato della bocca che riesco a vedere si apre come per lanciare un'esclamazione. Vado da lui, gli scosto i fradici riccioli castani dalla fronte. Mormoro un saluto. Non può parlare, ma il suo occhio sano si fissa su di me con enorme intensità, come se cercasse di memorizzare ogni dettaglio del mio viso.

Sento il mio nome ripercuotersi a ondate attraverso l'aria bollente, diffondersi in tutto l'ospedale. — Katniss! Katniss Everdeen! — I rumori del dolore e del lutto si vanno attenuando, sostituiti da espressioni di trepidazione. Da ogni parte, si levano voci che mi chiamano. Comincio a spostarmi, afferro le mani tese verso di me, tocco le parti sane di chi non è in grado di muovere gambe e braccia, dico "salve", "come stai", "è bello conoscerti". Niente di che, nessun discorso di incoraggiamento a effetto. Ma non importa. Boggs ha ragione. Sta nel vedermi viva, l'incoraggiamento.

Dita fameliche mi divorano, cercano il contatto con la mia carne. Quando un uomo ferito mi prende il viso tra le mani, rivolgo un silenzioso ringraziamento a Dalton per avermi suggerito di togliere il trucco. Che assurdità, che cattiveria sarebbe, se mostrassi a queste persone la maschera dipinta di Capitol City. Le ferite, la stanchezza, le imperfezioni. Ecco come mi riconoscono, ecco perché sono una di loro.

Malgrado la sua controversa intervista con Caesar, molti chiedono di Peeta, mi assicurano di sapere che parlava sotto costrizione. Faccio del mio meglio per sembrare ottimista riguardo al nostro futuro, ma sono davvero distrutti nell'apprendere che ho perso il bambino. Vorrei confessare ogni cosa e dire a una donna in lacrime che è stato tutto un imbroglio, una mossa strategica, ma se adesso dipingessi Peeta come un bugiardo non sarei d'aiuto alla sua immagine. O alla mia. O alla causa.

Comincio a comprendere appieno sino a che punto si è spinta la gente per proteggermi. Ciò che significo per i ribelli. La lotta che tuttora conduco contro Capitol City, e che tanto spesso mi è parsa un viaggio solitario, non l'ho intrapresa da sola. Ho avuto migliaia e migliaia di abitanti dei distretti al mio fianco. Ero la loro Ghiandaia Imitatrice molto prima di accettare quel ruolo.

Una nuova sensazione comincia a germogliare dentro di me. Ma non arrivo a definirla finché non mi ritrovo in piedi su un tavolo ad agitare le mani in un ultimo saluto verso la roca litania del mio nome. Potere. Dispongo di un tipo di potere che non ho mai saputo di possedere. Snow lo sapeva, l'ha capito non appena ho tirato fuori quelle bacche. Plutarch lo sapeva, quando mi ha salvato dall'arena. E lo sa la Coin. Al punto da dover ricordare pubblicamente alla sua gente che non sono io a comandare.

Quando siamo di nuovo fuori, mi appoggio al magazzino per riprendere fiato e accetto la borraccia d'acqua offerta da Boggs. — Sei andata alla grande — dice.

Be', non sono svenuta, non ho vomitato né sono scappata fuori urlando. Per la maggior parte del tempo, mi sono limitata a cavalcare l'onda emotiva che attraversava il posto.

— Noi ci siamo procurati del buon materiale, là dentro — dice Cressida. Guardo i cameramen-coleotteri, il sudore che cola da sotto la loro attrezzatura. Messalla che scribacchia appunti. Avevo scordato che mi stavano riprendendo.

— Non ho fatto molto, in realtà — dico.

— Devi riconoscerti un po' di merito per ciò che hai fatto in passato — ribatte Boggs.

Ciò che ho fatto in passato? Penso alla scia di distruzione che ho portato con me... le mie ginocchia cedono e scivolo a sedere. — Nel bene e nel male.

— Be', perfetta non lo sei di sicuro. Visti i tempi che corrono, però, dovrai andarci bene — dice Boggs.

Gale si accovaccia vicino a me, scuotendo la testa. —

Non riesco a credere che ti sia lasciata toccare da tutta quella gente. Mi aspettavo che te la saresti data a gambe da un momento all'altro.

— Chiudi il becco — dico con una risata.

— Tua madre sarà molto fiera di te quando vedrà il filmato.

— Mia madre non si accorgerà neppure di me. Sarà troppo sconvolta per la situazione di qui. — Mi giro verso Boggs e chiedo: — È così in ogni distretto?

— Sì. Sono quasi tutti sotto attacco. Stiamo cercando di portare soccorso ovunque possiamo, ma non basta. — Si ferma un attimo, distratto da qualcosa nel suo auricolare. Mi rendo conto di non aver sentito la voce di Haymitch nemmeno una volta, e armeggio con il mio, chiedendomi se non sia rotto. — Dobbiamo andare alla pista. Subito — dice Boggs, facendomi alzare in piedi con una mano. — C'è un problema.

— Che genere di problema? — chiede Gale.

— Bombardieri in arrivo — risponde Boggs. Allunga una mano dietro il mio collo e, con uno strattone, mi tira l'elmetto di Cinna sulla testa. — Muoviamoci!

Incerta su cosa stia accadendo, filo via di corsa lungo la facciata del magazzino, diretta al vicolo che porta alla pista. Ma non percepisco minacce immediate. Il cielo è vuoto, azzurro e senza nuvole. La strada è sgombra, se si eccettuano le persone che trasportano i feriti verso l'ospedale. Nessun nemico, nessuna agitazione. Poi le sirene attaccano a urlare. Nel giro di qualche secondo, uno stormo di aerei di Capitol City in formazione a V compare a volo radente sopra le nostre teste, e le bombe cominciano a cadere. Vengo scagliata contro la parete anteriore del magazzino. Sento un dolore lancinante appena sopra la piega del ginocchio destro. Qualcosa mi ha colpito anche la schiena, ma non sembra aver penetrato il giubbotto antiproiettile. Cerco di alzarmi, ma Boggs mi spinge di nuovo giù, facendomi scudo con il suo corpo. Il terreno ondeggia sotto di me, mentre le bombe, una dopo l'altra, cadono dagli aerei ed esplodono.

È una sensazione spaventosa essere inchiodati contro un muro sotto una pioggia di bombe. Qual era l'espressione che usava mio padre per le prede facili? Come pescare pesci in un barile. Noi siamo i pesci, la strada il barile.

— Katniss! — La voce di Haymitch nel mio orecchio mi fa sussultare.

— Cosa? Sì, cosa? Ci sono! — rispondo.

— Ascoltami. Non possiamo atterrare durante il bombardamento, ma è essenziale che tu non venga individuata — dice.

— Allora non sanno che sono qui? — Davo per scontato che la punizione derivasse dalla mia presenza, come al solito.

— I servizi segreti credono di no. Pensano che questa incursione fosse già in programma — dice Haymitch.

Spunta la voce di Plutarch, tranquilla ma decisa. La voce di un Capo Stratega abituato a comandare sotto pressione. — C'è un magazzino azzurro a tre edifici da te. Ha un rifugio, nell'angolo all'estremo nord. Sei in grado di arrivarci?

— Faremo del nostro meglio — dice Boggs. La voce di Plutarch deve essere nell'orecchio di tutti, perché le mie guardie del corpo e la troupe si stanno alzando. Lo sguardo mi corre istintivamente a Gale e vedo che è in piedi, all'apparenza illeso.

— Avete circa quarantacinque secondi fino all'arrivo della prossima ondata — dice Plutarch.

Emetto un grugnito di dolore quando la mia gamba

destra sente il peso del mio corpo, ma continuo a muovermi. Non c'è tempo per esaminare la ferita. E comunque, è meglio che adesso non la guardi. Per fortuna porto le scarpe disegnate da Cinna. Aderiscono all'asfalto quando lo toccano e scattano come molle quando se ne allontanano. Non avrei nessuna speranza con lo scomodo paio che mi aveva assegnato il 13. Boggs è davanti a tutti, ma nessun altro mi sorpassa. Anzi, gli altri tengono la mia stessa andatura, proteggendomi i fianchi, la schiena. Mi sforzo di correre veloce mentre i secondi scorrono. Superiamo il secondo magazzino grigio e corriamo lungo un edificio di un marrone sporco. Più avanti, di fronte a me, vedo una facciata azzurra scolorita. Il posto del rifugio. Abbiamo appena raggiunto un altro vicolo, dobbiamo solo attraversarlo per arrivare alla porta, quando inizia la seconda ondata di bombe. Mi tuffo d'istinto nel vicolo e rotolo verso la parete azzurra. Stavolta è Gale che si lancia su di me per farmi da strato di protezione aggiuntivo contro il bombardamento. Questo round sembra andare avanti più a lungo, ma noi siamo molto più lontani.

Mi giro sul fianco e mi ritrovo a guardare Gale dritto negli occhi. Per un attimo, il mondo svanisce e rimangono solo il suo viso arrossato, il visibile pulsare della sua tempia, le sue labbra un po' socchiuse mentre cerca di riprendere fiato.

— Stai bene? — chiede, le parole quasi soffocate da un'esplosione.

— Sì. Non credo che mi abbiano visto — rispondo. — Voglio dire, non ci stanno seguendo.

— No, hanno mirato a qualcos'altro — dice Gale.

— Lo so, ma là non c'è niente, tranne... — Ce ne rendiamo conto di colpo, nello stesso momento.

— L'ospedale. — In un attimo, Gale è in piedi e urla agli altri. — Mirano all'ospedale!

— Non è un problema vostro — dice Plutarch in tono deciso. — Raggiungete il rifugio.

— Ma là ci sono solo i feriti! — esclamo.

— Katniss. — Sento la nota di avvertimento nella voce di Haymitch e so cosa sta per succedere. — Non pensarci neanche... — Con uno strattone mi libero dell'auricolare e lo lascio penzolare dal filo. Senza quell'interferenza, percepisco un altro suono. I colpi di una mitragliatrice che vengono dal tetto del magazzino marrone sporco, dall'altra parte del vicolo. Qualcuno sta rispondendo al fuoco. Prima che possano fermarmi, corro verso la scala di accesso e comincio a salire. Arrampicarsi. Una delle cose che so fare meglio.

— Non fermarti! — sento dire a Gale, dietro di me. Poi si sente il rumore del suo stivale sulla faccia di qualcuno. Se quella faccia appartiene a Boggs, più tardi Gale la pagherà cara. Raggiungo il tetto e mi trascino sul rivestimento incatramato. Sosto il tempo necessario per tirare Gale accanto a me, poi partiamo tutti e due verso le postazioni di mitragliatrici allineate lungo la strada, sul magazzino, ciascuna tenuta da alcuni uomini. Scivoliamo dentro una di esse, accanto a un paio di soldati, e ci rannicchiamo dietro la barriera di protezione.

— Boggs sa che siete quassù? — Alla mia sinistra, a una delle mitragliatrici, vedo la Paylor che ci guarda con aria interrogativa.

Tento di essere evasiva senza mentire del tutto. — Sa dove siamo, certo.

La Paylor ride. — Ci scommetto. Siete stati addestrati a usare queste? — Dà una pacca sul calcio della mitragliatrice.

— Io sì. Nel Distretto 13 — dice Gale. — Ma preferisco usare le mie armi.

— Sì, abbiamo i nostri archi. — Sollevo il mio, e a quel punto mi rendo conto che deve dare l'impressione di essere solo decorativo. — È più letale di quanto sembri.

— Così dovrebbe — dice la Paylor. — Bene. Ci aspettiamo almeno altre tre ondate. Devono abbassare gli schermi che li rendono invisibili, prima di sganciare le bombe. Quella è la nostra occasione. State bassi! — Mi sistemo per poter tirare con un ginocchio a terra.

— Meglio che cominciamo con il fuoco — dice Gale.

Annuisco ed estraggo una freccia dalla faretra di destra. Se manchiamo il bersaglio, queste frecce finiranno da qualche parte, probabilmente, sui magazzini dall'altra parte della strada. Un incendio può essere spento, ma i danni causati da un esplosivo potrebbero essere irreparabili.

Compaiono nel cielo all'improvviso, due isolati più giù, forse novanta metri sopra di noi. Sette piccoli bombardieri in formazione a V. — Oche! — urlo a Gale. Lui sa esattamente cosa intendo. Nella stagione delle migrazioni, quando andiamo a caccia di selvaggina da penna, abbiamo elaborato un metodo per dividerci gli uccelli in modo da non mirare tutti e due agli stessi bersagli. Io prendo il lato più lontano della V, Gale quello più vicino, e ci alterniamo nel tirare all'uccello di testa. Non c'è tempo per dire altro. Calcolo l'anticipo del tiro sugli apparecchi in avvicinamento e lascio partire la mia freccia. Colpisco un velivolo all'ala interna, facendogli prendere fuoco. Gale manca del tutto l'aereo di punta. Un incendio si allarga sul tetto di un magazzino vuoto di fronte a noi. Lui impreca sottovoce.

L'aereo che ho colpito esce dalla formazione ma continua a sganciare le sue bombe. Però non torna invisibile.

Il danno subito deve impedire allo schermo di riattivarsi.

— Bel tiro — dice Gale.

— Non miravo nemmeno a quello — bofonchio. Avevo puntato all'apparecchio che gli stava davanti. — Sono più veloci di quello che pensiamo.

— In posizione! — grida la Paylor. La nuova ondata di velivoli sta già comparendo.

— Il fuoco è inutile — dice Gale. Annuisco e tutti e due carichiamo frecce a punta esplosiva. In ogni caso, i magazzini di fronte sembrano abbandonati.

Mentre gli aerei si avvicinano, rapidi e silenziosi, prendo un'altra decisione. — Io mi alzo! — grido a Gale, e mi rimetto in piedi. Questa è la posizione da cui posso ottenere la massima precisione. Anticipo ulteriormente il tiro e metto a segno un colpo diretto sull'aereo di punta, aprendogli un buco nella pancia con l'esplosivo. Gale fa saltare la coda di un secondo apparecchio, che si capovolge e si schianta sulla strada, innescando una serie di deflagrazioni man mano che il suo carico esplode.

Senza alcun preavviso, sbuca una terza formazione a V. Stavolta, Gale colpisce in pieno l'aereo di punta. Io strappo un'ala al secondo bombardiere, che si avvita e va a sbattere contro quello che lo segue. I due velivoli si sfracellano sul tetto del magazzino che si trova dall'altra parte rispetto all'ospedale. Un quarto precipita sotto i colpi delle mitragliatrici.

— Bene, è finita — dice la Paylor. Le fiamme e il denso fumo nero che si levano dai rottami ci oscurano la visuale. — Hanno colpito l'ospedale?

— Credo proprio di sì — risponde, cupa.

Mentre mi affretto verso le scale sull'altro lato del magazzino, rimango sorpresa alla vista di Messalla e di uno dei coleotteri che emergono da dietro un condotto dell'aria. Pensavo che fossero ancora accucciati nel vicolo.

— Mi piacciono sempre di più — commenta Gale.

Scendo una scala, aiutandomi con le braccia e le gambe. Quando il mio piede tocca terra, trovo ad attendermi una guardia del corpo, Cressida e l'altro coleottero. Prevedo che mi ostacolino, ma Cressida mi fa solo un cenno con la mano verso l'ospedale. Sta strillando: — Non mi interessa, Plutarch! Dammi solo altri cinque minuti! — Visto che nessuno si mette in mezzo, filo in strada.

— Oh, no — sussurro quando scorgo l'ospedale. Quello che una volta era l'ospedale. Supero i feriti e le carcasse in fiamme degli aerei con lo sguardo fisso sul disastro che mi sta davanti. Gente che urla, che corre frenetica di qua e di là, ma non è in grado di prestare aiuto. Le bombe hanno fatto cedere il tetto dell'ospedale e dato fuoco all'edificio, in pratica intrappolando i pazienti. Si è radunato un gruppo di soccorritori che cerca di aprirsi la strada verso l'interno. Ma io so già cosa troveranno. Se non se li sono presi il crollo e le fiamme, li ha soffocati il fumo.

Gale è al mio fianco. La sua immobilità non fa che confermare i miei sospetti. I minatori non si arrendono a un incidente, finché c'è una speranza.

— Andiamo, Katniss. Haymitch dice che adesso possono far venire un hovercraft per noi — mi sollecita. Ma io non riesco a muovermi.

— Perché l'avrebbero fatto? Che ragione avevano di prendere di mira gente che stava già morendo? — gli chiedo.

— Scoraggiare gli altri. Evitare che i feriti chiedessero aiuto — dice Gale. — Le persone che hai incontrato erano sacrificabili. Per Snow, almeno. In caso di vittoria, cosa se ne fa Capitol City di un mucchio di schiavi ammaccati?

Ricordo tutti quegli anni nei boschi, quando ascoltavo Gale inveire contro Capitol City. Senza prestargli molta attenzione. Chiedendomi perché si disturbasse tanto a sviscerarne le motivazioni. E perché pensare come il nostro nemico fosse così importante. È chiaro che oggi avrebbe potuto esserlo. Quando Gale ha sollevato dei dubbi sull'ospedale, non pensava ai contagi, ma a questo. Perché lui non sottovaluta mai la crudeltà di chi abbiamo di fronte.

Lentamente, volto le spalle all'ospedale e trovo Cressida, affiancata dai coleotteri, a un paio di metri da me. Il suo atteggiamento è calmo. Freddo, persino. — Katniss — dice — il presidente Snow ha appena fatto trasmettere il bombardamento in diretta. Poi è comparso in TV dicendo che questo era il suo modo di mandare un messaggio ai ribelli. Cosa mi dici di te? Vorresti dire qualcosa agli insorti?

— Sì — bisbiglio. La luce rossa lampeggiante su una delle telecamere attira la mia attenzione. So di essere registrata. — Sì — dico, in tono più convincente. Tutti – Gale, Cressida, i coleotteri – si allontanano da me, lasciandomi la scena. Rimango concentrata sulla luce rossa. — Voglio dire ai ribelli che sono viva. Che sono proprio qui, nel Distretto 8, dove Capitol City ha appena bombardato un ospedale pieno di uomini, donne e bambini disarmati. Non ci saranno sopravvissuti. — Lo shock che ho provato finora comincia a lasciare il posto al furore. — Voglio dire a tutti voi che siete degli illusi se credete anche solo per un istante che Capitol City ci tratterà con lealtà nel caso di un cessate il fuoco. Perché sapete chi sono e cosa fanno. — Le mie mani si allargano meccanicamente, come a mostrare tutto l'orrore che mi circonda. — Questo è ciò che fanno! E noi dobbiamo reagire!

Ora avanzo verso la telecamere, trasportata dalla mia rabbia. — Il presidente Snow dice che ci sta mandando un messaggio? Be', io ne ho uno per lui. Potete torturarci, bombardarci, incenerire i nostri distretti, ma vedete questo? — Una delle telecamere mi segue mentre indico gli aerei che bruciano sul tetto del magazzino di fronte a noi. Il sigillo di Capitol City brilla chiaramente tra le fiamme. — Il fuoco sta divampando! — Urlo adesso, ben decisa a fare in modo che Snow non si perda una sola parola. — E se noi bruciamo, voi bruciate con noi!

Le mie ultime parole restano sospese nell'aria. Mi sento galleggiare nel tempo. Sollevata in una nuvola di calore che nasce non da ciò che mi sta intorno, ma dal mio stesso essere.

— Stop! — La voce di Cressida mi riporta bruscamente alla realtà, spegne il mio fuoco. Mi fa un cenno di approvazione con il capo. — Questa è fatta.

CAPITOLO 8

Appena compare, Boggs si impossessa saldamente del mio braccio, ma adesso non ho proprio in programma di scappare. Mi volto a guardare l'ospedale – giusto in tempo per veder cedere ciò che rimane della struttura – e la mia combattività svanisce. Tutte quelle persone, le centinaia di feriti, i loro parenti, i medici del Distretto 13, non ci sono più. Torno a girarmi verso Boggs, vedo il gonfiore che lo stivale di Gale gli ha lasciato sul viso. Non sono un'esperta, ma sono quasi sicura che ha il naso fratturato. La sua voce, però, è più rassegnata che arrabbiata. — Torniamo alla pista di atterraggio. — Ubbidiente, faccio un passo avanti e sussulto rendendomi conto del dolore dietro il ginocchio destro. La scarica di adrenalina che ha cancellato quella sensazione è passata, e dalle mie membra si alza un coro unanime di lamentele. Sono ammaccata e sanguinante e ho l'impressione che qualcuno stia prendendo a martellate la mia tempia sinistra dall'interno del cranio. Boggs mi controlla velocemente la faccia, poi mi prende in braccio e parte al piccolo trotto verso la pista. A metà strada, gli vomito sul giubbotto antiproiettile. È difficile esserne certi, perché lui è a corto di fiato, ma credo che sospiri.

Un piccolo hovercraft, diverso da quello che ci ha portati qui, ci aspetta sulla pista. Decolliamo nell'attimo stesso in cui la mia squadra ha messo piede a bordo. Non ci sono sedili comodi e finestrini, stavolta. Sembra che siamo su una specie di aereo da carico. Boggs presta i primi soccorsi alle varie persone finché non torniamo al 13. Vorrei togliermi il giubbotto antiproiettile, perché anche su quello c'è un bel po' di vomito, ma fa troppo freddo per pensarci. Mi sdraio sul pavimento, con la testa in grembo a Gale. L'ultima cosa che ricordo è Boggs che distende un paio di sacchi di iuta sopra di me.

Quando mi sveglio, mi ritrovo accaldata e ricucita, nel mio vecchio letto d'ospedale. Mia madre è lì che controlla i miei segni vitali. — Come ti senti?

— Un po' scassata, ma bene — rispondo.

— Nessuno ci ha detto che sareste partiti finché non eravate già andati — dice.

Mi rimorde la coscienza. Quando la tua famiglia ha dovuto spedirti per ben due volte agli Hunger Games, questo non è il genere di dettagli che dovresti trascurare. — Mi dispiace. Non si aspettavano l'attacco. Avrei dovuto soltanto fare visita ai pazienti — spiego. — La prossima volta farò in modo che chiedano la tua approvazione.

— Katniss, nessuno chiede mai la mia approvazione — dice.

È vero. Non lo faccio nemmeno io. Non da quando è morto mio padre. Perché fingere? — Be', comunque farò in modo che... te lo dicano.

Sul comodino, c'è una scheggia di shrapnel che mi hanno tolto dalla gamba. I dottori sono più preoccupati per il danno che il mio cervello potrebbe aver subito a causa delle esplosioni, dato che la mia commozione cerebrale non era ancora guarita del tutto. Ma non ci vedo doppio, né mi sento altro, e riesco a pensare abbastanza lucidamente. Ho dormito per tutto il tardo pomeriggio e la notte, e muoio di fame. La mia colazione è scarsa in modo deludente. Solo alcuni cubetti di pane nel latte caldo. Sono stata convocata di sotto, per una riunione di prima mattina al Comando. Faccio per alzarmi e a quel punto mi accorgo che hanno in mente di spingere fin là il mio letto d'ospedale. È escluso che io possa camminare come vorrei, perciò contratto per andare con una sedia a rotelle. In realtà mi sento benissimo, se si escludono la testa e la gamba, e l'indolenzimento che deriva dai lividi, e la nausea che mi ha presa un paio di minuti dopo aver mangiato. Forse la sedia a rotelle è una buona idea.

Mentre mi accompagnano giù, comincio a preoccuparmi per ciò che dovrò affrontare. Io e Gale abbiamo disubbidito agli ordini, ieri, e la ferita di Boggs è lì a dimostrarlo. Ci saranno sicuramente delle ripercussioni, ma la Coin le spingerà sino al punto di annullare il nostro accordo riguardo all'immunità dei vincitori? Ho forse tolto a Peeta quel po' di protezione che potevo offrirgli?

Quando raggiungo il Comando, gli unici a essere arrivati sono Cressida, Messalla e i coleotteri. Con un'espressione radiosa, Messalla esclama: — Ecco la nostra piccola star! — e gli altri sorridono con tanta sincerità che non posso fare a meno di ricambiare il sorriso. Sono rimasta colpita, nell'8, quando mi hanno seguita sul tetto durante il bombardamento, quando hanno convinto Plutarch a fare marcia indietro per avere il filmato che volevano. Non si limitano a fare il loro lavoro, ne vanno fieri. Come Cinna.

Ho la curiosa idea che, se fossimo nell'arena insieme,

li sceglierei come alleati. Cressida, Messalla e... e... — Devo smetterla di chiamarvi coleotteri — mi lascio sfuggire, rivolta ai cameramen. Spiego che non sapevo i loro nomi, ma che le loro tute mi ricordavano quelle creature dotate di corazza. Non sembra che il paragone li disturbi. Anche senza l'armatura delle telecamere, si somigliano molto. Stessi capelli biondo rossicci, stessa barba rossa, stessi occhi azzurri. Quello con le unghie rosicchiate a sangue presenta se stesso come Castor e l'altro, che è suo fratello, come Pollux. Aspetto che Pollux mi saluti, ma lui fa solo un cenno col capo. All'inizio penso che sia timido o di poche parole. Ma qualcosa mi fa sobbalzare – la posizione delle sue labbra, lo sforzo in più che gli richiede deglutire – e so, prima che Castor me lo dica, che Pollux è un senza-voce. Gli hanno asportato la lingua e non parlerà mai più. E non devo più chiedermi cosa l'abbia convinto a rischiare tutto per abbattere Capitol City.

Mentre la stanza si riempie, mi preparo a un'accoglienza meno piacevole. Ma le uniche persone a mandare segnali negativi sono Haymitch, che scontento lo è sempre, e un'arcigna Fulvia Cardew. Boggs indossa una maschera color carne che gli copre il viso dal labbro superiore alla fronte (avevo ragione sul naso fratturato) perciò la sua espressione è difficile da interpretare. La Coin e Gale, invece, sono nel bel mezzo di una conversazione che sembra decisamente amichevole.

Quando Gale scivola prendendo posto accanto alla mia sedia a rotelle, dico: — Ti stai facendo dei nuovi amici?

I suoi occhi guizzano dalla presidente a me. — Be', uno di noi deve pur essere avvicinabile. — Mi sfiora la tempia con delicatezza. — Come ti senti?

A colazione devono aver servito aglio e zucca stufati, come verdura. Più gente si raduna, più forti si fanno le esalazioni. Mi si rivolta lo stomaco e, di colpo, le luci sembrano troppo vivide. — Un po' traballante — dico. — Tu come stai?

— Benissimo. Mi hanno estratto un paio di schegge di shrapnel. Roba da poco — risponde.

La Coin richiama all'ordine l'assemblea. — Abbiamo ufficialmente sferrato il nostro Attacco via Etere. Per chi di voi si fosse perso la trasmissione del primo pass-pro alle venti di ieri – o una delle diciassette repliche che Beetee è riuscito a mandare in onda da allora – cominceremo con il rimandarlo in onda. — Rimandarlo in onda? Quindi non solo si sono assicurati un filmato, ma hanno già messo insieme un pass-pro che è stato trasmesso più volte. I palmi delle mie mani si bagnano di sudore nell'attesa di vedere me stessa in televisione. E se fossi ancora inguardabile? Se apparissi rigida e incapace come in studio e loro avessero rinunciato a ottenere qualcosa di meglio? Davanti a ognuno dei presenti si alza uno schermo che scorre fuori dal tavolo, le luci si abbassano leggermente, e il silenzio scende sulla sala.

All'inizio, il mio schermo è nero. Poi al centro guizza una minuscola scintilla. Cresce e si allarga, divorando silenziosa il buio finché l'intero quadro risplende di un fuoco così realistico e intenso che credo di sentirne il calore. Appare l'immagine della mia spilla con la ghiandaia imitatrice, sfavillante di oro rosso. La voce profonda e sonora che ossessiona i miei sogni comincia a parlare. Claudius Templesmith, l'annunciatore ufficiale degli Hunger Games, dice: — Katniss Everdeen, la ragazza di fuoco, continua a bruciare.

E all'improvviso eccomi lì, ho sostituito la ghiandaia imitatrice e sono in piedi davanti alle fiamme e al fumo autentici del Distretto 8. "Voglio dire ai ribelli che

117

sono viva. Che sono proprio qui, nel Distretto 8, dove Capitol City ha appena bombardato un ospedale pieno di uomini, donne e bambini disarmati. Non ci saranno sopravvissuti." Stacco sull'ospedale che crolla su se stesso, sulla disperazione degli spettatori mentre continuo fuori campo: "Voglio dire a tutti voi che siete degli illusi se credete anche solo per un istante che Capitol City ci tratterà con lealtà nel caso di un cessate il fuoco. Perché sapete chi sono e cosa fanno." Di nuovo su di me, adesso, che sollevo le mani a mostrare l'atrocità che mi circonda. "Questo è ciò che fanno! E noi dobbiamo reagire!" Ed ecco un favoloso montaggio della battaglia. Le prime bombe che cadono, noi che corriamo, veniamo scaraventati a terra (primo piano sulla mia ferita, bella sanguinante), scaliamo il tetto, ci tuffiamo nelle postazioni delle mitragliatrici, e poi alcune sensazionali riprese dei ribelli, di Gale, ma soprattutto io, io che sgombro il cielo da quegli aerei. Stacco improvviso su di me che avanzo verso la telecamera. "Il presidente Snow dice che ci sta mandando un messaggio? Be', io ne ho uno per lui. Potete torturarci, bombardarci, incenerire i nostri distretti, ma vedete questo?" Siamo insieme all'obiettivo, che fa una carrellata degli aerei in fiamme sul tetto del magazzino. Inquadratura stretta sul sigillo di Capitol City che compare su un'ala, dissolvenza e ritorno all'immagine del mio viso mentre urlo, rivolta al presidente: "Il fuoco sta divampando! E se noi bruciamo, voi bruciate con noi!" Le fiamme divorano di nuovo lo schermo. In sovrimpressione, a lettere nere, compaiono le parole:

SE NOI BRUCIAMO
VOI BRUCIATE CON NOI

Le parole prendono fuoco e tutto lo schermo brucia sino ad annerirsi.

C'è un istante di entusiasmo silenzioso, poi l'applauso, seguito da richieste di rivedere il filmato. Indulgente, la Coin preme il tasto replay e questa volta, dato che so cosa accadrà, provo a fingere di vedere il passaggio sul televisore di casa mia, nel Giacimento. Un comunicato anti-Capitol City.

Non c'è mai stato niente del genere in televisione. Non da quando sono nata, in ogni caso.

Quando lo schermo brucia e si annerisce una seconda volta, ho bisogno di saperne di più. — È andato in onda in tutta Panem? L'hanno visto a Capitol City?

— A Capitol City no — dice Plutarch. — Non siamo riusciti a bypassare il loro sistema, anche se Beetee ci sta lavorando. Nei distretti sì, però, in tutti. L'abbiamo persino fatto arrivare nel 2, che può essere più prezioso di Capitol City in questa fase del conflitto.

— Claudius Templesmith sta con noi? — chiedo.

La mia domanda fa ridere di gusto Plutarch. — Solo la sua voce. Ma quella è stato facile ottenerla. Non abbiamo neppure avuto bisogno di fare un montaggio speciale. Claudius ha pronunciato davvero quella battuta durante i tuoi primi Giochi. — Sbatte la mano sul tavolo. — Cosa ne direste se facessimo un altro applauso a Cressida, alla sua straordinaria troupe, e, naturalmente, al nostro talento della diretta?

Batto le mani anch'io, finché non capisco che "talento della diretta" si riferisce a me e che magari applaudire me stessa è discutibile, ma nessuno ci fa caso. Però non posso fare a meno di notare la tensione sul viso di Fulvia. Penso a quanto debba essere dura per lei assistere al successo dell'idea di Haymitch con la regia di Cressida, quando invece il suo approccio teatrale è stato un completo fiasco.

La Coin sembra aver raggiunto il proprio limite di tolleranza verso l'autocompiacimento. — Sì, ben meritato. Il risultato è più di quanto sperassimo. Ma io devo comunque farvi notare l'ampio margine di rischio nel quale vi siete ritrovati a operare. So che l'incursione non era prevista. Tuttavia, date le circostanze, credo che dovremmo discutere della decisione di spedire Katniss a combattere per davvero.

Decisione? Spedirmi a combattere? Allora non sa che ho apertamente disubbidito agli ordini, mi sono strappata via l'auricolare e ho seminato la mia scorta? Cos'altro le hanno nascosto?

— È stata una scelta difficile — dice Plutarch, corrugando la fronte. — Ma è opinione generale che non otterremmo niente che valga la pena utilizzare se la chiudessimo a chiave in un qualche rifugio a ogni fucilata.

— E tu sei d'accordo? — chiede la presidente.

Gale deve darmi un calcio sotto il tavolo prima che mi accorga che la Coin sta parlando con me. — Oh! Sì, sono d'accordissimo. È stato bello. Fare qualcosa, tanto per cambiare.

— Be', vediamo di essere solo un po' più giudiziosi nell'esporla. Specie ora che Capitol City sa quello che può fare — dice la Coin. Dalle persone intorno al tavolo si leva un mormorio di assenso.

Nessuno ha fatto la spia su Gale e me. Non Plutarch, di cui abbiamo ignorato l'autorità. Non Boggs, con il suo naso rotto. Non i coleotteri, che abbiamo condotto sotto tiro. Non Haymitch... no, un momento. Haymitch mi sta rivolgendo un sorriso mortale, e intanto dice con dolcezza: — Già, non vorremmo perdere la nostra piccola Ghiandaia Imitatrice proprio adesso che ha finalmente cominciato a cantare. — Mi annoto mentalmente di non andare a finire in una stanza da sola con lui, perché è chiaro che nutre propositi di vendetta per via di quello stupido auricolare.

— Allora, cos'altro avete in programma? — chiede la presidente.

Plutarch fa un cenno del capo a Cressida, che consulta i suoi appunti. — Abbiamo un formidabile filmato di Katniss all'ospedale dell'8. Dovremmo tirarci fuori un altro pass-pro sul tema "Perché sapete chi sono e cosa fanno". Ci concentreremo su Katniss che si rapporta ai pazienti, in particolare ai bambini, sul bombardamento dell'ospedale, e sulle macerie. Messalla monterà il tutto. Stiamo anche pensando a un pezzo sulla Ghiandaia Imitatrice. Evidenziando i momenti migliori di Katniss, inframmezzati da scene di insurrezioni ribelli e riprese di guerra. Questo lo intitoliamo "Il fuoco sta divampando". E poi Fulvia ha avuto un'idea davvero brillante.

Per la sorpresa, l'espressione acida sparisce dal viso di Fulvia, ma poi lei si riprende. — Be', non so quanto sia brillante, ma pensavo che potremmo realizzare una serie di pass-pro dal titolo "Noi ricordiamo". In ognuno, mostreremmo uno dei tributi morti. La piccola Rue dell'11 o la vecchia Mags del 4. Il concetto è che potremmo rivolgere un pezzo molto specifico a ciascun distretto.

— Un tributo ai vostri tributi, per così dire — commenta Plutarch.

— Quest'idea è brillante, Fulvia — le dico con sincerità. — È il modo perfetto per ricordare alla gente perché stiamo combattendo.

— Credo che potrebbe funzionare — dice lei. — Pensavo che avremmo potuto utilizzare Finnick come presentatore e narratore degli spot. Se avessero suscitato interesse.

— Per essere onesta, non vedo come potremmo realizzare troppi pass-pro "Noi ricordiamo" — dice la Coin. — Puoi cominciare a produrli già oggi?

— Certo — risponde Fulvia, evidentemente placata dalla reazione alla sua idea.

Con il suo gesto, Cressida ha appianato qualsiasi divergenza nel settore dei creativi. Lodando Fulvia per quello che in effetti è davvero un buon progetto, si è sgombrata la strada per poter continuare con la sua rappresentazione in diretta della Ghiandaia Imitatrice. La cosa interessante è che Plutarch non sembra aver bisogno della sua fetta di merito. Tutto ciò che vuole è che l'Attacco via Etere funzioni. Poi ricordo che Plutarch è un capostratega, non un soldato semplice. Non una pedina dei Giochi. Per questo motivo, il suo valore non è determinato da una singola azione, ma dal successo complessivo dell'operazione. Se vinceremo la guerra, Plutarch si inchinerà a raccogliere gli applausi del pubblico. E la sua ricompensa.

La presidente spedisce tutti al lavoro, così Gale mi riporta in ospedale. Ridiamo un po' per come ci hanno coperti. Gale dice che nessuno ha voluto fare brutta figura confessando di non essere in grado di controllarci. Io sono più gentile, e dico che forse non hanno voluto mettere a repentaglio la possibilità di portarci fuori di nuovo, proprio adesso che hanno ottenuto qualche filmato accettabile. È probabile che entrambe le cose siano vere. Gale deve andare a incontrare Beetee, giù agli Armamenti speciali, e io mi appisolo.

Mi sembra di avere chiuso gli occhi solo da qualche minuto, ma quando li riapro sobbalzo alla vista di Haymitch che se ne sta seduto a meno di un metro dal mio letto. In attesa. E magari da parecchie ore, se l'orologio è giusto. Penso di cacciare un urlo per avere un testimone, ma mi toccherà affrontarlo comunque, prima o poi.

Haymitch si china in avanti e mi fa dondolare davanti al naso qualcosa che è appeso a un sottile filo bianco. Metterlo a fuoco è difficile, ma sono quasi certa di sapere che cos'è. Lo fa cadere sulle lenzuola. — Questo è il tuo auricolare. Ti offro solo un'altra occasione per indossarlo. Se te lo togli ancora dall'orecchio, ti farò dare questo. — Solleva una specie di copricapo di metallo che all'istante ribattezzo "manetta da testa". — È un dispositivo audio che ti si blocca intorno al cranio e sotto il mento finché non viene aperto con una chiave. E l'unica chiave l'avrò io. Se per qualche ragione tu dovessi essere così in gamba da disattivarlo... — Haymitch posa la manetta da testa sul letto e tira fuori un minuscolo chip argentato — ... darò l'autorizzazione affinché ti impiantino chirurgicamente questo trasmettitore nell'orecchio, così che io possa parlare con te ventiquattr'ore al giorno.

Haymitch nella mia testa a tempo pieno. Spaventoso.

— Terrò l'auricolare — borbotto.

— Come, prego? — dice lui.

— Terrò l'auricolare! — ripeto, abbastanza forte da svegliare mezzo ospedale.

— Sei sicura? Perché a me vanno bene allo stesso modo tutte e tre le opzioni — spiega.

— Non ne dubito — dico. Appallottolo il filo dell'auricolare nel pugno e gli butto in faccia la manetta da testa con la mano libera, ma lui la prende con facilità. Probabilmente si aspettava che gliela lanciassi. — Nient'altro?

Haymitch si alza in piedi per andarsene. — Mentre aspettavo... ho mangiato il tuo pranzo.

I miei occhi osservano la scodella di stufato e il vassoio vuoti sul comodino. — Ti farò rapporto — biascico nel cuscino.

— Fallo pure, dolcezza. — Esce, sapendo benissimo che non sono il tipo che fa rapporto.

Vorrei tornare a dormire, ma sono irrequieta. Sequenze di ieri cominciano a inondare il presente. Il bombardamento, i velivoli che precipitano in fiamme, i volti dei feriti che non ci sono più. Immagino la morte da ogni angolazione.

L'ultimo istante prima di vedere una granata che colpisce il suolo, prima di sentire l'ala che viene strappata dall'aereo e sperimentare la vertiginosa picchiata nell'oblio, il tetto del magazzino che crolla su di me mentre, inerme, sono inchiodata alla mia branda. Cose che ho visto, di persona o registrate. Cose che ho provocato con un tiro del mio arco. Cose che non potrò mai cancellare dalla mia memoria.

A cena, Finnick porta il suo vassoio accanto al mio letto così che possiamo guardare insieme il pass-pro più recente in televisione. Gli è stato assegnato un alloggio al mio vecchio piano, ma ha così tante ricadute mentali che in sostanza ancora vive in ospedale. I ribelli trasmettono il pass-pro "Perché sapete chi sono e cosa fanno" che ha montato Messalla. Il filmato è inframmezzato da brevi inserti realizzati in studio nei quali Gale, Boggs e Cressida descrivono l'accaduto. È dura vedere l'accoglienza che mi riservano nell'ospedale dell'8, visto che so cosa sta per succedere. Quando le bombe piovono sul tetto, nascondo il viso nel cuscino, poi alzo di nuovo lo sguardo su una breve sequenza in cui appaio alla fine, dopo che sono morti tutti.

Se non altro, quando finisce Finnick non applaude né

finge di essere contento. Dice solo: — La gente doveva sapere che è successo. E adesso lo sa.

— Spegniamo, Finnick, prima che lo trasmettano di nuovo — lo sollecito. Ma mentre la sua mano si sposta verso il telecomando, grido: — Aspetta! — Capitol City sta presentando un servizio speciale che ha qualcosa di familiare. Sì, è Caesar Flickerman. E posso immaginare chi sarà il suo ospite.

La metamorfosi fisica di Peeta mi sconvolge. Il ragazzo sano e dagli occhi limpidi che ho visto qualche giorno fa ha perso almeno sette chili e sviluppato un tremito nervoso alle mani. L'hanno strigliato per bene anche stavolta. Ma nascosto dal trucco che non può coprire le borse sotto i suoi occhi e dai bei vestiti che non riescono a celare il dolore causato da ogni suo movimento, c'è un individuo distrutto.

La mia mente vacilla, cercando di capire il senso di tutto questo. L'ho appena visto! Quattro... no, cinque... credo sia stato cinque giorni fa. Come ha fatto ad aggravarsi così in fretta? Cosa possono mai avergli fatto in così poco tempo? Poi ci arrivo. Ripasso mentalmente il maggior numero possibile di dettagli della sua prima intervista con Caesar, in cerca di qualcosa che la collochi nel tempo. Non c'è niente. Potrebbero averla registrata un giorno o due dopo l'esplosione dell'arena, e da allora avergli fatto tutto quello che volevano. — Oh, Peeta... — sussurro.

Caesar e Peeta scambiano qualche vuota chiacchiera prima che Caesar gli chieda dei pettegolezzi secondo i quali starei registrando pass-pro per i distretti. — La stanno usando, è ovvio — dice Peeta. — Per incoraggiare gli insorti. Dubito che lei sappia davvero quello che sta accadendo in guerra, quello che c'è in gioco.

— C'è qualcosa che vorresti dirle? — chiede Caesar.

— Sì, c'è — risponde Peeta. — Guarda dritto in macchina, proprio nei miei occhi. — Non essere sciocca, Katniss. Pensa con la tua testa. Ti hanno trasformata in un'arma che potrebbe contribuire in modo decisivo alla distruzione dell'umanità. Se hai una vera influenza, usala per mettere un freno a tutto questo. Usala per fermare la guerra prima che sia troppo tardi. Chieditelo: ti fidi davvero delle persone con cui collabori? Sai davvero cosa sta succedendo? E se non è così... scoprilo.

Schermo nero. Sigillo di Panem. Spettacolo terminato.

Finnick preme il tasto del telecomando e spegne. Tra un minuto, saranno tutti qui a minimizzare la gravità delle condizioni di Peeta e quella delle parole che sono uscite dalla sua bocca. Parole che dovrò sconfessare. Ma la verità è che non mi fido dei ribelli, e di Plutarch, e della Coin. Non sono sicura che me la raccontino giusta. E questo non sarò capace di nasconderlo. Passi in avvicinamento.

Finnick mi afferra forte per un braccio. — Noi non l'abbiamo visto.

— Cosa? — chiedo.

— Non abbiamo visto Peeta. Solo il pass-pro sull'8. Poi abbiamo spento il televisore perché le immagini ti mettevano in agitazione. Capito? — chiede. Annuisco.

— Finisci la tua cena. — Mi domino abbastanza da avere la bocca piena di pane e cavolo quando Plutarch e Fulvia entrano. Finnick sta parlando di quanto sia telegenico Gale. Ci congratuliamo con loro per il pass-pro. Gli facciamo capire che è stato così coinvolgente che abbiamo spento subito dopo. Sembrano sollevati. Ci credono.

Nessuno menziona Peeta.

CAPITOLO 9

Smetto di provare a dormire dopo che i miei primi tentativi sono interrotti da incubi indicibili. A quel punto, mi limito a starmene sdraiata e immobile, simulando la respirazione del sonno ogni volta che qualcuno viene a controllarmi. La mattina mi dimettono dall'ospedale e mi ordinano di andarci piano. Cressida mi chiede di registrare qualche battuta per un nuovo pass-pro sulla Ghiandaia Imitatrice. Per tutto il pranzo, aspetto che qualcuno accenni all'apparizione di Peeta, ma nessuno lo fa. Devono pur averla vista altri, oltre a Finnick e me.

Ho l'addestramento, ma Gale deve lavorare con Beetee su qualche arma, credo, così ottengo il permesso di portare Finnick nei boschi. Girovaghiamo un po', dopodiché abbandoniamo i nostri comunicatori sotto un cespuglio. Quando siamo a distanza di sicurezza, ci sediamo e parliamo della trasmissione di Peeta.

— Io non ho sentito nemmeno una parola al riguardo. A te nessuno ha detto niente? — dice Finnick. Scuoto la testa. Lui esita, poi chiede: — Neanche Gale? — Mi aggrappo alla seppur minima speranza che Gale davvero non sappia nulla del messaggio di Peeta. Ma ho la brutta sensazione che non sia così. — Forse sta cercando di trovare un momento per dirtelo in privato.

— Forse — dico.

Rimaniamo in silenzio così a lungo che un cervo maschio si avvicina a portata di tiro. Lo abbatto con una freccia. Finnick lo trascina fino alla recinzione.

Per cena, nello stufato c'è carne di cervo tritata. Dopo mangiato, Gale mi riaccompagna all'unità E. Quando gli chiedo cosa c'è di nuovo, ancora una volta non fa alcun accenno a Peeta. Appena mia madre e mia sorella dormono, sfilo la perla dal cassetto e trascorro una seconda nottata insonne stringendola nella mano, ripetendomi le parole di Peeta. "Chieditelo: ti fidi davvero delle persone con cui collabori? Sai davvero cosa sta succedendo? E se non è così... scoprilo." Scoprilo. Cosa? Da chi? E come fa Peeta a sapere qualcosa, a parte quello che gli racconta Capitol City? Sono solo discorsi di propaganda. Altre chiacchiere. Ma se Plutarch ritiene che si tratti semplicemente della politica di Capitol City, perché non me ne ha parlato? Perché nessuno ha permesso che io o Finnick sapessimo?

Queste considerazioni, però, nascondono la vera fonte della mia angoscia: Peeta.

Cosa gli hanno fatto? E cosa gli stanno facendo proprio in questo istante? È chiaro che il presidente Snow non si è bevuto la storia secondo la quale io e Peeta non sapevamo niente della ribellione. E i suoi sospetti si sono rafforzati, adesso che mi sono mostrata nei panni della Ghiandaia Imitatrice. Peeta può solo tirare a indovinare riguardo alla tattica degli insorti o inventarsi cose da dire ai suoi torturatori. E le menzogne, una volta scoperte, verrebbero duramente punite. Quanto deve sentirsi abbandonato da me... Nella sua prima intervista, ha tentato di proteggermi sia da Capitol City sia dai ribelli, e io non solo non l'ho protetto, ma ho fatto scendere altri orrori su di lui.

Quando viene mattina, infilo il braccio nella parete e fisso intontita il programma della giornata. Subito dopo colazione, è previsto che vada in Produzione. Nel refettorio, mentre trangugio cereali con latte caldo e barbabietole mollicce, scorgo un bracciale comunicatore al polso di Gale. — Quando l'hai avuto indietro, soldato Hawthorne? — chiedo.

— Ieri. Pensavano che potrebbe costituire un mezzo di comunicazione di riserva, visto che sarò sul campo insieme a te — risponde Gale.

A me nessuno ha mai offerto un bracciale comunicatore. Mi chiedo: se ne volessi uno, me lo darebbero? — Be', immagino che uno di noi debba pur essere avvicinabile — dico, con voce un po' alterata.

— Cosa intendi? — chiede.

— Niente. Stavo solo ripetendo le tue parole — spiego.

— E sono assolutamente d'accordo che quello avvicinabile sia tu. Spero solo che anch'io potrò ancora avvicinarti.

I nostri sguardi si intrecciano. Mi rendo conto che sono in collera con Gale. Che non credo nemmeno per un istante che non abbia visto il passaggio in TV di Peeta. Che mi sento tradita nel profondo per il fatto che non me ne ha parlato. Ci conosciamo troppo bene perché Gale non riesca a leggere il mio umore e a immaginare da cosa derivi.

— Katniss... — inizia. Già il suo tono è un'ammissione di colpa.

Afferro il mio vassoio, attraverso la sala fino alla zona di deposito e sbatto i piatti sulla rastrelliera. Quando arrivo in corridoio, lui mi raggiunge.

— Perché non hai detto qualcosa? — chiede, prendendomi per un braccio.

— Perché *io* non ho detto qualcosa? — Allontano il braccio con uno strattone. — Perché non hai detto qualcosa *tu*, Gale? Io l'ho fatto quando ieri sera ti ho chiesto cosa c'era di nuovo!

— Mi dispiace, va bene? Non sapevo cosa fare. Volevo parlartene, ma temevano tutti che vedere lo spot di Peeta ti avrebbe fatto stare male — dice.

— Avevano ragione. Mi ha fatto stare male. Ma non quanto te che mi hai mentito per la Coin. — In quel momento, il suo bracciale comunicatore comincia a fare bip. — Eccola. Meglio che tu corra. Hai delle cose da dirle.

Per un attimo, gli appare sul viso un dolore autentico, al quale subentra una rabbia fredda. Gira sui tacchi e se ne va.

Forse sono stata troppo perfida, non gli ho dato abbastanza tempo per spiegare. Forse, mentendomi, ognuno cerca solo di proteggermi. Non mi interessa. Sono stufa di persone che mi raccontano bugie per il mio bene. Perché in realtà è soprattutto per il loro, che lo fanno. Mentiamo a Katniss sulla ribellione, così non farà pazzie. Spediamola nell'arena senza la minima indicazione, così potremo tirarla fuori. Non diciamole dello spot di Peeta, perché potrebbe farla stare male, ed è già abbastanza difficile cavarle una prestazione decente così com'è adesso.

Mi sento nauseata. Abbattuta. E troppo stanca per una giornata di Produzione. Ma sono già al Rinnovamento, perciò entro. Oggi, scopro, torneremo al Distretto 12. Cressida vuole realizzare qualche intervista improvvisata con me e Gale per far conoscere al pubblico la nostra città distrutta.

— Se voi due ve la sentite — precisa Cressida, osservando attentamente la mia espressione.

— Io ci sto — dico. Rimango in piedi, rigida e muta come un manichino, mentre lo staff dei preparatori mi veste, mi pettina e, a colpetti leggeri, mi applica un po' di trucco sul viso. Poco, perché non si veda, lo stretto necessario per attenuare le occhiaie sotto i miei occhi insonni.

Boggs mi scorta fino all'Hangar, ma il nostro dialogo non va oltre il primo saluto. Sono lieta che mi venga risparmiata un'altra conversazione sulla mia disubbidienza nel Distretto 8, tanto più che la sua maschera protettiva ha un'aria decisamente scomoda.

All'ultimo momento, mi ricordo di mandare un messaggio a mia madre per dirle che sto lasciando il 13 e sottolineare che non sarà una cosa pericolosa. Saliamo su un hovercraft per il breve volo sino al 12 e vengo indirizzata verso un sedile davanti a un tavolino sul quale Plutarch, Gale e Cressida stanno studiando una cartina. Plutarch trabocca di soddisfazione mentre mi mostra il prima e il dopo i due pass-pro iniziali. Gli insorti, che in parecchi distretti a malapena mantenevano una testa di ponte, sono in ripresa. Di fatto hanno assunto il controllo nel 3 e nell'11 (fondamentale, quest'ultimo, visto che è il principale fornitore di cibo di Panem) e sono riusciti a infiltrarsi in molti altri distretti.

— Promettente. Davvero molto promettente — dice Plutarch. — Fulvia avrà pronta la prima serie degli spot "Noi ricordiamo" per stasera, così potremo rivolgerci a ciascun distretto con un pezzo sui suoi morti. Finnick è assolutamente meraviglioso.

— Fa male guardarlo, in realtà — dice Cressida. — Lui ne conosceva tantissimi di persona.

— È questo che lo rende efficace — osserva Plutarch.

— Dritto al cuore. State facendo tutti uno splendido lavoro. La Coin non potrebbe esserne più soddisfatta.

Gale non gliel'ha detto, allora, che ho finto di non avere visto Peeta e che sono furibonda per il loro silenzio. Ma immagino sia troppo poco, troppo tardi, perché ancora non riesco a passarci sopra. Non ha importanza, visto che Gale non ha parlato nemmeno con me.

Mi accorgo che Haymitch non è dei nostri solo quando atterriamo sul Prato. Quando interrogo Plutarch sulla sua assenza, lui si limita a scuotere la testa e dice: — Non l'avrebbe sopportato.

— Haymitch? Non sopporta qualcosa? È più probabile che volesse un giorno libero — commento.

— Credo che le parole esatte fossero "Non ce la farei a sopportarlo senza una bottiglia" — dice Plutarch.

Roteo gli occhi, ho esaurito da tempo la pazienza verso il mio mentore, verso il suo debole per l'alcol e verso ciò che può o non può affrontare. Ma circa cinque minuti dopo essere tornata nel 12, io stessa vorrei avere una bottiglia. Credevo di aver accettato la fine del mio distretto: ne ho sentito parlare, l'ho visto dall'alto, ho vagato tra le sue ceneri. Allora perché ogni cosa mi provoca una nuova fitta di dolore? Sono stata semplicemente troppo confusa, finora, per rendermi conto della perdita del mio mondo? O è l'espressione di Gale, che si immerge nella distruzione un passo dopo l'altro, a far sembrare nuova di zecca quell'atrocità?

Cressida ordina alla troupe di cominciare con me davanti alla mia vecchia casa. Le chiedo cosa vuole che faccia. — Tutto quello che hai voglia di fare — risponde lei. Di nuovo in piedi nella mia cucina, non ho voglia di fare niente. In effetti, mi ritrovo a fissare il cielo - il solo tetto rimasto - perché sono sommersa dai troppi ricordi. Dopo un po', Cressida dice: — Va bene, Katniss. Andiamocene.

Gale non se la cava con altrettanta facilità, al suo vecchio indirizzo. Cressida lo riprende in silenzio per qualche minuto, ma proprio mentre lui estrae dalla cenere l'unico residuo della sua vita precedente, un attizzatoio del caminetto tutto ritorto, lei comincia a chiedergli della sua famiglia, del suo lavoro, della vita nel Giacimento. Lo riporta alla notte dell'attacco con le bombe incendiarie e gliela fa ricostruire, partendo dalla sua casa, avanzando faticosamente attraverso il Prato e tra i boschi fino al lago. Mi attardo dietro la troupe e la scorta, sentendo la loro presenza come una violazione dei miei amati boschi. Questo è un luogo privato, un santuario, già corrotto dalla malvagità di Capitol City. Anche dopo esserci lasciati alle spalle i mozziconi carbonizzati dei tronchi vicino alla recinzione, inciampiamo ancora su corpi in decomposizione. Dobbiamo proprio registrarlo perché lo vedano tutti?

Quando raggiungiamo il lago, Gale sembra ormai incapace di parlare. Tutti grondano sudore, specie Castor e Pollux, nelle loro corazze da coleotteri, e Cressida chiede una pausa. Uso le mani per raccogliere acqua dal lago, desiderando di potermici tuffare per poi riemergere, sola e nuda e inosservata. Gironzolo lungo la sponda per un po'. Quando rifaccio il giro fino alla casetta di calcestruzzo vicina al lago, mi fermo sulla soglia e vedo Gale appoggiare contro la parete, accanto al focolare, l'attizzatoio storto che ha recuperato. Per un attimo, nella mia mente si forma l'immagine di un solitario sconosciuto che, in un lontano giorno del futuro, vaga sperduto per la regione deserta e si imbatte in questo piccolo rifugio con la sua catasta di legna spaccata, il focolare, l'attizzatoio. Che si chiede da dove arrivi. Gale si gira e incrocia il mio sguardo, e so che sta pensando all'ultima volta che ci siamo incontrati qui. Quando abbiamo litigato perché io volevo scappare e lui no. Se l'avessimo fatto, il Distretto 12 esisterebbe ancora? Secondo me, sì. Ma Capitol City controllerebbe ancora Panem.

Vengono distribuiti dei panini al formaggio e li mangiamo all'ombra degli alberi. Volutamente, mi siedo all'estremità del gruppo, accanto a Pollux, così non sono obbligata a fare conversazione. In realtà, nessuno parla molto. Nella relativa quiete, gli uccelli si riprendono i boschi. Do un colpetto col gomito a Pollux e gli faccio notare un uccellino nero con una specie di corona. Saltella fino a un nuovo ramo, spiegando per un attimo le ali e mostrando le sue chiazze bianche. Pollux indica a gesti la mia spilla e inarca le sopracciglia con aria interrogativa. Annuisco, confermando che si tratta di una ghiandaia imitatrice. Sollevo un dito per dirgli "Aspetta, ti mostro una cosa", e faccio il fischio di un uccello. La ghiandaia imitatrice inclina la testa e ripete subito il richiamo. Poi, con mia grande sorpresa, Pollux fischia qualche nota per conto suo. L'uccellino gli risponde all'istante. Il viso di Pollux si apre in un'espressione gioiosa e dà inizio a un fitto scambio di chiacchiere melodiose con la ghiandaia imitatrice. Secondo me, è la prima conversazione che intrattiene da anni. La musica attira le ghiandaie come i fiori le api e, in un attimo, Pollux ne ha almeno sei appollaiate tra i rami sopra le nostre teste. Mi dà un colpetto sul braccio e usa un rametto per scrivere una parola nel terriccio. CANTI?

Normalmente rifiuterei, ma in un certo senso è impossibile dire di no a Pollux, date le circostanze. Per di più, le voci delle ghiandaie imitatrici che cantano sono diverse dai loro fischi, e mi piacerebbe che lui le sentisse. Perciò, prima di pensare davvero a ciò che sto facendo, canto le quattro note di Rue, quelle che usava per segnalare la fine della giornata di lavoro nel Distretto 11, le note che hanno finito con l'essere la colonna sonora del suo assassinio. Gli uccelli questo non lo sanno. Imparano la breve frase melodica e se la passano tra loro, fondendola in una soave armonia. Proprio come hanno fatto negli Hunger Games, prima che gli ibridi si aprissero un varco tra gli alberi, ci ricacciassero sulla Cornucopia e azzannassero Cato un pezzo alla volta sino a ridurlo a una poltiglia sanguinolenta...

— Vuoi sentirle cantare una vera canzone? — grido. Qualsiasi cosa pur di arginare quei ricordi. Mi alzo in piedi, torno tra gli alberi e poso la mano sul tronco ruvido di un acero su cui sono appollaiati gli uccelli. Non canto ad alta voce "L'albero degli impiccati" da dieci anni, è vietato, ma ricordo ogni parola. Inizio in modo dolce e sommesso, come faceva mio padre.

> *Verrai, verrai,*
> *all'albero verrai,*
> *cui hanno appeso un uomo che tre ne uccise, o pare?*
> *Strani eventi qui si son verificati*
> *e nessuno mai verrebbe a curiosare*
> *se a mezzanotte ci incontrassimo*
> *all'albero degli impiccati.*

Le ghiandaie imitatrici cominciano a modificare il loro canto quando si accorgono della mia nuova proposta.

> *Verrai, verrai,*
> *all'albero verrai,*

là dove il morto implorò l'amor suo di scappare?
Strani eventi qui si son verificati
e nessuno mai verrebbe a curiosare
se a mezzanotte ci incontrassimo
all'albero degli impiccati.

Adesso ho l'attenzione degli uccelli. Nel giro di un'altra strofa, avranno sicuramente colto la melodia, perché è semplice, e si ripete quattro volte con poche variazioni.

Verrai, verrai,
all'albero verrai,
ove ti dissi "Corri, se ci vuoi liberare"?
Strani eventi qui si son verificati
e nessuno mai verrebbe a curiosare
se a mezzanotte ci incontrassimo
all'albero degli impiccati.

Silenzio tra gli alberi. Solo il fruscio delle foglie nel vento, ma nessun uccello, ghiandaia imitatrice o altro. Peeta ha ragione. Si zittiscono quando canto. Proprio come facevano per mio padre.

Verrai, verrai,
all'albero verrai,
di corda una collana, insieme a dondolare?
Strani eventi qui si son verificati
e nessuno mai verrebbe a curiosare
se a mezzanotte ci incontrassimo
all'albero degli impiccati.

Gli uccelli stanno aspettando che io continui. Ma è tutto qui. Ultima strofa. Nell'immobilità, ricordo la scena. Ero tornata a casa dopo una giornata nei boschi con mio padre. Stavo seduta sul pavimento insieme a Prim, che muoveva appena i primi passi, e cantavo "L'albero degli impiccati". Ci facevamo delle collane con qualche pezzetto di vecchia corda, come diceva la canzone, senza sapere il vero significato delle parole. Il motivo era semplice e facile da intonare, e già allora ero in grado di memorizzare quasi tutti i brani musicali dopo appena un paio di volte. All'improvviso, mia madre ci strappò le collane di corda e prese a urlare contro mio padre. Cominciai a piangere, perché mia madre non urlava mai, poi anche Prim si mise a frignare, e io scappai fuori a nascondermi. Dal momento che avevo un unico nascondiglio – nel Prato, sotto un cespuglio di caprifoglio – mio padre mi trovò subito. Mi tranquillizzò e disse che andava tutto bene, solo che avremmo fatto meglio a non cantare più quella canzone. Mia madre voleva solo che la dimenticassi. Ragion per cui, com'era ovvio, ogni parola mi si impresse in modo istantaneo e definitivo nel cervello.

Non cantammo né parlammo più dell'albero degli impiccati, mio padre e io. Dopo la sua morte, mi tornò spesso in mente. Crescendo, cominciai a capirne il senso. All'inizio, sembra che un tizio cerchi di convincere la sua fidanzata a incontrarsi segretamente con lui a mezzanotte. Ma è uno strano posto per un appuntamento, un albero degli impiccati dove un uomo è stato giustiziato per omicidio. L'innamorata doveva avere qualcosa a che fare con il crimine, o forse l'avrebbero condannata comunque, perché il cadavere di lui la scongiura di scappare. Il brano del morto che parla è bizzarro, naturalmente, ma la canzone comincia a diventare inquietante solo dalla terza strofa, quando ci si accorge appunto che chi canta è l'assassino morto, ancora appeso all'albero degli impiccati. E anche se ha detto alla sua amata di fuggire, continua a chiederle se verrà per incontrarsi con lui. Il verso *Ove ti dissi "Corri, se ci vuoi liberare"* è il più angosciante, perché in un primo tempo ti fa credere che il cadavere si riferisca all'occasione in cui implorò la ragazza di scappare, immagino per salvare entrambi. Ma poi ci si chiede se invece non voglia invitarla a correre da lui. Verso la morte. Nell'ultima strofa risulta chiaro che è proprio quello che si aspettava: che la sua innamorata, con la collana di corda, si impiccasse all'albero accanto a lui.

Una volta pensavo che al mondo non esistesse nessuno di più sinistro dell'assassino della canzone. Adesso che ho all'attivo un paio di spedizioni agli Hunger Games, invece, preferisco non giudicarlo senza conoscere altri particolari.

Magari la sua amata era già stata condannata a morte e lui cercava di renderle più facile la cosa. Di farle sapere che l'avrebbe aspettata. O magari riteneva che il posto in cui la stava abbandonando fosse realmente peggiore della morte. Io non volevo forse uccidere Peeta, con quella siringa, per salvarlo da Capitol City? Era davvero l'unica scelta che avevo? Forse no, ma allora non riuscivo a vederne altre.

Immagino però che mia madre considerasse quella storia troppo malsana per una bambina di sette anni. Specie per una che si faceva delle collane di corda. Non che le impiccagioni avvenissero soltanto nelle favole. Moltissime persone venivano giustiziate a quel modo, nel Distretto 12. Di certo, mia madre non voleva che cantassi quella canzone davanti a tutti, durante la lezione di musica. E forse non apprezzerebbe nemmeno che l'abbia cantata qui, per Pollux, ma almeno non sono... No, un momento, mi sbaglio. Guardando con la coda dell'occhio, vedo che Castor mi ha registrata e continua a farlo. Mi osservano tutti con attenzione. E Pollux ha le guance inondate di lacrime, perché senza dubbio la mia bizzarra canzoncina ha riportato a galla qualche terribile evento della sua vita. Fantastico. Sospiro e mi appoggio contro il tronco. In quel momento, le ghiandaie imitatrici iniziano la loro interpretazione dell'"Albero degli impiccati". Con le loro voci, è proprio bella. Rimango in silenzio finché non sento Cressida gridare: — Stop!

Plutarch mi si avvicina, ridendo. — Dove la trovi, questa roba? Se ce la inventassimo noi, non ci crederebbe nessuno! — Mi mette un braccio intorno alla vita e mi bacia in cima alla testa con uno schiocco rumoroso. — Sei straordinaria!

— Non l'ho fatto per le telecamere — dico.

— Meno male che erano accese, allora — replica lui. — Coraggio, tutti quanti, torniamo in città!

Faticosamente, ci inoltriamo di nuovo tra i boschi e raggiungiamo un masso. Io e Gale giriamo la testa nella stessa direzione, come due cani che fiutano una traccia nel vento. Cressida se ne accorge e chiede cosa ci sia da quella parte. Io e lui continuiamo a ignorarci, ma confessiamo che si tratta dal nostro vecchio punto di ritrovo per la caccia. Lei vuole vederlo, anche se le diciamo che in realtà non è granché.

Non è granché, è solo un posto in cui ero felice, penso.

La nostra terrazza rocciosa sulla valle. Un po' meno verdeggiante del solito, forse, ma i cespugli di more si piegano sotto il peso dei frutti. Qui sono iniziate innumerevoli giornate in cui cacciavamo e mettevamo trappole, pescavamo e raccoglievamo, vagavamo insieme per i boschi e davamo sfogo ai pensieri riempiendo le nostre bisacce. Questa era la porta per il sostentamento e la sanità mentale. E noi eravamo l'uno la chiave dell'altra.

Adesso non c'è nessun Distretto 12 da cui fuggire, non ci sono Pacificatori da ingannare, né bocche affamate da nutrire. Capitol City si è portata via tutto, e ora sono sul punto di perdere anche Gale. Il collante del reciproco bisogno che ci ha legati così strettamente per tutti quegli anni si sta sciogliendo. E negli spazi vuoti che si aprono tra noi compaiono chiazze scure, non luce. Com'è possibile che oggi, di fronte alla fine orribile del 12, siamo troppo arrabbiati persino per rivolgerci la parola?

Nella sostanza, Gale mi ha mentito. Cosa inaccettabile, anche se si preoccupava del mio benessere. Le sue scuse, però, sembravano sincere. E io le ho rifiutate con rabbia, accompagnando il rifiuto con un insulto, per essere sicura che gli facesse male. Cosa ci sta succedendo? Perché adesso siamo sempre in conflitto? È tutto un pasticcio, ma, per qualche ragione, sento che se risalissi alla radice dei nostri problemi, alla fine della strada troverei le mie stesse azioni. Voglio davvero allontanarlo?

Le mie dita si avvolgono intorno a una mora e la staccano dal suo picciolo. La faccio rotolare con delicatezza tra pollice e indice. Di colpo, mi giro verso di lui e la lancio nella sua direzione. — E possa la buona sorte... — dico. La getto in alto, perché abbia tutto il tempo di decidere se allontanarla o accettarla.

Gli occhi di Gale sono puntati su di me, non sulla mora, ma all'ultimo istante, apre la bocca e la prende. Mastica, deglutisce, e c'è un lungo silenzio prima che dica — ... essere sempre a vostro favore. — L'ha detto.

Cressida ci fa sedere nell'angolo tra le rocce, dove sfiorarsi è inevitabile, e ci persuade a parlare della caccia. Cosa ci ha portato nei boschi, come ci siamo incontrati, i nostri momenti preferiti. Ci distendiamo, cominciamo a ridere un po', mentre raccontiamo alcune disavventure con api, cani selvatici e moffette. Quando la conversazione si sposta su cos'abbiamo provato nel trasferire la nostra abilità con le armi alla battaglia nel Distretto 8, io smetto di parlare. Gale dice solo: — Era ora.

Quando raggiungiamo la piazza cittadina, il pomeriggio sta sprofondando nella sera. Porto Cressida alle macerie della panetteria e le chiedo di filmare una cosa. L'unica emozione cui riesco a fare appello è la spossatezza. — Peeta, questa è la tua casa. Non si hanno notizie dei tuoi familiari dal bombardamento. Il 12 non esiste più. E tu chiedi un cessate il fuoco? — Percorro quello spazio vuoto con lo sguardo. — Non è rimasto nessuno ad ascoltarti.

Mentre ci troviamo davanti al grumo metallico che era la forca, Cressida chiede se uno dei due sia mai stato torturato. Per tutta risposta, Gale si toglie la camicia e dà le spalle alla telecamera. Fisso i segni della fustigazione e sento ancora il fischio della frusta, vedo la sua figura insanguinata ed esanime appesa per i polsi.

— Io ne ho abbastanza — annuncio. — Ci troviamo al Villaggio dei Vincitori. Cerco una cosa per... mia madre.

Immagino di aver camminato per arrivare qui, ma riprendo conoscenza solo quando mi ritrovo seduta sul pavimento davanti agli armadietti della cucina nella nostra casa al Villaggio dei Vincitori; ad allineare con cura vasi di ceramica e bottiglie di vetro in uno scatolone; a mettere garze di cotone pulite tra l'uno a l'altro per evitare che si rompano; a incartare mazzi di fiori secchi.

All'improvviso, ricordo la rosa sulla mia toeletta. Era

reale? Se sì, è ancora lassù? Devo resistere alla tentazione di controllare. Se c'è, mi terrorizzerà un'altra volta. Mi affretto a completare i miei imballaggi.

Quando gli armadietti sono vuoti, mi alzo e scopro che Gale si è materializzato nella mia cucina. È inquietante come riesca a comparire senza fare alcun rumore. Se ne sta appoggiato al tavolo, le dita allargate contro le venature del legno. Metto lo scatolone in mezzo a noi. — Ricordi? — chiede. — È qui che mi hai baciato.

E così la pesante dose di morfamina che gli è stata somministrata dopo la fustigazione non è stata sufficiente a cancellare quel ricordo dalla sua coscienza. — Non credevo che te lo ricordassi — dico.

— Da morto, potrei dimenticare. E forse nemmeno allora — spiega. — Forse diventerò come l'uomo dell'albero degli impiccati. Sempre in attesa di una risposta. — Gale, che non ho mai visto piangere, ha le lacrime agli occhi. Per non farle scendere, mi sporgo e premo le mie labbra sulle sue. Sappiamo di calore, cenere, e tristezza. È un sapore sorprendente, per un bacio tanto delicato. Si scosta per primo e mi rivolge un sorriso amaro. — Sapevo che mi avresti baciato.

— Come? — chiedo, perché io stessa non lo sapevo.

— Perché soffro — dice. — È l'unico modo per ottenere la tua attenzione. — Raccoglie lo scatolone. — Non preoccuparti, Katniss. Passerà. — Esce prima che io possa rispondere.

Sono troppo stanca per mettermi a riflettere sulle sue ultime parole di accusa. Nel breve volo di ritorno al 13 sto raggomitolata sul sedile, cercando di ignorare Plutarch che non la finisce più di parlare di uno dei suoi argomenti preferiti: le armi di cui l'umanità non dispone più. Aerei che volano a quote altissime, satelliti militari,

142

disintegratori, droni, armi biologiche con tanto di data di scadenza. Armi sconfitte dalla distruzione dell'atmosfera o dalla mancanza di risorse o dagli scrupoli morali. Si sente il rimpianto di un Capo Stratega che può solo sognare giocattoli del genere, ridotto ad arrangiarsi con gli hovercraft e coi missili terra-terra e con le care, vecchie armi da fuoco convenzionali.

Dopo aver abbandonato la mia divisa da Ghiandaia Imitatrice, vado dritta a letto senza mangiare. Ciononostante, la mattina Prim deve scuotermi per farmi alzare. Dopo colazione, ignoro il mio programma e schiaccio un pisolino nell'armadio delle scorte. Quando rinvengo e mi trascino carponi fuori dalle scatole di gessi e matite è di nuovo ora di cena. Ottengo una porzione extra di zuppa di piselli e sono diretta all'unità E quando Boggs mi intercetta.

— C'è una riunione al Comando. Non tenere conto del programma attuale — dice.

— Fatto — replico.

— L'hai mai seguito, oggi? — chiede lui, esasperato.

— E chi lo sa? Sono mentalmente confusa. — Sollevo il polso per mostrargli il mio braccialetto medico e mi accorgo che non c'è più. — Visto? Non ricordo nemmeno che mi hanno tolto il braccialetto. Perché mi vogliono al Comando? Mi sono persa qualcosa?

— Penso che Cressida voglia farti vedere i pass-pro del 12. Ma immagino che li vedrai quando li trasmetteranno — risponde.

— Di questo, sì, mi servirebbe un programma, della messa in onda dei pass-pro — dico. Mi lancia un'occhiata, ma non fa altri commenti.

C'è folla, al Comando, ma mi hanno tenuto un posto tra Finnick e Plutarch. Gli schermi del tavolo sono già alzati e mostrano la normale programmazione di Capitol City.

— Cosa succede? Non guardiamo i pass-pro del 12? — chiedo.

— Ah, no — dice Plutarch. — Voglio dire, magari sì, ma non so esattamente che filmato Beetee voglia utilizzare.

— Beetee crede di aver trovato un modo per manipolare la programmazione su scala nazionale — dice Finnick — in modo che i nostri pass-pro vengano trasmessi anche a Capitol City. È di sotto a lavorarci, alla Difesa Speciale, in questo momento. Stasera c'è una trasmissione in diretta. Snow farà un'apparizione, o qualcosa del genere. Credo che stia iniziando.

Compare il sigillo di Capitol City, sottolineato dall'inno. Poi mi ritrovo a fissare gli occhi da serpente del presidente Snow mentre saluta la nazione. Sembra barricato dietro il suo podio, ma la rosa bianca che porta al bavero è in bella vista. La telecamera indietreggia per includere Peeta, che si trova proprio lì accanto, davanti alla proiezione di una mappa di Panem. È seduto su una sedia rialzata, i piedi sostenuti da un piolo di metallo. Quello della protesi batte uno strano ritmo irregolare. Perle di sudore fanno capolino dalla cipria, sul labbro superiore e sulla fronte. Ma è lo sguardo nei suoi occhi, arrabbiato eppure perso, che mi spaventa di più.

— Sta peggio — sussurro. Finnick mi afferra la mano per offrirmi un'ancora, e io provo ad attaccarmici.

Peeta comincia a parlare in tono irritato della necessità di un cessate il fuoco. Evidenzia i danni provocati alle infrastrutture primarie di molti distretti e, mentre parla, sezioni della mappa si illuminano, mostrando immagini di distruzione. Una diga squarciata nel 7. Un treno deragliato con una pozza di rifiuti tossici fuoriuscita dai vagoni-cisterna. Un granaio crollato dopo un incendio. Tutte devastazioni che Peeta attribuisce ad azioni dei ribelli.

Bam! Senza alcun preavviso, compaio di colpo in televisione, in piedi tra le macerie della panetteria.

Plutarch balza in piedi. — Ce l'ha fatta! Beetee si è inserito!

Il brusio delle reazioni riempie la stanza, ed ecco di nuovo Peeta, turbato. Mi ha visto sul monitor. Cerca di riprendere il discorso, passando al bombardamento di un impianto di depurazione delle acque, quando uno spezzone di Finnick che parla di Rue lo sostituisce. Poi tutto precipita, trasformandosi in una battaglia a colpi di trasmissioni nella quale gli esperti di tecnologia di Capitol City tentano di respingere l'attacco di Beetee. Ma sono impreparati, e Beetee, che evidentemente ha previsto di non riuscire a conservare il controllo per molto, ha un arsenale di filmati da cinque-dieci secondi su cui lavorare. Vediamo il programma ufficiale andare a catafascio, bersagliato da sequenze ben scelte dei pass-pro.

Plutarch è colto da un accesso di entusiasmo e quasi tutti acclamano Beetee, ma Finnick resta immobile e muto accanto a me. Incrocio lo sguardo di Haymitch, dall'altra parte della stanza e vi vedo riflesso il mio stesso terrore. La consapevolezza che, a ogni acclamazione, Peeta ci sfugge sempre più di mano.

Ricompare il sigillo di Capitol City, accompagnato da un monotono segnale audio. Dura circa venti secondi, prima che Snow e Peeta tornino sullo schermo. Il set è in tumulto. Sentiamo dialoghi frenetici provenire dalla loro cabina di regia. Snow continua a fatica, dicendo che ora i ribelli stanno chiaramente cercando di interrompere la divulgazione di informazioni che li incriminano, ma che la verità e la giustizia prevarranno. La trasmissione riprenderà quando la sicurezza sarà stata ripristinata. Chiede a Peeta se, dato lo spettacolo di stasera, ha un pensiero di addio da rivolgere a Katniss Everdeen.

Nell'udire il mio nome, il viso di Peeta si contorce per lo sforzo. — Katniss... come credi che finirà? Che cosa rimarrà? Nessuno è al sicuro. Non a Capitol City. Non nei distretti. E tu... nel 13... — Fa un brusco respiro, come se cercasse disperatamente di trovare aria. Ha occhi da pazzo. — ... sarai morta prima che faccia mattina!

Fuori campo, Snow ordina: — Chiudete! — Beetee sprofonda tutto nel caos facendo apparire a intervalli di tre secondi un'inquadratura fissa che mi ritrae davanti all'ospedale. Ma, tra un'immagine e l'altra, ci rendiamo conto che l'azione vera si sta svolgendo sul set. Il tentativo di Peeta di continuare a parlare. La telecamera buttata a terra che registra il pavimento a mattonelle bianche. Lo strascicare degli stivali. L'impatto del colpo, inscindibile dal grido di dolore di Peeta.

E il suo sangue che schizza le mattonelle.

SECONDA PARTE

L'ATTACCO

CAPITOLO 10

L'urlo mi parte dalla parte bassa della schiena e risale a forza attraverso il corpo, solo per restarmi bloccato in gola. Sono una senza-voce, muta, e il dolore mi sta soffocando. Anche se riuscissi ad allentare i muscoli del collo, a lasciare il suono libero di correre nell'aria, se ne accorgerebbe qualcuno? La stanza è in tumulto. Riecheggiano domande e richieste, mentre tutti cercano di decifrare le parole di Peeta. "E tu... nel 13... sarai morta prima che faccia mattina!" Ma nessuno chiede del messaggero, il cui sangue sullo schermo è stato sostituito da scariche elettrostatiche.

Una voce chiede l'attenzione degli altri. — Chiudete il becco! — Gli occhi di tutti si fissano su Haymitch. — Non è 'sto grande mistero! Il ragazzo ci sta dicendo che stiamo per essere attaccati. Qui, nel 13.

— Come fa ad avere questa informazione?

— Perché dovremmo credergli?

— Come lo sai?

Haymitch emette un brontolio di frustrazione. — Lo stanno pestando a sangue, mentre parliamo. Di cos'altro avete bisogno? Katniss, dammi una mano con questi!

Devo darmi una scrollata per far uscire le parole. — Haymitch ha ragione. Non so dove Peeta abbia preso questa informazione. O se sia vera. Ma lui crede che lo sia. E loro... — Non riesco a dire ad alta voce quello che Snow gli sta facendo.

— Voi non lo conoscete — dice Haymitch alla Coin.

— Noi sì. Faccia preparare la sua gente.

La presidente non sembra inquieta, solo un po' perplessa, per la piega che hanno preso gli eventi. Medita sulle parole, tamburellando leggermente con un dito il bordo del quadro comandi davanti a lei. Quando parla, si rivolge a Haymitch in tono calmo. — Siamo preparati per una situazione di questo genere, naturalmente. Benché, dopo decenni di esperienza, riteniamo che ulteriori attacchi nei confronti del 13 sarebbero controproducenti per la causa di Capitol City. I missili nucleari rilascerebbero radiazioni nell'atmosfera, con conseguenze imprevedibili per l'ambiente. Anche un bombardamento ordinario potrebbe causare gravi danni al nostro complesso militare, complesso che le forze governative preferirebbero riprendersi, come ben sappiamo. Inoltre, com'è ovvio, la loro azione provocherebbe un contrattacco. Data la nostra attuale alleanza con i ribelli, però, è plausibile che tutto questo venga considerato un rischio accettabile.

— Lei crede? — dice Haymitch. Il suo commento è un tantino troppo candido, ma nel 13 le sottigliezze dell'ironia vanno spesso sprecate.

— Sì. In ogni caso, siamo più che pronti per un'esercitazione di sicurezza di Livello 5 — dice la Coin. — Procediamo con la chiusura. — Comincia a battere rapidamente sulla tastiera, fornendo le necessarie autorizzazioni alla propria decisione. Nel momento in cui solleva la testa, ha inizio la procedura.

Ci sono state due esercitazioni di basso livello, da quando sono arrivata nel 13. Non ricordo granché della prima. Ero all'ospedale, in terapia intensiva, e credo che i pazienti ne fossero esentati, perché trasferirci per un'esercitazione pratica risultava più complicato che utile. Ero vagamente consapevole di una voce registrata che ordinava alla gente di radunarsi nelle zone gialle. Nella seconda, un'esercitazione di livello 2 prevista per le emergenze di minore entità (ad esempio una breve quarantena in cui i cittadini venivano sottoposti a un test per il contagio nel corso di un'epidemia di influenza), dovevamo tornare tutti nei nostri alloggi. Io ero rimasta nascosta dietro una tubatura della lavanderia, non avevo minimamente considerato i bip pulsanti che venivano dall'impianto audio e mi ero messa a osservare un ragno che tesseva la sua ragnatela. Queste due esperienze non mi hanno preparata alle terrificanti sirene spacca-timpani che adesso, senza discorsi di accompagnamento, si diffondono nel 13. Nessuno potrebbe ignorare quel suono, che sembrerebbe progettato per gettare l'intera popolazione in uno stato di panico totale. Ma questo è il Distretto 13, e cose del genere non succedono.

Boggs guida Finnick e me fuori dal Comando, lungo il corridoio fino a una porta e su un'ampia scala. Torrenti di persone stanno convergendo lì a formare un fiume che scorre solo verso il basso. Nessuno urla o tenta di passare avanti a spintoni. Persino i bambini non oppongono resistenza. Rampa dopo rampa, scendiamo senza parlare, perché non una parola riuscirebbe a sovrastare quel suono. Cerco mia madre e Prim, ma mi è impossibile vedere qualcuno che non si trovi nelle mie immediate vicinanze. Però stasera lavorano tutte e due in ospedale, quindi non possono certo perdersi l'esercitazione.

Mi si tappano le orecchie e provo un senso di pesantezza agli occhi. Ci troviamo in profondità da miniera di carbone. L'unico vantaggio è che più ci inoltriamo nel cuore della terra e meno stridenti sono le sirene. È come se fossero concepite per allontanarci fisicamente dalla superficie.

Gruppi di persone cominciano a uscire dalla fila per varcare porte contrassegnate, eppure Boggs mi dice di scendere ancora, finché finalmente le scale non terminano sulla soglia di un'enorme caverna. Faccio per entrare, ma Boggs mi ferma, mi indica che devo passare il mio programma davanti a uno scanner, così da risultare presente all'appello. Senza dubbio le informazioni verranno inviate a un computer da qualche parte per assicurarsi che nessuno si sia perso per strada.

Non è chiaro se il luogo sia naturale o artificiale. Certe zone delle pareti sono di pietra, mentre calcestruzzo e travi d'acciaio ne rinforzano solidamente altre. Letti a castello sono scavati direttamente nelle pareti di roccia. C'è una cucina, ci sono dei bagni e una postazione di pronto soccorso. Questo posto è stato progettato per un soggiorno prolungato.

Cartelli bianchi che riportano lettere o numeri sono collocati a intervalli tutto intorno alla caverna. Mentre Boggs spiega a Finnick e a me che dobbiamo far riferimento all'area corrispondente agli alloggi che ci erano stati assegnati (la E come unità E, nel mio caso) capita lì Plutarch. — Ah, eccovi qui — dice. Gli ultimi eventi hanno influito poco sul suo umore. Ha ancora il colorito acceso e felice per il successo di Beetee nell'Attacco via Etere. Lui vede la foresta, non gli alberi, l'insieme, non i dettagli. Non la punizione di Peeta o l'imminente attacco al 13. — Katniss, questo è ovviamente un brutto momento per te, considerando l'inconveniente di Peeta, ma devi essere consapevole del fatto che gli altri continueranno a osservarti.

— Cosa? — chiedo. Non riesco a credere che davvero abbia appena declassato a "inconveniente" la terribile situazione di Peeta.

— Qui nel rifugio, le persone reagiranno per come reagirai tu. Se sei calma e forte, anche altri cercheranno di esserlo. Se ti fai prendere dal panico, il terrore potrebbe diffondersi in un lampo — spiega Plutarch. Mi limito a fissarlo. — Il fuoco sta divampando, per così dire — continua, come se fossi dura di comprendonio.

— Potrei far finta di essere davanti alle telecamere, che ne dici, Plutarch? — ribatto.

— Sì! Perfetto. Si è sempre molto più forti, con un pubblico — dice. — Guarda il coraggio che ha appena dimostrato Peeta!

Fatico a non mollargli una sberla.

— Devo tornare dalla Coin prima della chiusura. Tu continua così! — aggiunge, e se ne va.

Attraverso la caverna sino alla grande lettera E affissa alla parete. Il nostro spazio è costituito da un quadrato di pavimento di pietra che misura tre metri e mezzo per lato ed è delimitato da righe verniciate.

Intagliati nella parete, ci sono due letti a castello – una di noi dormirà sul pavimento – e uno spazio cubico a livello del suolo dove mettere la nostra roba. Su un foglio di carta bianca, rivestito di plastica trasparente, sta scritto REGOLE DEL RIFUGIO. Guardo fissamente le macchioline nere sulla pagina. Per un po', si confondono con quelle recenti gocce di sangue che sembra io non riesca a cancellare dalla mia vista. Poco a poco, le parole si mettono a fuoco. Il primo paragrafo si intitola ALL'ARRIVO:

ASSICURATEVI CHE TUTTI
I MEMBRI DELLA VOSTRA UNITÀ
SIANO PRESENTI ALL'APPELLO

Mia madre e Prim non sono ancora arrivate, ma io sono stata tra i primi a raggiungere il rifugio. È probabile che entrambe stiano dando una mano a trasferire i pazienti dell'ospedale.

ANDATE ALLA POSTAZIONE
APPROVVIGIONAMENTO
E PROCURATEVI UNO ZAINO
PER CIASCUN MEMBRO
DELLA VOSTRA UNITÀ.
PREPARATE L'ALLOGGIO.
RESTITUITE GLI ZAINI.

Esploro la caverna finché non individuo la Postazione Approvvigionamento, una stanza profonda che si distingue dalle altre per un bancone. La gente aspetta lì davanti, ma non c'è ancora un gran movimento. Mi avvicino, fornisco la lettera della nostra unità e chiedo tre zaini. Un uomo controlla un foglio, estrae dagli scaffali gli zaini indicati e, facendoli dondolare, li butta sul bancone. Dopo essermene messa uno sulle spalle e avere afferrato gli altri due, mi giro e scopro che un gruppo di persone si sta formando rapidamente dietro di me. — Permesso — dico mentre passo in mezzo a loro portando i miei rifornimenti. È solo questione di tempi? O

Plutarch ha ragione e questa gente modella il suo comportamento sul mio?

Una volta tornata al nostro posto, apro uno degli zaini e trovo un materasso sottile, lenzuola e coperte, due cambi di abiti grigi, uno spazzolino da denti, un pettine e una torcia elettrica. Esaminando il contenuto degli altri zaini, mi salta all'occhio un'unica differenza: in quelli ci sono completi sia grigi sia bianchi. Questi ultimi serviranno a mia madre e a Prim nel caso abbiano mansioni mediche da svolgere. Dopo avere fatto i letti, riposto gli abiti e restituito gli zaini, non ho niente da fare tranne seguire l'ultima regola.

ATTENDETE ULTERIORI ISTRUZIONI

Mi siedo a gambe incrociate sul pavimento ad aspettare. Un flusso costante di persone comincia a riempire lo spazio della caverna, occupando alloggi e radunando rifornimenti. Non ci vorrà molto perché sia al completo. Mi chiedo se nella notte mia madre e Prim rimarranno ovunque siano stati portati i pazienti. Ma non credo, no. Erano in lista qui. Sto cominciando a preoccuparmi, quando compare mia madre. Studio il mare di estranei dietro di lei. — Dov'è Prim? — chiedo.

— Non è qui? — ribatte lei. — Doveva venire giù direttamente dall'ospedale. È uscita dieci minuti prima di me. Dove può essere andata?

Per un istante stringo forte le palpebre, seguo le sue orme come se dessi la caccia a un animale. Vedo Prim reagire alle sirene, precipitarsi ad aiutare i pazienti, annuire quando le fanno segno di scendere al rifugio, e, a quel punto, esito con lei sulle scale. Combattuta per un attimo. Ma perché?

I miei occhi si aprono di colpo. — Il gatto! È tornata indietro per lui!

— Oh, no — dice mia madre. Sappiamo tutte e due che ho ragione. Ci facciamo largo a spintoni nella marea di persone in arrivo, cercando di uscire dal rifugio. Davanti a me, riesco a vedere che si preparano a chiudere le spesse porte metalliche. Che fanno ruotare lentamente verso l'interno gli ingranaggi di metallo posti su entrambi i lati. Per qualche ragione, so che, una volta sigillati, niente al mondo convincerà i soldati a riaprirli. Forse non ne avranno nemmeno il potere. Spingo la gente da parte a casaccio mentre grido loro di aspettare. Lo spazio tra le porte si riduce a un metro, a trenta centimetri. Resta solo qualche centimetro, quando incastro la mano nella fessura.

— Aprite! Fatemi uscire! — urlo.

La costernazione si dipinge sui volti dei soldati mentre invertono un po' il movimento degli ingranaggi. Non abbastanza per lasciarmi passare, ma quel tanto che serve a evitare di schiacciarmi le dita.

Approfitto allora dell'occasione per incuneare la spalla nell'apertura. — Prim! — grido verso le scale. Mia madre supplica le guardie mentre io cerco di sgusciare fuori. — Prim!

Poi la sento. Il lieve rumore di passi sui gradini. — Stiamo arrivando! — sento che urla mia sorella.

— Non chiudete la porta! — Questo è Gale.

— Stanno arrivando! — dico alle guardie, e loro fanno scorrere le porte di circa trenta centimetri. Ma io non oso muovermi, ho paura che ci chiudano fuori tutti quanti, finché non compare Prim, le guance arrossate per la corsa, con in braccio Ranuncolo. La spingo dentro e Gale la segue, torcendo da una parte le braccia piene di bagagli per farli entrare nel rifugio. Le porte vengono chiuse con un forte, definitivo rumore metallico.

— Cosa credevi di fare? — Do a Prim una scrollata rabbiosa e poi l'abbraccio, schiacciando Ranuncolo tra me e lei.

Prim ha la spiegazione già pronta. — Non potevo abbandonarlo, Katniss. Non due volte. Avresti dovuto vedere come andava su e giù per la stanza, gemendo. Lui sarebbe tornato indietro a proteggerci.

— Va bene. Va bene. — Faccio qualche respiro per calmarmi, indietreggio e tiro su Ranuncolo per la collottola. — Avrei dovuto annegarti quando ne avevo la possibilità. — Appiattisce le orecchie e solleva una zampa. Soffio io prima che possa farlo lui, il che sembra infastidirlo un po', visto che soffiare è un'espressione di disprezzo che considera solo sua. Per rappresaglia, emette un miagolio da micino indifeso che porta subito mia sorella a intervenire in sua difesa.

— Oh, Katniss, non prenderlo in giro — dice, circondandolo di nuovo con le braccia. — È già abbastanza scombussolato.

L'idea di aver ferito i leggiadri sentimenti gatteschi di quella bestiaccia malefica non fa che ispirarmi altro sarcasmo. Ma Prim è veramente angosciata per lui. Ragion per cui scelgo di pensare a un paio di guanti foderati con la pelliccia di Ranuncolo, un'immagine che mi ha aiutato ad avere a che fare con lui nel corso degli anni.

— D'accordo, scusa. Noi siamo sotto la grande E che sta sulla parete. Sarà meglio che lo facciamo sistemare prima che si perda. — Prim se ne va in fretta, e io mi ritrovo faccia a faccia con Gale. Tiene tra le braccia lo scatolone di scorte mediche proveniente dalla cucina del Distretto 12, luogo della nostra ultima conversazione, del nostro ultimo bacio, litigio o quello che è stato. La mia bisaccia gli pende dalla spalla.

— Se Peeta ha ragione, questa roba non serviva a niente — dice.

Peeta. Sangue come gocce di pioggia sulla finestra. Come fango bagnato sugli stivali.

— Grazie per... tutto. — Prendo le nostre cose. — Cosa ci facevi di sopra, nelle nostre camere?

— Ricontrollavo soltanto — risponde. — Noi siamo alla 47, se hai bisogno di me.

Quasi tutti si sono ritirati nei loro spazi appena si sono chiuse le porte, così mi tocca compiere la traversata sino alla nostra nuova casa sotto gli occhi di almeno cinquecento persone. Cerco di sembrare calmissima per compensare il mio frenetico e rumoroso passaggio tra la folla. Come se qualcuno potesse cascarci. E addio al buon esempio. Oh, ma che importa? Tanto pensano tutti che io sia un po' svitata. Un uomo che credo di aver fatto cadere a terra richiama la mia attenzione e si strofina un gomito con aria risentita. Per poco non soffio anche a lui.

Prim ha installato Ranuncolo sul letto più basso e lo ha avvolto in una coperta in modo da farne spuntare solo il muso. È così che gli piace stare quando ci sono i tuoni, l'unica cosa che lo spaventa davvero. Mia madre introduce con cura il suo scatolone nel cubo. Io mi accovaccio, la schiena sostenuta dalla parete, per vedere quello che Gale è riuscito a recuperare con la mia bisaccia. Il libro delle piante, la giacca da caccia, la foto del matrimonio dei miei genitori e gli oggetti personali contenuti nel mio cassetto. La mia spilla con la ghiandaia imitatrice, ormai, sta insieme agli abiti di Cinna, ma qui ci sono il medaglione d'oro e il paracadute argentato con appesa la spillatrice. E la perla di Peeta. Annodo la perla a un angolo del paracadute e la seppellisco nel profondo della bisaccia, come se fosse la vita stessa di Peeta e nessuno potesse portarla via, finché la custodisco io.

Il debole suono delle sirene si interrompe bruscamente. La voce della Coin esce dall'impianto audio, ringraziandoci tutti per l'esemplare evacuazione dei piani superiori. Sottolinea che non si tratta di un'esercitazione, perché Peeta Mellark, il vincitore del Distretto 12, è apparso in TV e ha fatto riferimento a un possibile attacco contro il 13. Stanotte.

In quel momento, la prima bomba colpisce. C'è una iniziale sensazione di impatto, seguita da un'esplosione che mi riecheggia nelle parti intime, nelle pareti degli intestini, nel midollo delle ossa, nelle radici dei denti. *Moriremo tutti*, penso. I miei occhi puntano verso l'alto, aspettandosi di vedere gigantesche incrinature correre attraverso il soffitto, enormi pezzi di roccia che piovono su di noi, ma il rifugio si limita a vibrare leggermente. Le luci si spengono e provo il disorientamento dell'oscurità totale. Suoni umani e inarticolati – strilli istintivi, respirazioni irregolari, piagnucolii infantili, il frammento melodioso di una folle risata – danzano tutto intorno nell'aria carica di elettricità. Poi si sente il ronzio di un generatore e un fioco bagliore tremolante viene a sostituire la cruda illuminazione che è abituale nel Distretto 13 e che somiglia di più a quello che avevamo nelle nostre case del 12, dove le candele e il fuoco si consumavano fino all'ultimo nelle notti d'inverno.

Nel crepuscolo, allungo una mano verso Prim, le afferro una gamba e mi tiro vicino a lei. Ha ancora la voce ferma mentre cantilena, rivolta a Ranuncolo: — È tutto a posto, piccolino, è tutto a posto. Staremo bene, quaggiù.

Mia madre ci circonda con le braccia. Mi concedo di

sentirmi giovane per un istante e appoggio la testa sulla sua spalla. — È stato ben diverso dalle bombe nel Distretto 8 — dico.

— Probabilmente un missile antirifugio — dice Prim. — Li abbiamo studiati nei corsi di orientamento per i nuovi cittadini. Sono progettati per penetrare in profondità nel suolo prima di esplodere, dato che non ha più senso bombardare il 13 in superficie.

— Sono nucleari? — chiedo, sentendo un brivido che mi attraversa.

— Non necessariamente — risponde Prim. — Alcuni hanno semplicemente un sacco di esplosivo dentro. Ma... questo potrebbe essere dell'uno come dell'altro tipo, immagino.

La parziale oscurità rende difficile vedere le pesanti porte di metallo in fondo al rifugio. Saranno una protezione contro un attacco nucleare? E anche se fossero efficaci al cento per cento nel bloccare le radiazioni, il che è davvero improbabile, saremo mai in grado di uscire da questo posto? Il pensiero di trascorrere in questa tomba di pietra quanto mi resta da vivere mi lascia inorridita. Vorrei correre come una pazza alla porta e pretendere che mi lascino andare, qualunque cosa ci sia in superficie. Ma non mi permetterebbero mai di uscire, e potrei anche dare inizio a un fuggi fuggi generale.

— Ci troviamo molto in profondità. Sono certa che siamo al sicuro — dichiara debolmente mia madre. Sta pensando a mio padre, dissolto nel nulla dentro le miniere? — Però c'è mancato poco. Grazie al cielo, Peeta aveva i mezzi per avvertirci.

I mezzi. Un termine generico che in qualche modo comprende tutto quello che gli serviva per dare l'allarme. La conoscenza, l'opportunità, il coraggio. E qualcos'altro che non riesco a definire. Sembrava che Peeta stesse ingaggiando una specie di battaglia nella sua testa, che lottasse per fare uscire il messaggio. Perché? La facilità con cui si serve delle parole è il suo più grande talento. Che le sue difficoltà fossero una conseguenza delle torture subite? Qualcosa di più? Come la pazzia?

La voce della Coin, forse un tantino più cupa di prima, riempie il rifugio, col volume che tremola insieme alle luci. — A quanto pare le informazioni di Peeta Mellark erano affidabili e noi abbiamo un grosso debito di riconoscenza nei suoi confronti. I sensori indicano che il primo missile non era nucleare, ma molto potente. Ci aspettiamo che ne seguiranno altri. Per tutta la durata dell'attacco, i cittadini dovranno restare nelle aree assegnate sino a nuovo ordine.

Un soldato avverte mia madre che c'è bisogno di lei alla postazione di pronto soccorso. Lasciarci non le va un granché, anche se sarà lontana solo una trentina di metri.

— Staremo bene, davvero — le dico. — Non penserai che esista qualcosa in grado di aggirare lui? — Indico Ranuncolo, che soffia con così poco entusiasmo nella mia direzione da costringerci tutte a ridere un po'. Persino io sono dispiaciuta per lui. Quando mia madre se ne va, suggerisco: — Perché tu e Ranuncolo non vi mettete a letto, Prim?

— So che è sciocco ma... ho paura che il letto a castello possa crollarci addosso durante l'attacco — dice.

Se crolleranno i letti a castello, vorrà dire che l'intero rifugio ha ceduto e ci ha seppelliti, ma poi decido che questo genere di logica non ci sarà affatto di aiuto. Così sgombro il cubo-armadio e vi preparo un letto per Ranuncolo. Poi tiro lì davanti un materasso per me e mia sorella.

Ci autorizzano a utilizzare il bagno a piccoli gruppi

per lavarci i denti, ma la doccia giornaliera è stata annullata. Mi raggomitolo sul materasso insieme a Prim, mettendo un doppio strato di coperte, poiché la caverna sprigiona un freddo umido. Ranuncolo, sempre infelice nonostante le continue attenzioni di Prim, si rannicchia dentro il cubo e mi esala in faccia il suo respiro di gatto.

Malgrado la sgradevole situazione, sono felice di avere del tempo per stare con mia sorella. Lo stato di estrema preoccupazione in cui mi trovo da quando sono arrivata qui – anzi no, già dai primi Giochi, in effetti – non mi ha permesso di pensare granché a Prim. Non mi sono occupata di lei come avrei dovuto, come facevo una volta. Dopotutto, è stato Gale a controllare la nostra unità, non io. E questa è una cosa cui devo rimediare.

Mi accorgo di non essermi mai neppure presa il disturbo di chiederle come stia affrontando il trauma di essere finita qui. — Allora, ti piace il 13, Prim? — butto lì.

— Adesso? — chiede. Ridiamo tutte e due. — A volte mi manca molto casa nostra. Ma poi mi ricordo che non è rimasto più niente di cui sentire la mancanza. Qui mi sento più al sicuro. Non dobbiamo preoccuparci per te. Be', non allo stesso modo. — Si interrompe, poi un timido sorriso le attraversa le labbra. — Credo che abbiano intenzione di prepararmi perché diventi un medico.

È la prima volta che lo sento. — Be', certo che ne hanno intenzione. Sarebbero sciocchi a non farlo.

— Mi hanno osservato quando do una mano in ospedale. Sto già seguendo i corsi di medicina. Sono solo cose da principianti. Ne so parecchie, con quello che facevo a casa. Ma ho molto da imparare — mi spiega.

— È fantastico — commento. Prim medico. Non avrebbe nemmeno potuto sognarselo, nel 12. Qualcosa di piccolo e tenue, come un fiammifero acceso, illumina l'oscurità che ho dentro. Questo è il genere di futuro che una ribellione potrebbe portare.

— E tu, Katniss? Come te la cavi? — Le punte delle sue dita si muovono in brevi, delicate carezze tra gli occhi di Ranuncolo. — E non dire che stai bene.

Vero. Un opposto qualsiasi di "bene": è così che mi sento. Quindi comincio a raccontarle di Peeta, di come ho visto in TV l'aggravarsi progressivo delle sue condizioni, del fatto che credo lo stiano uccidendo in questo preciso istante. Ranuncolo deve contare solo su se stesso per un po', perché adesso Prim rivolge a me le sue attenzioni. Mi tira più vicina, mi scosta i capelli infilandomeli dietro le orecchie con le dita. Ho smesso di parlare, perché in effetti non resta nient'altro da dire, e provo una specie di dolore lacerante nel punto in cui si trova il mio cuore. Forse mi sta venendo un infarto, ma non mi sembra che valga la pena parlarne.

— Katniss, io non credo che il presidente Snow ucciderà Peeta — dice Prim. È naturale che lo dica: è quello che secondo lei mi tranquillizzerà. Ma le parole che pronuncia subito dopo sono una vera sorpresa. — Se lo fa, non gli rimarrà più nessuno che interessi a te. Non avrà più niente per farti del male.

Il ragionamento di Prim mi ricorda di colpo un'altra ragazza, una che aveva visto tutto il male che Capitol City poteva fare. Johanna Mason, il tributo del Distretto 7, nell'ultima arena. Cercai di impedirle di entrare nella giungla dove le ghiandaie chiacchierone imitavano le voci dei nostri cari mentre venivano torturati, ma lei mi ignorò, dicendo: "Non possono farmi niente. Non sono come voi. Non mi è rimasto nessuno a cui volere bene."

E allora so che Prim ha ragione, che Snow non può permettersi di sprecare la vita di Peeta, soprattutto adesso, finché la Ghiandaia Imitatrice crea tanto scompiglio. Ha già ucciso Cinna. Distrutto il luogo in cui sono nata. Non può arrivare alla mia famiglia o a Gale, e neppure a Haymitch. Peeta è tutto ciò che gli resta.

— Quindi cosa credi che gli faranno? — chiedo.

Prim sembra avere quasi cent'anni quando parla.

— Qualunque cosa serva a spezzare te.

CAPITOLO 11

C osa potrà spezzarmi?
Questa è la domanda che mi tormenta nei tre giorni successivi, mentre aspettiamo di essere liberati dalla nostra prigione di sicurezza. Cosa mi ridurrà in briciole al punto da rendermi irrecuperabile, del tutto inservibile? Non ne faccio parola con nessuno, ma questa cosa divora le mie ore di veglia e si insinua nei miei incubi.

Nel frattempo cadono altri quattro missili antirifugio, tutti di enorme potenza e tutti devastanti, ma l'attacco non è particolarmente insistente. Le bombe sono diluite nel tempo in modo tale che, quando pensi che il raid sia terminato, un'altra esplosione ti scuote le viscere con la sua onda d'urto. L'incursione sembra progettata più per tenerci segregati che per decimare il 13. Paralizzare il distretto, sì. Dare alla gente un bel po' da fare per rimetterlo in funzione. Ma distruggerlo? No. La Coin aveva ragione su questo punto. Non si distrugge quello che poi ci si vuol prendere. Suppongo che ciò che in realtà vogliono, nell'immediato, sia bloccare l'Attacco via Etere e tenermi lontana dai televisori di Panem.

Le informazioni che riceviamo su quello che succede fuori sono pochissime. I nostri schermi non si accendono mai e la Coin ci dà solo brevi aggiornamenti audio che riguardano la natura delle bombe. Senza dubbio la guerra è ancora in corso ma, quanto ai suoi sviluppi, siamo nel buio più completo.

All'interno del rifugio, la collaborazione è all'ordine del giorno. Ci atteniamo a un rigido programma per i pasti e la pulizia personale, l'esercizio fisico e il sonno. Sono concessi piccoli intervalli di socializzazione per scacciare la noia. Lo spazio riservato alla mia famiglia diventa molto popolare, perché sia i bambini sia gli adulti sono affascinati da Ranuncolo. E Ranuncolo diventa una star grazie al suo gioco serale del Gatto Matto. L'ho ideato io, per caso, qualche anno fa, durante un blackout invernale. Basta muovere il fascio di luce di una torcia qua e là sul pavimento, e Ranuncolo cerca di prenderlo. Sono abbastanza meschina da divertirmici perché secondo me ci fa la figura dello stupido. Inspiegabilmente, però, tutti qui lo considerano intelligentissimo e incantevole. Mi viene fornita persino una serie aggiuntiva di pile – uno spreco enorme – da usare a questo scopo. Gli abitanti del 13 hanno davvero un gran bisogno di divertirsi.

La terza sera, durante il nostro gioco, trovo finalmente una risposta alla domanda che mi sta divorando. Il numero del Gatto Matto diventa una metafora della mia situazione. Io sono Ranuncolo. Peeta, che ho tanta voglia di mettere al sicuro, è la luce. Ranuncolo, finché sente di avere la possibilità di afferrare tra le zampe quel bagliore sfuggente, ribolle di aggressività. (È così che mi sento io da quando ho abbandonato l'arena, con Peeta ancora vivo.) Quando la luce si spegne, rimane turbato e confuso per un po', ma poi si riprende e passa ad altro. (È ciò che mi succederebbe se Peeta morisse.) L'unico caso in cui Ranuncolo va davvero in tilt è quando lascio la luce accesa ma la metto irrimediabilmente fuori dalla sua portata, in alto sulla parete, dove neppure le sue capacità di salto riescono a spingerlo. Cammina avanti e indietro alla base della parete, si lamenta, non si fa consolare né distrarre. Non riesce a fare niente, finché non spengo la luce. (È ciò che adesso sta provando a farmi Snow, solo che non conosco le regole del suo gioco.)

Forse a Snow serve solo che io mi renda conto di questo. Pensare che Peeta fosse in mano sua e venisse torturato per estorcergli informazioni sui ribelli era già brutto. Ma pensare che venga torturato solo per mettere me fuori gioco è davvero insopportabile. Ed è sotto il peso di questa rivelazione che comincio a spezzarmi davvero.

Dopo il Gatto Matto, ci ordinano di andare a dormire. L'elettricità continua ad andare e venire: ci sono volte in cui le lampade funzionano al massimo, altre in cui la tensione si abbassa e dobbiamo strizzare gli occhi per vederci l'un l'altro. Quando è ora di dormire, l'illuminazione viene ridotta al minimo e in ogni spazio si attivano delle luci di sicurezza. Prim, che ha deciso che i muri reggeranno, si raggomitola con Ranuncolo nel letto più basso. Mia madre sta in quello più alto. Mi offro di occupare uno dei letti, ma loro mi convincono a tenermi il materasso sul pavimento, visto che mi agito tanto quando dormo.

Adesso non mi agito, ho i muscoli irrigiditi nello sforzo di tenere insieme i miei pezzi. Il dolore al cuore torna a farsi sentire e immagino che da lì minuscole fenditure si propaghino per tutto il corpo, attraverso il busto, lungo le braccia e le gambe, sul viso, che rimane solcato da un reticolo di crepe. Una bella scossa di un missile antirifugio e potrei sbriciolarmi in mille strani frammenti, taglienti come rasoi.

Quando il sonno placa l'irrequietezza della maggior parte di noi, mi districo circospetta dalla coperta e percorro la caverna in punta di piedi, finché non trovo Finnick, sentendo che, per qualche imprecisata ragione, lui capirà. È seduto sotto la luce di sicurezza del suo spazio, fa nodi alla sua corda, senza nemmeno fingere di riposare. Mentre sussurro la mia ipotesi sul piano ideato da Snow per farmi crollare, me ne rendo conto: questa strategia è storia antica, per Finnick. È la stessa che ha fatto crollare lui.

— È questo che ti stanno facendo con Annie, vero? — chiedo.

— Be', non l'hanno certo arrestata perché credevano che sarebbe stata una miniera di informazioni sui ribelli — risponde. — Sanno che, per la sua stessa sicurezza, non avrei mai corso il rischio di raccontarle qualcosa del genere.

— Oh, Finnick. Mi dispiace tanto — dico.

— No, è a me che dispiace. Per non averti avvertita in qualche modo — ribatte.

Di colpo, riaffiora un ricordo. Sono legata al letto, pazza di rabbia e di dolore dopo il salvataggio. Finnick cerca di consolarmi riguardo a Peeta. "Capiranno abbastanza in fretta che non sa niente. E non lo uccideranno, se pensano di poterlo usare contro di te."

— Mi hai avvertita, invece. Sull'hovercraft. Solo che quando hai detto che avrebbero usato Peeta contro di me, ho pensato che intendessi come esca. Per attirarmi a Capitol City — spiego.

— Non avrei dovuto dire neanche quello. Era troppo

tardi perché potesse esserti di qualche aiuto. Visto che non ti avevo avvertita prima dell'Edizione della Memoria, avrei dovuto tacere sui metodi di Snow. — Finnick dà uno strattone all'estremità della corda e un nodo complicatissimo ridiventa una linea retta. — È che quando ti ho incontrata non capivo. Dopo i tuoi primi Giochi, pensavo che tutta la tua storia d'amore fosse una commedia. Ci aspettavamo tutti che avresti ripetuto quello schema. Ma è stato solo quando Peeta ha colpito il campo di forza ed è quasi morto che... — Finnick esita.

Ripenso all'arena. A come singhiozzavo dopo che Finnick aveva rianimato Peeta. All'espressione interrogativa sul viso di Finnick. Al modo in cui aveva giustificato il mio comportamento, attribuendone la causa alla mia finta gravidanza. — Che... cosa?

— Che ho capito di averti giudicato male. E che lo ami davvero. Non so dire in che modo. Forse non lo sai nemmeno tu. Ma chiunque vi faccia attenzione, si accorgerebbe di quanto ti importa di lui — dice in tono gentile.

Chiunque? Durante la sua visita, prima del Tour della Vittoria, Snow mi aveva sfidato a cancellare ogni residuo dubbio sul mio amore per Peeta.

"Convinca me", aveva detto.

Sotto quell'ardente cielo rosa, con Peeta sospeso tra la vita e la morte, sembra che alla fin fine io ci sia riuscita. E nel farlo, ho offerto a Snow l'arma che gli serviva per spezzarmi.

Io e Finnick restiamo a lungo seduti in silenzio, osservando i nodi che spuntano e poi svaniscono, prima che mi decida a chiedergli: — Come fai a sopportarlo?

Finnick mi guarda, incredulo. — Non ci riesco, Katniss! È ovvio che non ci riesco. Mi trascino fuori dai miei incubi ogni mattina e scopro che non c'è alcun sollievo nello svegliarsi. — Qualcosa nella mia espressione lo ferma. — Farai meglio a non cedere a questa cosa. Rimettere insieme i pezzi richiede dieci volte il tempo che serve per crollare.

Be', lui deve saperlo. Faccio un respiro profondo, obbligandomi a tornare tutta intera.

— Più riesci a distrarti e meglio è — dice. — Per prima cosa, domani ti procureremo una corda tutta per te. Sino ad allora, prendi la mia.

Trascorro il resto della notte sul mio materasso, ossessivamente impegnata a fare nodi, a sollevarli davanti a Ranuncolo perché li passi in rivista. Se un nodo ha un'aria sospetta, lui lo fa cadere con una zampata e lo morde più volte, per essere sicuro che sia morto. Quando viene mattina, mi fanno male le dita, ma resisto ancora.

Dopo ventiquattr'ore di quiete, alla fine la Coin annuncia che possiamo uscire dal rifugio. I nostri vecchi alloggi sono stati distrutti dai bombardamenti. Tutti dovranno seguire esattamente le indicazioni per le nuove unità abitative. Puliamo i nostri spazi, come ordinato, e ci dirigiamo ubbidienti in fila indiana verso la porta.

Non sono neanche a metà strada quando compare Boggs, che mi fa uscire dalla fila. Fa un cenno a Gale e a Finnick perché ci raggiungano. La gente si scosta per lasciarci passare. Alcuni mi sorridono addirittura: il gioco del Gatto Matto sembra avermi reso più simpatica. Fuori dalla porta, su per le scale, lungo il corridoio, fino a uno di quegli ascensori che si spostano in più direzioni, ed eccoci infine alla Difesa Speciale. Niente di quanto abbiamo incontrato lungo la strada ha subito danni, ma siamo ancora molto in profondità.

Boggs ci fa entrare in una stanza praticamente identica al Comando. Plutarch, Haymitch, Cressida e tutti gli altri intorno al tavolo hanno l'aria esausta. Qualcuno ha finalmente tirato fuori il caffè – anche se sono sicura che lo considerino solo uno stimolante di emergenza – e Plutarch tiene entrambe le mani ben strette intorno alla sua tazza come se potessero portargliela via da un momento all'altro.

Non ci sono convenevoli. — Ci servite tutti e quattro in divisa e in superficie — dice la presidente. — Avete due ore per girare un filmato che mostri i danni provocati dal bombardamento, confermi che l'apparato militare del 13 non è solo funzionante ma predominante, e, cosa più importante, che la Ghiandaia Imitatrice è viva. Domande?

— Possiamo avere un caffè? — chiede Finnick.

Ci distribuiscono delle tazze fumanti. Fisso con aria disgustata il lucente liquido nero (non sono mai stata una grande estimatrice di quella roba) ma penso che potrebbe aiutarmi a stare in piedi. Finnick mi versa un po' di panna nella tazza e mette la mano nella zuccheriera. — Vuoi una zolletta? — chiede, col tono seducente di un tempo. È così che ci siamo conosciuti, con Finnick che mi offriva dello zucchero. Circondati da carri e cavalli, vestiti e truccati per il pubblico, prima di diventare alleati. Prima che avessi idea di come ragionava. Il ricordo mi fa addirittura spuntare un sorriso. — Ecco, lo zucchero migliora il gusto — dice in tono normale, facendo cadere tre zollette nella mia tazza.

Mi volto per andare a vestirmi da Ghiandaia Imitatrice e sorprendo Gale che osserva Finnick e me con aria infelice. E adesso cos'altro c'è? Pensa davvero che stia succedendo qualcosa tra noi? Forse ieri sera mi ha visto andare da Finnick.

Ho dovuto passare davanti allo spazio degli Hawthorne

per arrivarci. Forse gli ha dato fastidio che io abbia cercato la compagnia di Finnick invece della sua. Perfetto. La corda mi ha ustionato le dita, riesco appena a tenere gli occhi aperti, e una troupe televisiva si aspetta che faccia qualcosa di intelligente. E Snow ha Peeta. Gale può pensare tutto quello che vuole.

Nel mio nuovo Camerino Immagine alla Difesa Speciale, lo staff dei preparatori mi schiaffa nella divisa da Ghiandaia Imitatrice, sistema i miei capelli e mi applica un minimo di trucco prima ancora che mi si raffreddi il caffè. Nel giro di dieci minuti, troupe e attori dei prossimi pass-pro hanno già intrapreso la lunga e tortuosa camminata che li porterà all'esterno. Durante il viaggio, bevo rumorosamente il mio caffè, scoprendo che la panna e lo zucchero ne esaltano l'aroma. Mentre trangugio i residui depositati sul fondo della tazza, sento una leggera sovreccitazione che comincia a scorrermi nelle vene.

Dopo aver salito un'ultima scala a pioli, Boggs spinge una leva che apre una botola. L'aria fresca irrompe all'interno. La inspiro a grandi boccate e per la prima volta do libero sfogo a tutto il mio odio per il rifugio. Emergiamo nei boschi, e le mie mani scivolano tra le foglie sopra le nostre teste. Alcune stanno giusto cominciando a ingiallire. — Che giorno è? — chiedo, senza rivolgermi a nessuno in particolare. Boggs mi dice che la prossima settimana sarà settembre.

Settembre. Questo significa che Snow tiene Peeta tra le sue grinfie da cinque o sei settimane. Studio una foglia sul palmo della mano e mi accorgo che sto tremando. Non riesco a costringermi a smettere. Do la colpa al caffè e tento di concentrarmi per rallentare il respiro, sin troppo rapido per il mio passo.

Le macerie cominciano a ricoprire il sottobosco. Arriviamo al primo cratere, largo poco meno di trenta metri e non so quanto profondo. Molto, comunque. Boggs dice che con ogni probabilità tutti quelli dei primi dieci livelli sarebbero rimasti uccisi. Aggiriamo la buca e proseguiamo.

— Siete in grado di ricostruire tutto? — chiede Gale.

— Non nell'immediato. Questo non ha danneggiato granché. Alcuni generatori di riserva e un allevamento di polli — dice Boggs. — Ci limiteremo a sigillare il buco.

Gli alberi spariscono del tutto quando entriamo nella zona all'interno della recinzione. I crateri sono circondati da un miscuglio di pietrisco vecchio e nuovo. Prima del bombardamento, ben poco del Distretto 13 odierno era allo scoperto. Qualche postazione di guardia. L'area di addestramento. Una trentina di centimetri del piano più alto del nostro edificio (da cui sporgeva la finestra di Ranuncolo) sormontato da un bello spessore di acciaio. Ma anche quello non si pensava dovesse resistere a qualcosa di più di un attacco di superficie.

— Quanto vantaggio vi ha dato l'avvertimento del ragazzo? — chiede Haymitch.

— Una decina di minuti, poi i nostri sistemi avrebbero individuato i missili — risponde Boggs.

— Ma è stato utile, giusto? — chiedo io. Non sopporto che dica di no.

— Altro che! — replica Boggs. — L'evacuazione dei civili è stata completata. Anche i secondi sono importanti, quando si è sotto attacco. Dieci minuti hanno significato la salvezza di molte vite.

Prim, penso. E Gale. Sono arrivati nel rifugio con appena un paio di minuti di anticipo rispetto al primo missile. Peeta potrebbe averli salvati. Aggiungete pure i loro nomi all'elenco di cose per cui non smetterò mai di essere in debito con lui.

Cressida ha l'idea di riprendermi davanti alle rovine del vecchio Palazzo di Giustizia, il che è un'autentica barzelletta, dal momento che Capitol City ha continuato per anni a usarlo come sfondo per i falsi notiziari con cui intendeva dimostrare che il Distretto 13 non esisteva più. Ora, dopo l'ultimo attacco, il Palazzo di Giustizia si trova a circa nove metri dal bordo di un nuovo cratere.

Mentre ci avviciniamo a quello che una volta era il sontuoso ingresso, Gale indica qualcosa e tutto il gruppo rallenta. All'inizio non capisco quale sia il problema, ma poi vedo il terreno disseminato di rose fresche, rosse e rosa. — Non toccatele! — strillo. — Sono per me!

Il profumo disgustosamente dolce raggiunge il mio naso, mentre il cuore comincia a martellarmi nel petto. Allora non me l'ero immaginato. La rosa sulla mia toeletta. Davanti a me, c'è la seconda consegna di Snow. Meraviglie rosa e rosse a stelo lungo, gli stessi fiori che ornavano il set dove io e Peeta abbiamo fatto la nostra intervista dopo la vittoria. Fiori evidentemente destinati non tanto a una persona sola, ma a una coppia di innamorati.

Spiego tutto agli altri, meglio che posso. A un primo esame, sembrano essere normalissimi fiori, anche se geneticamente modificati. Due dozzine di rose. Un po' appassite. Molto probabilmente lasciate cadere dopo l'ultimo bombardamento. Una squadra di uomini che indossano tute speciali le raccoglie e le porta via. Ho la sensazione che non ci troveranno niente di straordinario, comunque. Snow sa benissimo cosa mi sta facendo. È come far pestare a sangue Cinna sotto i miei occhi mentre sono rinchiusa nel cilindro dei tributi. Ideato per sconvolgermi.

Come allora, cerco di riprendermi e reagire. Ma nel tempo che impiega Cressida a mettere in posizione Castor e Pollux, sento crescere la mia ansia. Sono stanca, tesa e, da quando ho visto le rose, incapace di concentrarmi su qualunque altra cosa che non sia Peeta. Il caffè è stato un errore madornale. Avevo bisogno di tutto tranne che di uno stimolante. Il mio corpo trema visibilmente e mi sembra di non riuscire a riprendere fiato. Dopo giorni nel rifugio, devo strizzare gli occhi da qualsiasi parte mi giri, e la luce fa male. Nonostante la brezza fresca, il sudore mi cola lungo il viso.

— Allora, cosa vuoi esattamente da me, adesso? — chiedo.

— Solo qualche breve frase che dimostri che sei viva e ancora combattiva — risponde Cressida.

— D'accordo. — Prendo posizione e comincio a fissare la luce rossa. A fissare. A fissare. — Mi dispiace. Non mi viene niente.

Cressida mi si avvicina. — Ti senti bene? — Annuisco. Lei tira fuori un pezzetto di stoffa dalla tasca e mi asciuga il viso. — E se facessimo il vecchio giochetto del domanda e risposta?

— Sì. Quello aiuterebbe, credo. — Incrocio le braccia per nascondere il tremito. Lancio un'occhiata a Finnick, che mi fa un segno di incoraggiamento coi pollici alzati. Ma anche lui sembra piuttosto malfermo sulle gambe.

Adesso Cressida è tornata al suo posto. — Allora, Katniss. Sei sopravvissuta al bombardamento che Capitol City ha sferrato sul 13. Com'è stato, rispetto a quello che hai sperimentato sul terreno dell'8?

— Questa volta eravamo così in profondità che non c'è

stato nessun vero pericolo. Il 13 è vivo e vegeto, come...
— La mia voce si spegne in un arido suono stridente.

— Ripeti la battuta — dice Cressida. — "Il 13 è vivo
e vegeto, come me."

Faccio un respiro, tentando di far passare aria dal mio
diaframma. — Il 13 è vivo, come... — No, è sbagliato.

Giurerei di sentire ancora il profumo di quelle rose.

— Katniss, solo questa battuta e per oggi hai finito.
Te lo prometto — dice Cressida. — "Il 13 è vivo e vegeto, come me."

Faccio dondolare le braccia per calmarmi. Mi metto
i pugni sui fianchi. Poi li lascio cadere. La saliva mi riempie la bocca e sento il vomito sul fondo della gola. In-
ghiottisco a fatica e schiudo le labbra per far uscire quella stupida battuta e andare a nascondermi nei boschi e...
a quel punto, comincio a urlare.

È impossibile essere la Ghiandaia Imitatrice.

Impossibile completare anche quell'unica frase.

Perché adesso so che tutto ciò che dico si ripercuo-
terà direttamente su Peeta. Porterà alla sua tortura. Ma
non alla sua morte, no, niente di tanto misericordioso.
Snow si assicurerà che la vita di Peeta sia molto peggio
della sua morte.

— Stop — sento che dice Cressida, in tono calmo.

— Cosa le prende? — chiede Plutarch sottovoce.

— Ha capito in che modo Snow si sta servendo di Peeta
— dice Finnick.

Qualcosa che ricorda un generale sospiro di rammarico
si leva dal semicerchio di persone davanti a me. Perché
adesso so. Perché non avrò mai più modo di non sapere.
Perché, al di là dello svantaggio militare che comporta
perdere la Ghiandaia Imitatrice, io sono spezzata.

Molte braccia potrebbero stringermi. In definitiva, però,

la sola persona da cui davvero voglio essere confortata è Haymitch, perché anche lui vuole bene a Peeta. Allungo una mano nella sua direzione e dico qualcosa che somiglia al suo nome, e lui è lì, mi abbraccia e mi dà dei colpetti sulla schiena. — Va tutto bene. Andrà tutto bene, dolcezza. — Mi fa sedere sul moncone di una colonna di marmo e mi tiene un braccio intorno alle spalle mentre singhiozzo.

— Non posso più farlo — dico.

— Lo so — dice lui.

— Riesco solo a pensare a... quello che Snow farà a Peeta... perché io sono la Ghiandaia Imitatrice! — mi faccio uscire.

— Lo so. — Le braccia di Haymitch si stringono intorno a me.

— Hai visto? Il modo strano in cui si comportava? Cosa... gli stanno facendo? — Ansimo in cerca d'aria tra un singhiozzo e l'altro, ma riesco a pronunciare un'ultima frase. — È colpa mia! — Poi supero il limite e piombo nell'isterismo, e c'è un ago nel mio braccio, e il mondo scivola via.

Doveva essere forte, quello che mi hanno iniettato, perché passa un giorno intero prima che io riprenda conoscenza. Il mio sonno non è stato tranquillo, però. Ho l'impressione di emergere da un universo oscuro, da luoghi stregati nei quali ho viaggiato da sola. Haymitch è seduto sulla sedia accanto al mio letto, la pelle cerea, gli occhi iniettati di sangue. Mi ricordo di Peeta e comincio a tremare di nuovo.

Haymitch tende una mano e mi stringe la spalla. — Va tutto bene. Tenteremo di fare scappare Peeta.

— Cosa? — Non ha senso.

— Plutarch invierà una squadra di soccorso. Ha degli uomini all'interno. Crede che possiamo riprenderci Peeta vivo — dice.

— Perché non ce lo siamo ripresi prima? — chiedo.

— Perché costerà caro. Ma ora sono tutti d'accordo che è necessario. È la stessa decisione che abbiamo preso nell'arena: fare di tutto per dare a te la forza di andare avanti. Non possiamo perdere la Ghiandaia Imitatrice proprio adesso. E tu non sarai in grado di interpretare quel ruolo finché Snow potrà infierire su Peeta. — Haymitch mi offre una tazza. — Ecco, bevi qualcosa.

Mi metto lentamente a sedere e bevo un sorso d'acqua. — Cosa vuoi dire con "costerà caro"?

Scrolla le spalle. — Le coperture salteranno. È possibile che muoiano delle persone. Ma tieni presente che ne muoiono ogni giorno. E comunque la cosa non riguarda solo Peeta: faremo scappare anche Annie, per Finnick.

— Lui dov'è? — chiedo.

— Dietro quel paravento, a smaltire il suo sedativo. È uscito di testa subito dopo che abbiamo messo al tappeto te — dice Haymitch. Sorrido un po', mi sento un tantino meno debole. — Eh sì, è stata una ripresa eccellente. Voi due avete dato i numeri, e Boggs se ne è andato a organizzare la missione per recuperare Peeta. Siamo ufficialmente in replica.

— Be', è un vantaggio se c'è Boggs a guidare la missione — commento.

— Boggs è il capo. Era per i volontari, ma ha fatto finta di non accorgersi di me, quando io ho fatto segno con la testa — dice Haymitch. — Vedi? Ha già dimostrato ottime capacità di giudizio.

C'è qualcosa non va. Haymitch si sta sforzando un po' troppo di tirarmi su di morale. E questo non è affatto nel suo stile. — Chi altro si è offerto volontario, allora?

— Credo che in tutto fossero sette — dice, evasivo.

Una brutta sensazione mi prende la bocca dello stomaco. — Chi altro, Haymitch? — insisto.

E finalmente Haymitch rinuncia alla sua affabile messinscena. — Sai già chi altro, Katniss. Sai già chi si è fatto avanti per primo.

Certo che lo so.

Gale.

CAPITOLO 12

*O*ggi potrei perderli entrambi.

Cerco di immaginare un mondo in cui le voci di Gale e di Peeta non esistano più. Le loro mani sono immobili. I loro occhi ciechi. Ne osservo i corpi da vicino, li guardo per l'ultima volta e abbandono la stanza in cui giacciono. Ma quando apro la porta per uscire, fuori c'è solo un tremendo vuoto. Il grigio chiaro di un nulla che è tutto quanto il mio futuro racchiude.

— Vuoi che dica loro di sedarti finché non è finita? — chiede Haymitch.

Non sta scherzando. Questo è l'uomo che ha trascorso la propria vita adulta in fondo a una bottiglia, tentando di anestetizzare se stesso contro i crimini di Capitol City. Il sedicenne che vinse la seconda Edizione della Memoria doveva pur avere qualcuno nel cuore – familiari, amici, una fidanzatina magari – e aver lottato per tornare da loro. Dove sono quelle persone, adesso? Com'è che, sino al momento in cui è stato costretto a occuparsi di me e di Peeta, nella sua vita non c'era un'anima? Cos'ha fatto Snow ai suoi cari?

— No — rispondo. — Voglio andare a Capitol City. Voglio fare parte della missione di soccorso.

— Se ne sono già andati — dice Haymitch.

— Da quanto sono partiti? Potrei raggiungerli. Potrei...
— Cosa? Cosa potrei fare?

Haymitch scuote la testa. — Non accadrà mai. Sei troppo preziosa e troppo vulnerabile. Si è parlato di mandarti in un altro distretto per allontanare l'attenzione di Capitol City durante l'azione di recupero. Ma l'impressione di tutti era che non avresti retto.

— Per favore, Haymitch! — Adesso sto implorando. — Devo fare qualcosa. Non posso restarmene semplicemente seduta qui ad aspettare che mi dicano se sono morti. Dev'esserci qualcosa che posso fare!

— Va bene. Fammi parlare con Plutarch. Tu resta qui e non muoverti. — Ma non ci riesco. I passi di Haymitch riecheggiano ancora nel corridoio esterno che già armeggio con la fessura della tenda divisoria, la attraverso e trovo Finnick stravaccato a pancia in giù, con le mani attorcigliate nel lenzuolo. Benché sia una vigliaccata, persino una crudeltà, distoglierlo da quell'indistinto, attutito paese dei sogni farmacologico e ripiombarlo nella cruda realtà, lo faccio lo stesso, perché non sopporto di affrontare tutto questo da sola.

Mentre gli spiego la nostra situazione, la sua agitazione iniziale diminuisce misteriosamente. — Non capisci, Katniss? Questo deciderà le cose. In un senso o nell'altro. Entro la fine della giornata, o saranno morti o li avremo con noi. È... più di quanto potessimo sperare!

Be', questo sì che è un modo positivo di vedere la nostra situazione. Eppure, c'è qualcosa di tranquillizzante nell'idea che questo tormento possa finire.

La tenda si apre con uno strattone e compare Haymitch. Ha un compito per noi, se siamo in grado di svolgerlo. C'è ancora bisogno di un filmato post-bombardamento del 13. — Se riusciamo ad averlo nelle prossime ore, Beetee può trasmetterlo anticipando l'azione di recupero e magari mantenere l'attenzione di Capitol City concentrata altrove.

— Sì. Un diversivo — dice Finnick. — Una specie di esca.

— Quello che ci serve in realtà è qualcosa che catturi l'interesse al punto che neppure il presidente Snow sia in grado di staccarsi. Avete niente del genere? — chiede Haymitch.

Disporre di un compito che potrebbe aiutare la missione mi rende lucida di colpo. Mentre ingollo la colazione e mi faccio preparare, cerco di pensare a quello che potrei dire. Il presidente Snow si chiederà quanto mi abbiano impressionato quel pavimento schizzato di sangue e le sue rose. Se mi vuole a pezzi, allora dovrò essere tutta intera. Ma non credo che lo convincerò di nulla, gridando un paio di battute provocatorie davanti alla telecamera. E poi, questo non farebbe guadagnare tempo alla squadra di soccorso. Le scenate sono brevi. Sono i racconti che richiedono tempo.

Non so se funzionerà, ma quando la troupe televisiva è tutta radunata in superficie, chiedo a Cressida se può cominciare a interrogarmi su Peeta. Mi siedo sulla colonna di marmo caduta che ha ospitato il mio collasso nervoso, poi attendo la luce rossa della telecamera e la domanda di Cressida.

— Come hai incontrato Peeta? — chiede lei.

E a quel punto faccio quello che Haymitch voleva sin dalla mia prima intervista. Mi apro. — Quando ho incontrato Peeta, avevo undici anni ed ero praticamente morta. — Parlo di quell'orribile giorno in cui avevo cercato di rivendere dei vestiti da bambino sotto la pioggia, di come la madre di Peeta mi avesse scacciata dalla soglia della panetteria e lui si fosse fatto picchiare per portarmi le pagnotte che salvarono la vita a me e alla mia famiglia. — Non ci eravamo mai neppure rivolti la parola. La prima volta che parlai con Peeta fu più tardi, sul treno che ci portava ai Giochi.

— Ma lui era già innamorato di te — dice Cressida.

— Immagino di sì. — Mi concedo un piccolo sorriso.

— Come sopporti la separazione? — chiede.

— Non bene. So che Snow potrebbe uccidere Peeta in qualsiasi momento. Specie da quando ha avvertito il 13 del bombardamento. È una cosa terribile con cui vivere — dico. — Ma proprio a causa di quello che gli stanno facendo passare, io non ho più remore sul fare di tutto per distruggere Capitol City. Sono libera, finalmente. — Alzo lo sguardo e osservo il volo di un falco che attraversa il cielo. — Il presidente Snow mi confessò una volta che Capitol City era fragile. All'epoca, non capivo cosa volesse dire. Mi riusciva difficile avere una visione chiara, perché avevo molta paura. Adesso non ne ho. Capitol City è fragile perché dipende dai distretti per tutto. Per il cibo, l'energia, persino per i Pacificatori che ci sorvegliano. Se proclamiamo la nostra libertà, Capitol City crolla. Presidente Snow, grazie a lei, oggi io proclamo ufficialmente la mia.

Non sarò stata splendida, ma sufficiente sì. Tutti adorano la storia del pane. Ma è il mio messaggio al presidente Snow a mettere in moto gli ingranaggi del cervello di Plutarch. In fretta e furia, chiama Finnick e Haymitch e ha con loro una breve ma accesa conversazione che, a quanto vedo, non fa per niente piacere a Haymitch. Plutarch sembra avere la meglio... Finnick è pallido, ma al termine della discussione fa cenno di sì con la testa.

Quando si muove per prendere il mio posto davanti alla telecamera, Haymitch gli dice: — Non sei obbligato a farlo.

— Sì, invece. Se potrà aiutare lei. — Finnick appallottola la corda nella mano. — Sono pronto.

Non so cosa aspettarmi. Una storia d'amore che riguarda Annie? Un resoconto delle violenze nel Distretto 4? Ma Finnick Odair prende una direzione completamente diversa.

— Il presidente Snow aveva l'abitudine di... vendermi... di vendere il mio corpo — inizia Finnick con un tono di voce piatto, distante. — Io non ero l'unico. Se un vincitore viene ritenuto desiderabile, il presidente lo offre come ricompensa o ne autorizza l'acquisto in cambio di somme esorbitanti. Se rifiuti, lui uccide qualcuno a cui vuoi bene. E così tu lo fai.

Eccolo spiegato. Lo sfoggio di innamorati che Finnick faceva a Capitol City. Non erano veri innamorati. Solo individui come il nostro ex capo dei Pacificatori, Cray, che comprava ragazze disperate da consumare e buttare via semplicemente perché poteva farlo. Vorrei interrompere la registrazione e implorare il perdono di Finnick per tutte le idee sbagliate che mi sono fatta su di lui. Ma abbiamo un compito da svolgere, e sento che il ruolo di Finnick sarà molto più efficace del mio.

— Non ero l'unico, ma ero il più richiesto — dice. — E forse il più indifeso, proprio perché le persone che amavo erano così indifese. Per alleggerirsi la coscienza, i miei clienti mi avrebbero regalato denaro e gioielli, ma io ho trovato una forma di pagamento molto più proficua.

Segreti, penso. È così che lo pagavano i suoi amanti,

mi disse Finnick, solo che credevo che tutto l'accordo fosse una sua scelta.

— Segreti — dice, facendo eco ai miei pensieri. — Ed è a questo programma che vorrà rimanere sintonizzato, presidente Snow, perché parecchi di quei segreti riguardano lei. Ma iniziamo da quelli degli altri.

Finnick comincia a tessere un arazzo così ricco di dettagli che non si può dubitare della sua autenticità. Storie di strani appetiti sessuali, amori traditi, avidità senza fondo e sanguinose manovre politiche. Segreti da ubriachi, bisbigliati su federe umide nel cuore della notte. Finnick era uno che veniva comprato e venduto. Uno schiavo dei distretti. Bello, certo, ma di fatto inoffensivo. A chi avrebbe raccontato quello che sapeva? E chi gli avrebbe creduto, se l'avesse fatto? Ma certi segreti sono troppo succulenti per non condividerli. Non conosco le persone che nomina Finnick – sembrano tutte personalità in vista di Capitol City – ma conosco, per avere ascoltato le chiacchiere del mio staff di preparatori, l'interesse che può suscitare anche il più lieve slittamento nella valutazione di un individuo. Se un brutto taglio di capelli può dare luogo a ore di pettegolezzi, cosa produrranno le accuse di incesto, tradimento, ricatto e incendio doloso di Finnick? Anche quando ondate di turbamento e infamie si saranno abbattute su Capitol City, la gente di lì continuerà ad aspettare, come me ora, di sentir parlare del presidente.

— E adesso veniamo al nostro buon presidente Coriolanus Snow — dice Finnick. — Così giovane, quando salì al potere. E tanto in gamba da conservarselo. La domanda che dovete porvi è: come ha fatto? Una sola parola. Che è tutto quello che vi serve sapere, in realtà. Veleno.

— Finnick torna al tempo dell'ascesa politica di Snow, di

cui io non so niente, e procede sino al presente, facendo notare caso per caso i misteriosi decessi degli avversari o, peggio ancora, degli alleati del presidente che promettevano di diventare una minaccia. Uomini che cadevano a terra morti durante un festino o che, lentamente e inspiegabilmente, si consumavano per mesi sino a trasformarsi in ombre. Colpa di frutti di mare avariati, di virus difficili da isolare o di una debolezza trascurata dell'aorta. Snow stesso beveva dalle coppe avvelenate per allontanare i sospetti. Ma gli antidoti non sempre funzionano. Dicono sia per questo che porta rose impregnate di profumo. Dicono sia per coprire l'odore del sangue proveniente dalle piaghe incurabili che ha in bocca. Dicono, dicono, dicono... che Snow abbia una lista e che nessuno sappia chi sarà il prossimo.

Veleno. L'arma perfetta per un serpente.

Data la mia già scarsissima stima per Capitol City e il suo augusto presidente, non posso certo dire che le dichiarazioni di Finnick mi sconvolgano. Sembrano impressionare molto di più i ribelli espatriati di Capitol City, come la mia troupe e Fulvia... Persino Plutarch si mostra sorpreso, di tanto in tanto, forse perché si chiede come avesse potuto lasciarsi sfuggire una certa notizia particolarmente ghiotta. A intervento concluso, infatti, gli operatori continuano a far girare le telecamere sino al momento in cui è lo stesso Finnick a dover dire: — Stop.

La troupe si precipita dentro per montare il materiale, mentre Plutarch prende da parte Finnick per fare due chiacchiere, forse per capire se abbia in serbo altre storie. Rimango tra le macerie insieme a Haymitch, chiedendomi se il destino di Finnick sarebbe stato anche il mio, un giorno. Perché no? Snow avrebbe potuto ricavare un bel mucchio di soldi dalla ragazza di fuoco.

— È quello che è successo a te? — chiedo a Haymitch.

— No. Mia madre e il mio fratellino. La mia ragazza. Erano già morti due settimane dopo la mia incoronazione a vincitore. Per quello scherzetto che feci col campo di forza — risponde. — Snow non aveva nessuno da usare contro di me.

— Mi sorprende che non ti abbia ucciso e basta — commento.

— Oh, no. Io ero un esempio. Da portare ai giovani Finnick e Johanna e Cashmere. Un esempio di quello che poteva succedere a un vincitore che causava problemi — dice Haymitch. — Ma lui sapeva di non avere alcun potere su di me.

— Finché non siamo arrivati io e Peeta — dico in tono sommesso. Non ricevo neppure una scrollata di spalle in risposta.

Avendo svolto il nostro compito, a Finnick e a me non resta nient'altro da fare che aspettare. Cerchiamo di riempire i minuti che si trascinano lenti alla Difesa Speciale. Ci dedichiamo ai nodi. Cincischiamo con il cibo nelle scodelle. Facciamo esplodere oggetti al poligono. Dalla squadra di soccorso non giunge alcuna notizia, perché c'è il pericolo che venga scoperta. Alle 15.00, ora stabilita, ce ne stiamo tesi e silenziosi in fondo a una stanza piena di schermi e computer, e osserviamo Beetee e i suoi collaboratori che cercano di monopolizzare l'etere. La solita confusione nervosa di Beetee ha ceduto il posto a una determinazione che non gli avevo mai visto.

Gran parte della mia intervista viene tagliata e ne rimane giusto quel tanto per dimostrare che sono viva e sempre indomita. La parte del leone la fa il salace e cruento resoconto di Finnick su Capitol City. L'abilità di Beetee sta aumentando? O i suoi omologhi governativi sono un po' troppo affascinati per voler scollegare Finnick? Per i sessanta minuti successivi, la programmazione di Capitol City alterna i normali notiziari del pomeriggio, Finnick, e i tentativi di oscurare tutto quanto. Ma l'équipe tecnica dei ribelli riesce a bypassare anche questi e, con un colpo da maestro, mantiene il controllo praticamente per l'intera durata dell'attacco a Snow.

— Mollate l'osso! — esclama Beetee, alzando le braccia e cedendo di nuovo le trasmissioni a Capitol City. Si asciuga il viso con un lembo di stoffa. — Se non sono già fuori di lì adesso, sono tutti morti. — Ruota sulla sedia per vedere le reazioni mie e di Finnick alle sue parole. — È un buon piano, comunque. Plutarch ve l'ha fatto vedere?

Naturalmente no. Beetee ci porta in un'altra stanza e ci mostra come la nostra squadra, con l'aiuto dei ribelli infiltrati, cercherà – ha cercato – di liberare i vincitori da una prigione sotterranea. Pare che la cosa comporti la diffusione di gas narcotizzanti attraverso l'impianto di aerazione, un'interruzione di corrente, l'esplosione di una bomba in un edificio governativo a parecchi chilometri dalla prigione, e ora l'interruzione delle trasmissioni. Beetee è contento che troviamo il piano difficile da seguire, perché allora lo sarà anche per i nostri nemici.

— Come la tua trappola elettrica nell'arena? — chiedo.

— Esattamente. Ha funzionato bene, no? — risponde Beetee.

Be'... non proprio, penso.

Io e Finnick tentiamo di piazzarci al Comando, dove senza dubbio arriveranno le prime informazioni sul recupero, ma ci impediscono di entrare, perché lì si fa la guerra sul serio. Ci rifiutiamo di andarcene dalla Difesa Speciale e finiamo con l'attendere notizie nella stanza dei colibrì.

Fare nodi. Fare nodi.

Nessuna novità. Fare nodi.

Tic-tac. Questo è un orologio. Non pensare a Gale. Non pensare a Peeta. Fare nodi. Non vogliamo la cena. Dita scorticate e sanguinanti. Alla fine, Finnick si arrende e assume la stessa posizione rannicchiata di quando le ghiandaie chiacchierone ci attaccarono nell'arena. Io perfeziono il mio cappio in miniatura. Nella mia mente scorrono di nuovo le parole dell'"Albero degli impiccati". Gale e Peeta. Peeta e Gale.

— Finnick, tu l'hai amata subito, Annie? — chiedo.

— No. — Passa un bel po' prima che aggiunga: — Mi ha colto di sorpresa.

Interrogo il mio cuore, ma al momento l'unica persona che credo possa cogliermi di sorpresa è Snow.

Dev'essere mezzanotte, dev'essere già domani quando Haymitch apre la porta. — Sono tornati. Ci vogliono all'ospedale. — La mia bocca si apre sotto un torrente di domande che lui interrompe con un: — È tutto quello che so.

Vorrei correre, ma Finnick si comporta in un modo stranissimo, come se avesse perso la capacità di muoversi, così lo prendo per mano e lo guido come un bambino piccolo. Attraverso la Difesa Speciale, nell'ascensore che va un po' di qua e un po' di là, e ancora avanti sino all'ala dell'ospedale. Il posto è nel caos, con i dottori che gridano ordini e i feriti che vengono sospinti in barella lungo i corridoi e nei letti.

Siamo colpiti di striscio da una lettiga che trasporta una emaciata giovane donna priva di sensi con la testa rasata. Johanna Mason. Che in effetti conosceva i segreti dei ribelli. O almeno uno che riguardava me. E le è costato questo.

Attraverso una porta, intravedo Gale, nudo sino alla cintola, con il sudore che gli cola sul viso mentre un dottore gli rimuove qualcosa da sotto la scapola con delle lunghe pinzette. Ferito, ma vivo. Lo chiamo per nome e faccio per andare da lui, quando un'infermiera mi blocca e mi chiude fuori.

— Finnick! — Qualcosa a metà tra uno strillo e un grido di gioia. Una giovane donna, splendida anche se un po' in disordine – scuri capelli arruffati e occhi verde mare – corre verso di noi senza nient'altro addosso che un lenzuolo. — Finnick! — E di colpo è come se al mondo non ci fosse nessuno tranne loro due, che si aprono un varco nello spazio per raggiungersi. Si scontrano, si abbracciano, perdono l'equilibrio, vanno a sbattere contro un muro, e lì rimangono. Stretti in un unico essere. Indivisibili.

Provo una fitta di gelosia. Non per Finnick o per Annie, ma per il fatto che loro due sono una certezza. Vedendoli, nessuno potrebbe mettere in dubbio il loro amore.

Boggs, che sembra un po' stanco ma illeso, trova Haymitch e me. — Li abbiamo fatti uscire tutti. Salvo Enobaria. Ma dal momento che lei viene dal 2, non crediamo che la tratterranno ancora, in ogni caso. Peeta è in fondo al corridoio. Gli effetti del gas stanno svanendo. Dovreste essere lì quando si sveglia.

Peeta.

Vivo e vegeto... vegeto magari non tanto, ma è vivo ed è qui. Lontano da Snow. In salvo. Qui. Con me. Tra un minuto potrò toccarlo. Vedere il suo sorriso. Sentire la sua risata.

Haymitch mi rivolge un sogghigno. — Andiamo, allora — dice.

Sono stordita da una sensazione di vertigine. Cosa dirò? Oh, che importa quello che dico? Peeta sarà in estasi qualsiasi cosa io faccia. E comunque è probabile che mi bacerà. Mi chiedo se farà lo stesso effetto di quegli ultimi baci sulla spiaggia dell'arena, quelli a cui non ho avuto il coraggio di pensare fino a questo momento.

Peeta è già sveglio e sta seduto sulla sponda del letto con aria sconcertata, mentre un terzetto di medici lo rassicura, gli fa lampeggiare delle luci negli occhi, controlla le sue pulsazioni. Sono delusa che il primo volto che ha visto quando si è svegliato non sia stato il mio, ma adesso lo vede. Sui suoi lineamenti passa incredulità, oltre a qualcosa di più violento che proprio non riesco a riconoscere. Desiderio? Disperazione? Sicuramente tutti e due, perché spinge da una parte i dottori, balza in piedi e viene verso di me. Gli corro incontro, le braccia tese per stringerlo. *Anche le sue mani si tendono, per accarezzarmi il viso*, penso.

Sulle mie labbra si è appena formato il suo nome, quando le sue dita mi si chiudono intorno alla gola.

CAPITOLO 13

Il freddo collarino cervicale mi sfrega contro il collo e rende ancora più difficile controllare il tremito. Almeno non sono più dentro quel tubo claustrofobico, coi macchinari che ticchettano e ronzano intorno a me e una voce incorporea che mi dice di stare ferma mentre provo a convincermi di essere ancora in grado di respirare. Persino adesso, dopo che mi hanno garantito che non riporterò danni permanenti, sento il disperato bisogno di aria.

Le principali preoccupazioni dell'équipe medica – lesioni a spina dorsale, vie respiratorie, vene e arterie – sono state dissipate. I lividi, la raucedine, la laringe infiammata, questa strana tossetta, invece, sono roba da niente. Si sistemerà tutto. La Ghiandaia Imitatrice non perderà la voce.

Avrei voglia di chiedere: e il dottore che stabilisce se sto impazzendo, dov'è?

Solo che adesso non devo parlare. Non posso nemmeno ringraziare Boggs che viene a vedere come sto. A darmi un'occhiata per dirmi che ha visto lesioni peggiori tra i soldati quando, in addestramento, insegnano loro le prese di strangolamento.

È stato Boggs a stendere Peeta con un pugno prima che potesse causare danni irreversibili. So che Haymitch sarebbe intervenuto in mia difesa se non fosse stato del tutto impreparato. È raro cogliere di sorpresa sia me sia Haymitch. Ma eravamo così divorati dall'idea di salvare Peeta, così tormentati sapendolo nelle mani di Capitol City, che l'entusiasmo di riaverlo ci ha accecati. Se mi fossi trovata a quattr'occhi con lui, Peeta mi avrebbe ucciso. Adesso che è uno squilibrato.

No, non squilibrato, ricordo a me stessa. *Depistato*. È questa la parola che ho sentito pronunciare da Plutarch e Haymitch mentre la mia barella passava accanto a loro nell'ingresso. Depistato. Non so cosa significhi.

Prim, che è comparsa qualche istante dopo l'aggressione e che da allora mi è rimasta il più vicino possibile, mi stende sopra un'altra coperta. — Credo che il collarino te lo toglieranno presto, Katniss. Così non avrai più tanto freddo. — Mia madre, impegnata a fare da assistente in un complicato intervento chirurgico, non è ancora stata informata della violenza che ho subito da parte di Peeta. Prim mi prende una mano stretta a pugno e la massaggia finché non si apre e il sangue non torna a circolare nelle mie dita. Sta cominciando a fare lo stesso con l'altra, quando si presenta un medico a togliere il collarino e a farmi un'iniezione di qualcosa contro il dolore e il gonfiore.

Come da istruzioni, rimango sdraiata con la testa immobile per non aggravare le lesioni al collo.

Plutarch, Haymitch e Beetee sono stati ad aspettare nel corridoio che i dottori dessero loro il permesso di vedermi. Non so se abbiano informato Gale dell'accaduto, ma, visto che non c'è, presumo di no. Plutarch ordina ai medici di uscire e prova a farlo anche con Prim, ma lei dice: — No. Se lei mi obbliga a uscire, andrò dritta in chirurgia e racconterò a mia madre quello che è successo. Ma la avverto: mia madre non ha una grande opinione di uno stratega che può decidere della vita di Katniss. Soprattutto se si è preso così poca cura di lei.

Plutarch sembra offeso, ma Haymitch ridacchia. — Io lascerei perdere, Plutarch — dice. Prim rimane.

— Dunque, Katniss. Le condizioni di Peeta sono state uno shock per tutti noi — inizia Plutarch. — Era impossibile non accorgersi di quanto fosse peggiorato, nelle ultime due interviste. Era evidentemente vittima di sevizie, e a quello avevamo attribuito la sua situazione psicologica. Ora riteniamo che in ballo ci fosse qualcosa di peggio, che Capitol City abbia utilizzato su di lui una tecnica piuttosto insolita, nota come "depistaggio". Beetee?

— Mi dispiace — dice Beetee — ma non conosco tutti i particolari, Katniss. Capitol City è molto riservata riguardo a questa forma di tortura e credo che i risultati ottenuti siano contraddittori. Ecco cosa sappiamo. È come assumere il controllo di un aereo per tentare di dirottarlo verso un'altra direzione. Si tratta di un tipo di condizionamento basato sulla paura. Riteniamo che il depistaggio sia realizzato con una tecnica che comporta l'uso del veleno degli aghi inseguitori. Tu sei stata punta, nei tuoi primi Hunger Games, perciò, diversamente dalla maggior parte di noi, hai una conoscenza diretta degli effetti del veleno.

Terrore. Allucinazioni. Visioni da incubo in cui credi di perdere le persone che ami. Perché il veleno prende di mira la parte del cervello che è sede della paura.

— Sono certo che ricordi quanto era spaventoso. Hai sofferto anche di confusione mentale, nel periodo successivo? — chiede Beetee. — Della sensazione di non riuscire a distinguere tra ciò che era vero e ciò che era falso? Quasi tutti i soggetti che sono stati punti e sono sopravvissuti riferiscono un'esperienza simile.

Sì. Quell'incontro con Peeta. Anche dopo essere tornata lucida, non ero sicura se davvero mi aveva salvato la vita affrontando Cato o se me lo ero immaginata.

— Ricordare si rivela più difficile, perché i ricordi stessi possono essere modificati. — Beetee si dà dei colpetti sulla fronte. — Possono essere trasformati in un'ossessione, alterati e salvati un'altra volta nella forma riveduta e corretta. Ora, immagina che io ti chieda di ricordare qualcosa – con uno stimolo verbale o mostrandoti un video di un certo episodio – e che, mentre quell'esperienza si rinnova, io ti somministri una dose di veleno degli aghi inseguitori, non abbastanza da causarti un blackout di tre giorni, ma giusto il tempo per impregnare quel ricordo di dubbio e paura. Ecco cosa immagazzinerà il tuo cervello nella sua memoria a lungo termine.

Comincia a salirmi la nausea. È Prim a porre la domanda che mi frulla in testa. — È questo che hanno fatto a Peeta? Hanno preso i suoi ricordi di Katniss e li hanno distorti in modo da farli diventare terrificanti?

Beetee annuisce. — Così terrificanti che lui la vede come una minaccia per la sua incolumità. Che potrebbe cercare di ucciderla. Sì, questa è la nostra teoria attuale.

Mi copro il viso con le braccia perché tutto questo non sta succedendo davvero. Non è possibile che qualcuno faccia dimenticare a Peeta che mi ama... Nessuno ci riuscirebbe.

— Ma voi potete invertire il processo, giusto? — chiede Prim.

— Ehm... i dati che abbiamo sono molto pochi — replica Plutarch. — Inesistenti, in realtà. Anche ammesso che una riabilitazione dal depistaggio sia già stata tentata, noi non abbiamo accesso a quella documentazione.

— Be', almeno ci proverete, no? — insiste Prim. — Non avrete mica intenzione di chiuderlo in una stanza imbottita e lasciarlo lì a soffrire?

— Certo che ci proveremo, Prim — dice Beetee. — Solo, non sappiamo sino a che punto avremo successo. Se mai ne avremo. A mio avviso, gli eventi che inducono paura sono i più difficili da sradicare. Dopotutto, sono quelli che per natura ricordiamo meglio.

— E oltre ai suoi ricordi di Katniss, non sappiamo ancora cos'altro sia stato manipolato — dice Plutarch. — Stiamo mettendo insieme una squadra di professionisti, psicologi e militari per escogitare una contromossa. Per quanto mi riguarda, sono fiducioso che Peeta si riprenderà completamente.

— Ma davvero? — commenta Prim, caustica. — E *tu* cosa ne pensi, Haymitch?

Scosto un tantino le braccia per vedere la sua espressione attraverso la fessura. È esausto e scoraggiato, mentre confessa: — Io penso che Peeta possa anche migliorare un po'. Ma... non credo che tornerà mai più lo stesso. — Torno a unire le braccia di scatto, oscurando la fessura, chiudendoli fuori.

— Almeno è vivo — dice Plutarch, come se stesse perdendo la pazienza con tutti quanti noi. — Snow ha giustiziato la stilista di Peeta e il suo staff di preparatori in diretta, stasera. Non abbiamo idea di cosa sia accaduto a Effie Trinket. Peeta ha subìto dei danni, certo, ma è qui. Con noi. E questo è decisamente un miglioramento rispetto alla sua situazione di dodici ore fa. Vediamo di non scordarcelo, d'accordo?

Il tentativo di Plutarch di tirarmi su di morale facendo leva sulla notizia di altri quattro, forse cinque omicidi, risulta in qualche modo controproducente. Portia. Lo staff dei preparatori di Peeta. Effie. Lo sforzo di ricacciare le lacrime mi fa pulsare la gola al punto che ansimo di nuovo. Alla fine, non hanno altra scelta che di sedarmi.

Quando mi sveglio, mi chiedo se questo d'ora in avanti sarà l'unico modo che avrò per dormire, con qualcosa iniettato nel braccio. Sono felice di non dover parlare nei prossimi giorni, perché non c'è nulla che vorrei dire. O fare. In effetti, sono una paziente modello, e la mia letargia viene scambiata per autocontrollo, per ubbidienza agli ordini dei dottori. Non ho più voglia di piangere. In realtà, riesco solo ad aggrapparmi a un unico, semplice pensiero: un'immagine del volto di Snow associata al sussurro che ho nella testa: *Ti ucciderò*.

Mia madre e Prim fanno a turno per assistermi, mi convincono a ingoiare bocconi di cibo morbido. A intervalli regolari, vengono tutti ad aggiornarmi sulle condizioni di Peeta. Il suo organismo sta espellendo poco a poco gli alti livelli di veleno degli aghi inseguitori. Viene curato solo da estranei, originari del Distretto 13 (a nessuno che provenga dal 12 o da Capitol City è stato concesso di vederlo) per evitare che si scatenino ricordi pericolosi. Un'équipe di specialisti lavora a tempo pieno cercando un metodo che gli consenta di guarire.

Non è previsto che Gale venga a trovarmi, perché è confinato a letto con una ferita di qualche genere alla spalla. Ma la terza sera, dopo che mi hanno medicato e che le luci sono state abbassate per dormire, lui scivola silenzioso nella mia stanza. Non parla, si limita a far scorrere le dita sui lividi del mio collo con un tocco leggero come ali di falena, mi depone un bacio tra gli occhi e scompare.

La mattina seguente, vengo dimessa dall'ospedale con l'ordine di muovermi con calma e di parlare solo se necessario. Non mi stampano nessun programma sul braccio, così vado in giro senza scopo finché Prim non viene dispensata dai suoi doveri in ospedale per accompagnarmi all'ultima unità abitativa della nostra famiglia. La 2212. Identica alla precedente, ma senza finestra.

A Ranuncolo hanno assegnato un sussidio giornaliero di cibo e una vaschetta con la sabbia che teniamo sotto il lavandino del bagno. Mentre Prim mi infila a letto, lui salta sul mio cuscino, cercando di attirare la sua attenzione. Lei lo culla tra le braccia, ma resta concentrata su di me. — Katniss, so che tutta questa faccenda di Peeta è terribile per te. Ma ricorda: Snow ha lavorato su di lui per settimane, noi l'abbiamo qui solo da qualche giorno. Esiste la possibilità che il vecchio Peeta, quello che ti ama, sia ancora lì. Che stia cercando di uscire per tornare da te. Non darlo per spacciato.

Guardo la mia sorellina e penso che ha ereditato le migliori qualità che la nostra famiglia aveva da offrire: le mani risanatrici di mia madre, il sangue freddo di mio padre, e la mia combattività. C'è anche qualcos'altro, qualcosa che è interamente suo. La capacità di esaminare il complesso caos della vita e vedere le cose per quello che sono.

È mai possibile che abbia ragione? Che Peeta riesca a tornare da me?

— Devo rientrare in ospedale — dice Prim, deponendo Ranuncolo sul letto accanto a me. — Tenetevi compagnia voi due, d'accordo?

Ranuncolo salta giù dal letto e la segue alla porta, lamentandosi a pieni polmoni quando Prim se ne va lasciandolo lì. Lui e io apprezziamo la nostra reciproca compagnia più o meno come apprezzeremmo un calcio negli stinchi. Dopo forse trenta secondi, capisco che non riuscirò a sopportare di restare confinata in questa cella sotterranea, così abbandono Ranuncolo a se stesso. Mi perdo parecchie volte, ma alla fine scendo alla Difesa Speciale. Tutti quelli cui passo davanti fissano i miei lividi e io ne sono talmente imbarazzata che mi tiro su il colletto fino alle orecchie.

Anche Gale deve essere stato dimesso dall'ospedale questa mattina, perché lo trovo in uno dei laboratori di ricerca insieme a Beetee. Assorti, le teste chine su un disegno, stanno prendendo una misura. Varianti della stessa immagine ricoprono il tavolo e il pavimento. Altri schizzi sono fissati con le puntine ai pannelli di sughero alle pareti e occupano numerosi schermi di computer. Nei tratti approssimativi di uno di quei bozzetti, riconosco il laccio a scatto di Gale. — Cosa sono? — chiedo con voce roca, distogliendo la loro attenzione dal foglio.

— Ah, Katniss, ci hai scoperti — dice allegramente Beetee.

— Perché? È un segreto? — Sapevo che Gale veniva regolarmente quaggiù a lavorare con Beetee, ma supponevo che armeggiassero con archi e armi da fuoco.

— Non proprio. Ma mi sono sentito un po' in colpa per averti rubato Gale così spesso — confessa Beetee.

Visto che ho trascorso la maggior parte del tempo nel Distretto 13 tra disorientamento, preoccupazione, rabbia, rifacimenti di immagine e ricoveri in ospedale, non posso dire che le assenze di Gale mi abbiano disturbato. Però lascio credere a Beetee di essermi debitore. — Spero che tu abbia fatto buon uso del suo tempo.

— Vieni a vedere — dice lui, indicandomi lo schermo di un computer con un cenno della mano.

Ecco cosa stanno facendo. Prendono i princìpi di funzionamento delle trappole di Gale e li adattano alle armi da usare contro gli esseri umani. Bombe, perlopiù. Non è tanto la meccanica delle trappole a interessare, quanto la psicologia che vi sta dietro. Minare una zona che fornisce qualcosa di essenziale per la sopravvivenza. Una scorta d'acqua o di cibo. Spaventare le prede in modo che fuggano in gran numero verso un più copioso massacro. Mettere in pericolo la prole per richiamare il vero bersaglio, il genitore. Attirare la vittima in quello che sembra un rifugio sicuro dove invece la attende la morte. A un certo punto, Gale e Beetee hanno abbandonato la natura selvaggia e si sono concentrati su impulsi più umani. Come la pietà. Esplode una bomba. Si concede agli illesi il tempo di precipitarsi in soccorso dei feriti. E allora una seconda bomba, più potente, uccide anche loro.

— Mi pare che con questo si passi un po' il segno — dico. — Tutto è permesso, quindi? — Mi fissano entrambi, Beetee incerto, Gale ostile. — Immagino non esista un regolamento che stabilisca ciò che è inammissibile fare a un altro essere umano.

— Certo che esiste. Beetee e io abbiamo seguito lo stesso regolamento che ha usato il presidente Snow quando ha depistato Peeta — dice Gale.

Crudele, ma pertinente. Me ne vado senza altri commenti. Sento che, se non esco subito di lì, finirò per dare di matto, ma sono ancora alla Difesa Speciale quando vengo abbordata da Haymitch. — Vieni — dice. — Ci serve che torni in ospedale.

— A fare cosa? — chiedo.

— Hanno intenzione di effettuare un test su Peeta — risponde. — Di far entrare da lui il più innocuo rifugiato del 12 che riescono a trovare. Qualcuno con cui Peeta potrebbe condividere dei ricordi d'infanzia ma che non sia troppo vicino a te. Stanno valutando adesso le varie persone.

So che sarà un compito arduo, visto che molto probabilmente tutti quelli con cui Peeta condivide ricordi d'infanzia abitavano in città, e nessuno di loro è scampato alle fiamme. Ma quando raggiungiamo la camera d'ospedale che è stata trasformata in spazio di lavoro per l'équipe riabilitativa di Peeta, eccola seduta lì a chiacchierare con Plutarch: Delly Cartwright. Come sempre, mi rivolge un sorriso così smagliante da far pensare che io sia la migliore amica che ha al mondo. Sorride così a tutti. — Katniss! — esclama.

— Ciao, Delly — dico. Avevo sentito dire che lei e il fratello minore erano sopravvissuti. I suoi genitori, che gestivano il negozio di scarpe in città, non sono stati altrettanto fortunati. Sembra più vecchia, nella tenuta grigio smorto del 13 che non dona a nessuno e coi lunghi capelli biondi raccolti in una pratica treccia invece che sciolti a riccioli fluenti. Delly è un po' più magra di quanto la ricordassi, ma d'altra parte era una dei pochi ragazzi del Distretto 12 a portarsi addosso qualche chilo di troppo. Il regime alimentare di qui, lo stress, il dolore per aver perso i genitori hanno senza dubbio contribuito al suo dimagrimento. — Come stai? — chiedo.

— Oh, ci sono stati parecchi cambiamenti improvvisi.

— I suoi occhi si riempiono di lacrime. — Ma sono tutti gentilissimi, qui nel 13, non credi?

Delly dice sul serio. A lei le persone piacciono davvero. Tutte le persone, non solo i pochi privilegiati scelti nel corso di anni.

— Si sono sforzati di farci sentire i benvenuti — replico. Credo che questa, senza sbilanciarsi troppo, sia un'affermazione corretta. — Sei tu quella che hanno scelto per fare visita a Peeta?

— Immagino di sì. Povero Peeta. Povera te. Non capirò mai Capitol City — ribatte lei.

— Forse è meglio non capirla — le dico.

— Delly conosce Peeta da molto tempo — interviene Plutarch.

— Oh sì! — Il viso di Delly si illumina. — Giocavamo insieme fin da quando eravamo piccoli. Una volta dicevo a tutti che era mio fratello.

— Cosa ne pensi? — mi chiede Haymitch. — Niente che potrebbe scatenare qualche ricordo di te?

— Eravamo tutti nella stessa classe, ma non abbiamo mai avuto molte cose in comune — rispondo.

— Katniss è sempre stata eccezionale. Non avrei mai immaginato che si accorgesse di me — dice Delly. — Il modo in cui cacciava, andava al Forno e tutto il resto. La gente la ammirava così tanto.

Io e Haymitch abbiamo bisogno di guardarla attentamente in faccia per verificare se sta scherzando. Per come la racconta Delly, io non avevo quasi nessun amico, perché ero talmente straordinaria da intimidire chiunque. Non è vero. Non avevo quasi nessun amico perché non ero per niente amichevole. È Delly che mi trasforma in qualcosa di meraviglioso.

— Delly pensa sempre bene di tutti — spiego. — Non

credo che Peeta possa avere cattivi ricordi associati a lei. — Poi mi viene in mente. — Aspetta. A Capitol City, quando mentii sul fatto di avere riconosciuto la ragazza senza-voce, Peeta mi coprì dicendo che somigliava a Delly.

— Me lo ricordo — dice Haymitch. — Però non saprei. Quella non era una cosa vera. Delly non era realmente lì. Non penso che un episodio del genere possa fare concorrenza ad anni di ricordi d'infanzia.

— Specie in compagnia della deliziosa Delly — rincara Plutarch. — Facciamo un tentativo.

Io, Plutarch e Haymitch andiamo nella stanza di osservazione, a fianco di quella in cui è rinchiuso Peeta. Vi si accalcano dieci membri dell'équipe di riabilitazione, armati di penne e blocchi per appunti. Il vetro a specchio e il sistema audio ci permettono di seguire Peeta di nascosto. È sdraiato sul letto, le braccia legate da cinghie. Non lotta per liberarsi, ma le sue mani si agitano di continuo. Ha un'espressione che sembra più lucida di quando ha cercato di strangolarmi, ma che ancora non gli appartiene.

Nel momento in cui la porta silenziosamente si apre, sgrana gli occhi, allarmato, poi il suo sguardo si fa vago. Delly attraversa la stanza un po' titubante, ma avvicinandosi gli sorride con naturalezza. — Peeta? Sono Delly. Da casa.

— Delly? — Qualche nube sembra dissolversi. — Delly. Sei tu.

— Sì! — dice lei, evidentemente sollevata. — Come ti senti?

— Malissimo. Dove siamo? Cos'è successo? — chiede Peeta.

— Ci siamo — dice Haymitch.

— Le ho raccomandato di evitare qualsiasi accenno a Katniss o a Capitol City — dice Plutarch. — Di capire solo quanta parte di casa era in grado di ricordargli.

— Be'... siamo nel Distretto 13. Viviamo qui, ora — dice Delly.

— È quello che continuava a dirmi quella gente. Ma non ha senso. Perché non siamo a casa? — chiede Peeta.

Delly si morde un labbro. — C'è stato... un incidente. Anche a me manca tanto casa. Stavo giusto pensando a quei disegni con il gesso che facevamo una volta sulle pietre della strada. I tuoi erano magnifici. Ti ricordi quando ne hai fatto uno per ogni animale?

— Sì. Maiali e gatti e roba così — risponde Peeta. — Hai detto... un incidente?

Vedo il sudore che luccica sulla fronte di Delly mentre cerca di aggirare la domanda. — È stato brutto. Nessuno... è potuto rimanere — dice, esitante.

— Va' avanti, ragazza — la sollecita Haymitch.

— Però so che ti piacerà qui, Peeta. Sono stati tutti davvero gentili con noi. Abbiamo sempre da mangiare e dei vestiti puliti, e la scuola è molto più interessante — dice Delly.

— Perché i miei familiari non sono venuti a trovarmi? — chiede Peeta.

— Non possono. — Delly sta per mettersi a piangere di nuovo. — Molti non sono usciti dal 12. Così dovremo rifarci una vita qui. Sono sicura che un buon fornaio potrebbe essere molto utile. Ti ricordi di quando tuo padre ci lasciava fare bamboline e soldatini con la pasta del pane?

— C'è stato un incendio — dice Peeta all'improvviso.

— Sì — bisbiglia lei.

— Il 12 è stato ridotto in cenere, vero? A causa sua —

dice Peeta in tono rabbioso. — A causa di Katniss! — Comincia a tirare sulle cinghie di contenimento.

— Oh no, Peeta. Non è stata colpa sua — ribatte Delly.

— Te l'ha detto lei? — le sibila lui.

— Fatela uscire di lì — dice Plutarch. La porta si apre all'istante e Delly comincia a indietreggiare lentamente.

— Non aveva bisogno di dirmelo, perché io ero... — inizia Delly.

— Perché sta mentendo! È una bugiarda! Non si può credere a niente di quello che dice! È una specie di ibrido creato da Capitol City, che lo userà contro di noi! — urla Peeta.

— No, Peeta. Lei non è un... — riprova Delly.

— Non fidarti di lei, Delly — dice Peeta con voce affannata. — Io l'ho fatto e lei ha cercato di uccidermi. Ha ucciso i miei amici. La mia famiglia. Non avvicinarti a lei! È un ibrido!

Una mano si allunga attraverso la porta e trascina fuori Delly, poi la porta si richiude bruscamente. Ma Peeta continua a gridare — Un ibrido! È uno schifoso ibrido!

Non solo mi odia e vuole uccidermi, non crede nemmeno più che io sia umana. È stato meno doloroso essere mezza strangolata.

Intorno a me, quelli dell'équipe di riabilitazione scribacchiano come forsennati, annotando ogni parola. Haymitch e Plutarch mi afferrano per le braccia e mi spingono fuori dalla stanza. Mi fanno appoggiare, in piedi, a una parete del corridoio silenzioso. Ma so che Peeta continua a urlare dietro la porta e lo specchio.

Prim si sbagliava. Peeta è irrecuperabile. — Non posso più restare qui — dico in tono piatto. — Se volete che io sia la Ghiandaia Imitatrice, dovete mandarmi via.

— Dove vorresti andare? — chiede Haymitch.

— A Capitol City. — È l'unico posto che mi viene in mente nel quale abbia un compito da eseguire.

— Non puoi — dice Plutarch. — Almeno finché tutti i distretti non saranno sicuri. La buona notizia è che i combattimenti sono praticamente conclusi ovunque, tranne che nel 2. Quello è un osso duro, però.

Giusto. Prima i distretti. Poi Capitol City. E a quel punto darò la caccia a Snow.

— Benissimo — dico. — Mandatemi nel 2.

CAPITOLO 14

Com'era prevedibile, il Distretto 2 è molto vasto ed è costituito da una serie di villaggi sparsi sulle montagne.

In origine, ogni villaggio era collegato a una miniera o a una cava, ma adesso molti sono utilizzati come alloggi e sedi di addestramento per i Pacificatori. Il che non costituirebbe una grande sfida, visto che i ribelli possono contare sulla potenza aerea del 13, se non fosse per una cosa: proprio al centro del distretto, c'è una montagna praticamente impenetrabile che ospita la parte essenziale delle forze armate di Capitol City.

Abbiamo chiamato "Osso" la montagna da quando, rivolgendomi agli stanchi e scoraggiati leader degli insorti di qui, ho ripetuto in TV il commento di Plutarch "È un osso duro". L'Osso nacque subito dopo i Giorni Bui, quando Capitol City aveva ormai perso il 13 ed era alla disperata ricerca di una nuova roccaforte sotterranea. Il governo disponeva di risorse militari – missili nucleari, aerei, truppe – nelle vicinanze della città, ma gran parte delle sue forze erano ormai sotto il controllo nemico. Non poteva sperare di replicare il 13, naturalmente, che era frutto di secoli di lavoro. Tuttavia, comprese le potenzialità delle vecchie miniere nelle vicinanze del Distretto 2. Dall'alto, l'Osso sembrava solo un'altra montagna con alcuni punti di accesso lungo i suoi fianchi. Ma dentro aveva enormi spazi cavernosi dai quali erano state asportate lastre di pietra, poi portate in superficie e trasferite lungo le strade strette e scivolose per costruire edifici lontani. C'era persino una rete ferroviaria che serviva a facilitare lo spostamento dei minatori dall'Osso al centro della città principale del distretto. Arrivava proprio nella piazza che io e Peeta avevamo visto durante il Tour della Vittoria, quando ci eravamo ritrovati in piedi sui larghi gradini di marmo del Palazzo di Giustizia, cercando di non guardare con troppa insistenza le famiglie in lutto di Cato e Clove, radunate sotto di noi.

Non si trattava esattamente del terreno ideale, tormentato com'era da colate di fango, inondazioni e smottamenti. Ma i vantaggi ebbero la meglio sui difetti. Nel tagliare in profondità la montagna, i minatori avevano lasciato grosse colonne e spessi muri di pietra per sostenere l'intera struttura.

Capitol City li rinforzò e si preparò a fare della montagna la sua nuova base militare. Riempiendola di postazioni computerizzate e sale riunioni, alloggi per i soldati e depositi di armi. Allargando gli accessi per permettere l'uscita degli hovercraft dall'hangar, installando lanciamissili. Ma lasciando sostanzialmente invariato l'aspetto esteriore della montagna. Un accidentato groviglio di roccia, flora e fauna. Una fortezza naturale che fungeva da protezione contro i nemici.

Rispetto agli standard degli altri distretti, Capitol City

coccolava generosamente gli abitanti del luogo. Guardando i ribelli del Distretto 2, è facile capire che nella loro infanzia sono stati nutriti e curati in modo adeguato. Alcuni finivano a sgobbare nelle cave e nelle miniere. Altri ricevevano un'istruzione per lavorare nell'Osso o venivano avviati nei ranghi dei Pacificatori, addestrati duramente a combattere sin da giovani.

Gli Hunger Games rappresentavano un'occasione per ottenere gloria e ricchezze che non si vedevano da nessun'altra parte. Era naturale che gli abitanti del 2 si bevessero la propaganda di Capitol City con più facilità degli altri. Che adottassero i suoi metodi. Ciononostante, rimanevano pur sempre schiavi. Ma se i cittadini diventati Pacificatori o quelli che lavoravano nell'Osso non hanno colto questo fatto, l'hanno colto invece, e bene, i tagliapietre, che qui sono stati la spina dorsale della resistenza.

La situazione è immutata da quando sono arrivata, due settimane fa. I villaggi più lontani sono nelle mani dei ribelli, la città è spaccata in due, e l'Osso è inviolabile come sempre, con le sue poche vie di accesso solidamente fortificate e il "midollo" ben protetto all'interno della montagna. Benché Capitol City abbia visto sfuggire al suo controllo tutti gli altri distretti, il 2 lo tiene ancora in pugno.

Ogni giorno faccio quello che posso per dare una mano. Vado a trovare i feriti. Registro brevi pass-pro con la mia troupe televisiva. Non mi permettono di partecipare a veri combattimenti, però mi invitano alle riunioni in cui si fa il punto sulla situazione bellica, e questo è molto più di quello che facevano nel 13. Qui è decisamente meglio. Godo di maggiore libertà, non ho programmi scritti sul braccio, sono molto meno impegnata. Vivo in superficie, nei villaggi ribelli o nelle grotte circostanti. Per sicurezza, vengo trasferita spesso. Sono stata autorizzata ad andare a caccia durante il giorno, purché porti con me una scorta e non mi allontani troppo. Immersa nell'aria fredda e rarefatta della montagna, ho la sensazione che mi stia tornando una certa forza fisica e che dalla mia mente comincino a dissiparsi le ultime nebbie. Ma insieme a questa nitidezza mentale giunge una consapevolezza ancora più acuta di ciò che è stato fatto a Peeta.

Snow me lo ha rubato, ha alterato la sua personalità sino a renderla irriconoscibile, e alla fine me lo ha servito su un piatto d'argento. Boggs, nel 2 da quando ci sono io, mi ha detto che, pur con tutte le nostre macchinazioni, salvare Peeta è stato un po' troppo facile. Pensa che, se il 13 non ci avesse provato, Peeta ci sarebbe stato recapitato comunque. Scaricato in un distretto impegnato in guerra o magari nel 13 stesso. Con un bel nastro intorno e un cartellino col mio nome scritto sopra. Programmato per assassinarmi.

Solo adesso che l'hanno tanto cambiato apprezzo appieno il vero Peeta. Anche più di quanto avrei fatto se fosse morto. La sua gentilezza, la sua solidità, la tenerezza dietro cui si nascondeva un ardore inaspettato. A parte Prim, mia madre e Gale, quante persone al mondo mi amano senza riserve? Credo che a questo punto la risposta possa essere "nessuna". A volte, quando sono sola, prendo la perla dalla tasca e cerco di ricordare il ragazzo del pane, le braccia forti che tenevano lontani gli incubi sul treno, i baci nell'arena. Per indurmi a dare un nome a ciò che ho perduto. Ma tanto a che serve? Tutto questo se ne è andato. Lui se ne è andato. Qualunque cosa ci fosse tra noi, non esiste più. Rimane solo la mia promessa di uccidere Snow. Me la ripeto dieci volte al giorno.

Nel 13, la riabilitazione di Peeta continua. Anche se non faccio domande, Plutarch mi dà aggiornamenti telefonici confortanti sul genere: — Buone notizie, Katniss! Credo che l'abbiamo quasi convinto che non sei un ibrido! — Oppure: — Oggi gli hanno permesso di mangiare il budino da solo!

Quando è il suo turno, invece, Haymitch ammette che Peeta non sta affatto meglio.

L'unico, incerto raggio di speranza è venuto da mia sorella. — Prim ha avuto l'idea di provare a invertire il depistaggio — mi dice Haymitch. — Ossia di riportare in superficie i ricordi alterati che Peeta ha di te e poi somministrargli una bella dose di calmante, tipo morfamina. L'abbiamo tentato su un solo ricordo. Il nastro di voi due nella grotta, quando gli raccontasti la storia della capra di Prim.

— Qualche miglioramento? — chiedo.

— Be', se un'estrema confusione può definirsi un miglioramento rispetto a un estremo terrore, allora sì — dice Haymitch. — Però non sono sicuro che lo sia. Ha perso la capacità di parlare per parecchie ore, è entrato in una specie di torpore. Quando ne è uscito, l'unica cosa su cui si è informato è stata la capra.

— Bene — commento.

— E là fuori, come va? — chiede lui.

— Nessun progresso — rispondo.

— Stiamo per inviare una squadra che vi dia una mano con la montagna. Beetee e qualcuno degli altri — dice. — Sai, i cervelloni.

Quando i cervelloni vengono scelti, non sono sorpresa di vedere il nome di Gale sulla lista. Pensavo proprio che Beetee l'avrebbe portato, non tanto per le sue competenze tecnologiche, quanto nella speranza che gli venga in mente qualche sistema per far cadere in trappola anche una montagna.

In origine, Gale si era offerto di venire insieme a me nel 2, ma ho capito che l'avrei strappato al suo lavoro con Beetee. Così gli ho detto di aspettare e di rimanere dove c'era più bisogno di lui. Non gli ho spiegato che la sua presenza mi avrebbe reso ancora più difficile piangere Peeta.

Gale mi viene a cercare un pomeriggio tardi, dopo l'arrivo della squadra.

Sono seduta su un ceppo, al margine del mio attuale villaggio, e sto spennando un'anatra. Ne ho circa una dozzina, ammucchiate ai miei piedi. Da quando sono arrivata, grossi stormi di anatre continuano a migrare passando di qui, e prenderle è facile. Senza parlare, Gale si siede accanto a me e comincia a togliere le piume a uno degli uccelli. Ne abbiamo spennati quasi la metà, quando mi dice: — C'è qualche possibilità che ci capiti anche di mangiarle?

— Sì. Il grosso va alla cucina del campo, ma si aspettano che ne regali un paio alla persona con cui passerò la notte — dico. — Perché badi a me.

— Il privilegio di quell'incarico non è sufficiente? — chiede.

— Così sembra — replico. — D'altra parte, gira voce che le ghiandaie imitatrici facciano male alla salute.

Spenniamo in silenzio ancora per un po'. Poi lui dice: — Ho visto Peeta, ieri. Attraverso il vetro.

— Come la vedi? — chiedo.

— Da egoista — risponde Gale.

— Cioè non hai più bisogno di essere geloso di lui? —

Le mie dita danno uno strattone e una nuvola di penne ricade fluttuando intorno a noi.

— No. Proprio il contrario. — Gale mi toglie una piuma dai capelli. — Pensavo che... non potrò mai competere con questa situazione, per quanto io possa soffrire. — Fa ruotare la piuma tra il pollice e l'indice. — Non ho alcuna possibilità, se lui non migliora, perché tu non sarai mai capace di lasciarlo. Avrai sempre la sensazione che stare con me sia sbagliato.

— Come ho sempre avuto la sensazione che fosse sbagliato baciare lui, per via di te — dico.

Gale sostiene il mio sguardo. — Se pensassi che è vero, riuscirei quasi a sopportare tutto il resto.

— È vero — confesso. — Ma lo è anche quello che hai detto di Peeta.

Gale emette un suono esasperato. Ciononostante, dopo aver consegnato gli uccelli ed esserci offerti volontari per tornare nei boschi a raccogliere legna minuta per il falò serale, mi ritrovo stretta tra le sue braccia. Le sue labbra sfiorano i lividi ormai sbiaditi che ho sul collo, aprendosi la strada verso la mia bocca. Malgrado ciò che provo per Peeta, è quello il momento in cui, nel profondo del mio essere, mi rassegno al fatto che non tornerà mai da me. O che io non tornerò mai da lui. Che rimarrò nel Distretto 2 fino alla sua resa, andrò a Capitol City a uccidere Snow, poi morirò per il disturbo che mi sono presa. Mentre Peeta morirà pazzo, odiandomi. Così, nella luce calante, chiudo gli occhi e bacio Gale per farmi perdonare di tutti i baci che gli ho negato, e perché non ha più importanza, e perché non sopporto la disperazione e la solitudine che mi sento dentro.

Il tocco e il sapore e il calore di Gale mi ricordano che il mio corpo, almeno, è ancora vivo, e in questo momento è una sensazione gradita. Svuoto la mente e lascio che le emozioni pervadano la mia carne, felice di dimenticare me stessa. Quando Gale si allontana leggermente, mi sposto in avanti per colmare il vuoto, ma sento le sue dita sotto il mento. — Katniss — dice.

Nell'attimo in cui apro gli occhi, il mondo mi appare incoerente. Questi non sono i nostri boschi o le nostre montagne o il nostro sentiero. Meccanicamente, la mia mano raggiunge la cicatrice sulla tempia sinistra, che di solito associo alla confusione. — Baciami ancora. — Sconcertata, impassibile, resto ferma, mentre lui si piega e per un istante preme le sue labbra sulle mie. Mi studia il viso con attenzione. — Cosa succede nella tua testa?

— Non lo so — gli rispondo in un sussurro.

— Allora è come baciare un'ubriaca. Non conta — dice, con un fiacco tentativo di risata. Raccoglie un mucchio di legnetti e li lascia cadere fra le mie braccia vuote, restituendomi a me stessa.

— Come lo sai? — chiedo, soprattutto per nascondere il mio imbarazzo. — Ne hai baciate, di ubriache? — Immagino che Gale avrebbe potuto baciare ragazze a destra e a manca, nel 12. Non gli sarebbero certo mancate le volontarie. Non ci avevo mai pensato granché, sino a ora.

Lui si limita a scuotere la testa. — No. Ma non è difficile da immaginare.

— E così non hai mai baciato nessun'altra? — chiedo.

— Non ho detto questo. Sai, tu avevi solo dodici anni quando ci siamo conosciuti. Ed eri una vera rottura di scatole, per di più. Avevo una vita, io, al di fuori della caccia con te — risponde, caricandosi di legna da ardere.

Di colpo, sono davvero curiosa. — Chi hai baciato? E dove?

— Troppe ragazze per ricordarsele tutte. Dietro la scuola, sul cumulo di scorie della miniera, ovunque — dice lui.

Roteo gli occhi. — Allora quand'è che sono diventata tanto speciale? Quando mi hanno trascinata via per spedirmi a Capitol City?

— No. È stato circa sei mesi prima. Subito dopo Capodanno. Eravamo al Forno, a mangiare una brodaglia di Sae la Zozza. E Darius ti tormentava perché barattassi un coniglio con un suo bacio. E io mi sono reso conto che... mi dava fastidio — mi spiega.

Ricordo quel giorno. C'era un freddo pungente e faceva buio già alle quattro del pomeriggio. Eravamo stati a caccia, ma un'abbondante nevicata ci aveva ricondotti in città. Il Forno era affollato di gente in cerca di un riparo. La zuppa, a base di brodo fatto con le ossa di un cane selvatico che avevamo abbattuto la settimana prima, era al di sotto dei soliti standard di Sae la Zozza. Però era bollente, e morivo di fame mentre me la spazzolavo, seduta sul bancone a gambe incrociate. Darius se ne stava appoggiato al palo della bancarella e mi solleticava la guancia con l'estremità della mia treccia, anche se gli schiaffeggiavo la mano per farlo smettere. Mi spiegava per quale ragione uno dei suoi baci meritasse un coniglio, o magari due: lo sanno tutti che gli uomini coi capelli rossi sono più uomini degli altri. Io e Sae la Zozza ridevamo perché era buffissimo e insistente e continuava a indicare una donna dopo l'altra nel Forno che, diceva, aveva pagato ben più di un coniglio per godere delle sue labbra. — La vedi? Quella con lo sciarpone verde? Va' a chiederglielo, se hai bisogno di referenze.

Era successo a un milione di chilometri da lì, un miliardo di giorni prima. — Darius stava solo facendo lo stupido — dico.

— Forse. Anche se tu saresti stata l'ultima a capirlo, in caso contrario — mi dice Gale. — Prendi Peeta. Prendi me. O anche Finnick. Cominciavo a preoccuparmi che ti avesse messo gli occhi addosso, ma pare che adesso si sia rimesso in riga.

— Non conosci Finnick se pensi che possa amare me — ribatto.

Gale scrolla le spalle. — So che era disperato. Ed è una cosa che induce la gente a fare ogni genere di pazzia.

Non posso fare a meno di pensare che quella frase sia diretta a me.

Il giorno seguente, di primo mattino, i cervelloni si riuniscono per affrontare il problema dell'Osso. Mi viene chiesto di partecipare all'incontro, anche se non ho molto da offrire. Evito il grande tavolo e mi appollaio sull'ampio davanzale con vista sulla montagna di cui si discute. La comandante del Distretto 2, una donna di mezza età che si chiama Lyme, ci fa fare un tour virtuale dell'Osso, del suo interno e delle sue fortificazioni, e descrive i falliti tentativi di conquistarlo. L'ho incrociata di sfuggita un paio di volte dopo il mio arrivo, e sono stata perseguitata dalla sensazione di averla già conosciuta. È decisamente indimenticabile, alta più di un metro e ottanta e dotata di muscoli possenti. Ma è solo quando vedo un filmato in cui appare sul campo di battaglia mentre guida un'incursione all'ingresso principale dell'Osso che qualcosa scatta e mi rendo conto di trovarmi al cospetto di un'altra vincitrice. Lyme, il tributo del Distretto 2 che vinse gli Hunger Games più di una generazione fa. Effie ci mandò il suo nastro, tra gli altri, perché io e Peeta ci preparassimo all'Edizione della Me-

moria. Nel corso degli anni devo averla intravista durante i Giochi, ma ha sempre mantenuto un basso profilo.
Sapendo ciò che so adesso sul trattamento riservato a
Haymitch e a Finnick, penso solo: cosa le avrà fatto Capitol City dopo la sua vittoria?

Quando Lyme conclude la relazione, iniziano le domande dei cervelloni. Passano le ore, passa anche il pranzo, e intanto loro cercano di mettere insieme un piano
realistico per prendere l'Osso. Ma mentre Beetee ritiene di essere in grado di bypassare certi sistemi informa-
tici – si parla di utilizzare lo sparuto gruppo di spie in-
terne – a nessuno viene in mente qualcosa di veramente
nuovo. Mentre il pomeriggio avanza, il discorso non fa
che tornare a una strategia già tentata più volte: l'assal-
to dei punti di accesso. Vedo crescere la frustrazione di
Lyme, perché tante varianti di questo stesso piano sono
già fallite, tanti suoi soldati sono caduti. Alla fine, esclama: — Il prossimo che suggerisce di prendere gli ingressi farà meglio ad avere in mente un sistema davvero in-
gegnoso, perché sarà lui a guidare la missione!

Gale, troppo irrequieto per sedere al tavolo più di qualche ora, ha continuato ad alternare camminate avanti e
indietro a soste sul mio davanzale. Sembra avere accettato fin dall'inizio l'affermazione di Lyme che le entrate
della montagna non possono essere prese e ha abbandonato del tutto la discussione. Da circa un'ora se ne sta
seduto in silenzio a fissare l'Osso attraverso il vetro della finestra, con la fronte aggrottata per la concentrazione. Nel silenzio che segue l'ultimatum di Lyme, si alza
la sua voce: — È davvero necessario che prendiamo l'Osso? O basterebbe metterlo fuori uso?

— Quello sarebbe un passo nella giusta direzione —
dice Beetee. — Cos'hai in mente?

— Pensate alla tana dei cani selvatici — continua Gale. — Con la forza non potete entrarci. Perciò avete due scelte. Intrappolare i cani all'interno o stanarli.

— Abbiamo provato a bombardare gli ingressi — dice Lyme. — Sono collocati troppo in profondità perché riusciamo a fare un vero danno.

— Non stavo pensando a quello — dice Gale. — Pensavo di usare la montagna. — Beetee si alza e raggiunge Gale alla finestra, aguzzando lo sguardo dietro gli occhiali storti. — Le vedi? Scendono lungo le pareti.

— Le tracce di una valanga — dice Beetee sottovoce. — Sarebbe astuto. Dovremmo progettare una serie di esplosioni con molta cura perché, una volta in movimento, non possiamo sperare di controllarla.

— Non abbiamo bisogno di controllarle se rinunciamo all'idea di impossessarci dell'Osso — dice Gale. — Dobbiamo solo chiuderlo.

— Quindi, ci stai suggerendo di scatenare delle valanghe per bloccare gli accessi? — chiede Lyme.

— Esattamente — risponde Gale. — Di intrappolare il nemico all'interno e isolarlo dai rifornimenti. Di metterlo nell'impossibilità di far uscire gli hovercraft.

Mentre ognuno riflette sul piano, Boggs sfoglia una pila di cianografie dell'Osso e si acciglia. — Rischi di uccidere tutti quelli che sono dentro. Guarda il sistema di aerazione. È rudimentale, nel migliore dei casi. Non è affatto come quello che abbiamo nel 13. Dipende interamente dall'aria che viene pompata all'interno dai fianchi della montagna. Blocca quei bocchettoni e soffocherai chiunque sia intrappolato lì.

— Potrebbero sempre scappare dal tunnel ferroviario che arriva in piazza — dice Beetee.

— No, se lo facciamo saltare — dice Gale in tono brusco. La sua intenzione, la sua deliberata intenzione, si fa evidente. A Gale non interessa affatto salvaguardare la vita di chi è nell'Osso. Non gli interessa mettere in gabbia la preda per usarla poi.

Questa è una delle sue trappole mortali.

CAPITOLO 15

Le implicazioni di ciò che Gale suggerisce si depositano silenziosamente per tutta la stanza. I volti dei presenti mostrano poco a poco le diverse reazioni. Le loro espressioni vanno dal compiacimento all'angoscia, dalla pena alla soddisfazione.

— Quelli che lavorano lì sono quasi tutti cittadini del 2 — dice Beetee in tono neutro.

— E allora? — ribatte Gale. — Non potremo più tornare a fidarci di loro.

— Dovrebbero almeno avere la possibilità di arrendersi — osserva Lyme.

— Be', questo è un lusso che non ci è stato concesso, quando hanno attaccato il 12 con le bombe incendiarie, ma qui voi siete tutti molto più intimi di Capitol City — dice Gale. L'espressione sul viso di Lyme mi fa pensare che potrebbe spargli, o almeno dargli un pugno. E forse sarebbe lei ad avere la meglio, con tutto l'allenamento che ha fatto. Ma la sua rabbia pare solo mandarlo in bestia, perché urla: — Noi siamo stati a guardare i bambini morire bruciati senza poter fare nulla!

Devo chiudere gli occhi un attimo, mentre l'immagine mi lacera dentro. Ottenendo l'effetto desiderato. Voglio vedere morto chiunque si trovi in quella montagna. Sono sul punto di dirlo. Ma poi... sono anche una figlia del Distretto 12. Non sono il presidente Snow. Non posso condannare qualcuno alla morte che lui propone. — Gale — dico, prendendolo per un braccio e cercando di parlare in tono pacato. — L'Osso è una vecchia miniera. Sarebbe come provocare un esplosione durante l'estrazione del carbone. — Queste parole, ne sono certa, fanno sì che chi viene dal 12 valuti il piano con più attenzione.

— Ma questo sistema non sarebbe rapido come quello che ha ucciso i nostri padri, giusto? — replica lui. — È questo il problema? Che i nostri nemici possano avere ancora qualche ora per riflettere sul fatto che moriranno invece di essere semplicemente ridotti in pezzi?

Ai vecchi tempi, quando eravamo solo una coppia di ragazzini che andavano a caccia fuori dal Distretto 12, Gale diceva cose come queste, e anche di peggio. Ma allora erano solo parole. Qui, messe in pratica, quelle parole diventano azioni da cui non si torna indietro.

— Tu non sai come quegli abitanti del Distretto 2 siano finiti nell'Osso — dico. — Potrebbero essere stati costretti. Potrebbero essere trattenuti contro la loro volontà. Tra loro ci sono i nostri stessi informatori. Ucciderai anche quelli?

— Sacrificherei alcuni, sì, per distruggere tutti gli altri — replica. — E se io fossi una spia che sta là dentro, direi: "Provocate le valanghe!"

So che dice la verità. Che Gale sacrificherebbe la sua vita in questo modo per la causa. Nessuno ne dubita. Forse tutti noi faremmo lo stesso, se fossimo le spie e ci venisse offerta la possibilità di scegliere. Immagino che io lo farei. Ma questa è una decisione a freddo, da prendere per altri e per coloro che li amano.

— Hai detto che avevamo due scelte — gli dice Boggs.

— Intrappolarli o stanarli. Io dico di provare a scatenare la valanga ma di non toccare il tunnel ferroviario. Possono scappare in piazza, e noi saremo lì ad aspettarli.

— Armati fino ai denti, spero — dice Gale. — State pur certi che loro lo saranno.

— Armati fino ai denti. Li prenderemo prigionieri — concorda Boggs.

— Vediamo di coinvolgere il 13, allora — suggerisce Beetee. — Facciamo intervenire la presidente Coin.

— Vorrà che blocchiamo il tunnel — dice Gale con convinzione.

— Sì, è molto probabile. Ma sai, in effetti c'era un punto interessante nei pass-pro di Peeta. Riguardo al fatto di eliminarci a vicenda. Mi sono messo a giocare con qualche cifra. Ho sommato le vittime e i feriti e… credo che valga la pena di fare una chiacchierata — dice Beetee.

Solo un piccolo gruppo di persone è invitato a quella chiacchierata. Io e Gale veniamo congedati insieme agli altri. Lo porto a caccia, in modo che possa sfogarsi un po', ma non parla della faccenda. Forse è troppo arrabbiato con me perché l'ho contraddetto.

Nel frattempo, viene interpellata la Coin, si prende una decisione, e a sera mi ritrovo bardata di tutto punto con la mia divisa da Ghiandaia Imitatrice, l'arco in spalla e un auricolare che mi collega a Haymitch nel 13, casomai si presentasse una buona occasione per registrare un pass-pro. Attendiamo sul tetto del Palazzo di Giustizia, con una chiara visuale del nostro obiettivo.

All'inizio i nostri aerei vengono ignorati dai comandanti dell'Osso, perché in passato costituivano un fastidio poco più grande di quello di uno sciame di mosche che ronza intorno a un vasetto di miele. Ma dopo due tornate di bombardamenti nei punti più alti della montagna, i velivoli ottengono la loro attenzione. Quando la contrarea di Capitol City comincia a sparare, è già troppo tardi.

Il piano di Gale supera le aspettative di tutti. Beetee aveva ragione a proposito dell'impossibilità di controllare le valanghe una volta che sono state messe in movimento. I fianchi della montagna sono per loro natura instabili ma, fiaccati dalle esplosioni, sembrano quasi liquidi. Intere sezioni dell'Osso crollano sotto i nostri occhi, cancellando ogni forma di presenza umana. Restiamo senza parole, minuscoli e insignificanti, mentre ondate di pietra si abbattono con un rombo lungo la montagna. Seppellendo i punti di accesso sotto tonnellate di roccia. Sollevando una nube di terra e detriti che oscura il cielo. Trasformando l'Osso in una tomba.

Immagino il caos dentro la montagna. Le sirene che urlano. Le luci che tremolano per poi spegnersi del tutto. La polvere di roccia che riempie l'aria. Le grida di esseri intrappolati e in preda al panico che incespicano, cercando disperatamente una via di scampo, solo per trovare le entrate, la piattaforma di lancio e gli stessi condotti di ventilazione ostruiti da pietre e terriccio che tentano di penetrare all'interno. Cavi elettrici sotto tensione che si contorcono come serpenti, incendi che scoppiano, macerie che trasformano un percorso familiare in un labirinto. Persone che si urtano, si spintonano e si inerpicano come formiche, mentre la collina preme per entrare, minacciando di schiacciare i loro fragili involucri.

— Katniss? — La voce di Haymitch è nel mio auricolare. Provo a rispondergli e scopro che ho le mani premute con forza sulla bocca. — Katniss!

Il giorno in cui morì mio padre, le sirene suonarono durante il pranzo alla mensa scolastica. Nessuno attese il permesso di uscire, né era previsto che qualcuno lo facesse. La reazione a un incidente in miniera era qualcosa che sfuggiva persino al controllo di Capitol City. Corsi fino alla classe di Prim. Me la ricordo ancora, piccolissima per i suoi sette anni, molto pallida, ma seduta ben eretta con le mani intrecciate sul banco. Aspettava che l'andassi a prendere come avevo promesso di fare se le sirene avessero suonato. Balzò dalla sedia, afferrò la manica del mio cappotto, e insieme cominciammo a zigzagare in mezzo ai fiumi di persone che si riversavano in strada per poi stagnare davanti all'ingresso principale della miniera. Trovammo nostra madre aggrappata alla fune che era stata tesa in tutta fretta per tenere indietro la folla. A posteriori, immagino che avrei dovuto intuire in quell'esatto momento che c'era un problema. In effetti, perché eravamo noi a cercare lei, quando avrebbe dovuto essere il contrario?

Gli ascensori stridevano, consumando i cavi mentre salivano e scendevano rapidi per rigettare minatori anneriti dal fumo nella luce del giorno. A ogni gruppo, c'erano grida di sollievo, parenti che si tuffavano sotto la fune per portarsi via mariti, mogli, figli, genitori, fratelli e sorelle. Restammo ferme nell'aria gelida mentre il pomeriggio si faceva nuvoloso e una spolverata di neve leggera cospargeva la terra. Gli ascensori si muovevano più lenti, ormai, e scaricavano sempre meno persone. Mi inginocchiai e premetti le mani nella cenere, desiderando con tutta me stessa di poter liberare mio padre. Se esiste una sensazione di impotenza più grande di quando cerchi di raggiungere una persona cui vuoi bene intrappolata sottoterra, io non la conosco. I feriti. I cadaveri. L'attesa, per tutta la notte. Le coperte che qualche estraneo ti avvolge intorno alle spalle. Una tazza di qualcosa di bollente che non berrai. E poi, all'alba, l'espressione afflitta sul viso del sovrintendente della miniera, un'espressione che ha un unico significato.

Cos'abbiamo fatto?

— Katniss! Ci sei? — È probabile che in questo preciso istante Haymitch stia progettando di farmi prendere le misure per una manetta da testa.

Lascio cadere le mani. — Sì.

— Va' dentro. Non si sa mai che Capitol City cerchi di reagire con ciò che resta della sua aviazione — ordina.

— Sì — ripeto. Tutti quelli che si trovano sul tetto, eccetto i soldati che manovrano le mitragliatrici, cominciano ad avviarsi all'interno. Mentre scendo le scale, non posso fare a meno di sfiorare con le dita le pareti di marmo bianco e immacolato. Freddo e bellissimo. Persino a Capitol City non c'è niente che uguagli lo splendore di questo vecchio edificio. Ma la superficie non ha elasticità, solo la mia carne cede, il calore mi viene sottratto. La pietra sconfigge sempre le persone.

Mi siedo alla base di una delle gigantesche colonne del grande atrio. Attraverso le porte, riesco a vedere la bianca distesa di marmo che porta ai gradini sulla piazza. Ricordo come stavo male il giorno in cui, proprio lì, io e Peeta accettammo le congratulazioni per aver vinto i Giochi. Sfinita dal Tour della Vittoria, sconfitta nel mio tentativo di placare i distretti, posta di fronte al ricordo di Clove e Cato, soprattutto a quello della morte lenta e raccapricciante di Cato a opera degli ibridi.

Boggs si accovaccia accanto a me, pallido nell'ombra. — Non abbiamo bombardato il tunnel ferroviario, sai. È probabile che qualcuno di loro riesca a uscire.

— E a quel punto gli spariamo appena si fanno vedere? — chiedo.

— Solo in caso di necessità — risponde.

— Potremmo mandare dentro dei treni noi stessi. Aiutare a evacuare i feriti — dico.

— No. Si è deciso di lasciare a loro il controllo del tunnel. Così possono usare tutti i binari per portare fuori la gente — ribatte Boggs. — In più, questo ci darà il tempo di far arrivare in piazza gli altri nostri soldati.

Qualche ora fa, la piazza era terra di nessuno, la prima linea del combattimento tra i ribelli e i Pacificatori. Quando la Coin ha dato la sua approvazione al piano di Gale, i ribelli hanno sferrato un violento attacco e ricacciato le forze di Capitol City parecchi isolati indietro perché potessimo controllare la stazione ferroviaria nel caso l'Osso cadesse. Be', è caduto. E io mi sono resa conto della realtà. Nessuno dei sopravvissuti fuggirà in piazza. Sento gli spari che ricominciano, mentre i Pacificatori cercano senza dubbio di aprirsi un varco per andare a soccorrere i loro compagni Abbiamo fatto intervenire i nostri soldati per neutralizzare il loro tentativo.

— Tu hai freddo — dice Boggs. — Vedo se riesco a trovare una coperta. — Se ne va prima che possa protestare. Non voglio una coperta, anche se il marmo continua ad assorbire calore dal mio corpo.

— Katniss — dice Haymitch nel mio orecchio.

— Sono sempre qui — rispondo.

— C'è stato uno sviluppo interessante con Peeta, questo pomeriggio. Pensavo volessi saperlo — dice. Interessante non è "sta bene". Non è "sta meglio". Ma non ho davvero altra scelta se non ascoltare. — Gli abbiamo mostrato quel video in cui canti "L'albero degli impiccati". Non è mai stato trasmesso, perciò Capitol City non ha potuto usarlo per il depistaggio. Lui dice di aver riconosciuto la canzone.

Per un attimo il mio cuore perde un colpo. Poi capisco che è solo altra confusione da siero di aghi inseguitori. — Non è possibile, Haymitch. Non mi ha mai sentito cantare quella canzone.

— Non te. Tuo padre. La sentì da lui un giorno in cui era andato in panetteria a fare uno scambio. Peeta era piccolo, aveva sei o sette anni, ma se ne è ricordato, perché ascoltava con particolare attenzione per capire se gli uccelli smettevano di cantare — dice Haymitch. — Immagino l'abbiano fatto.

Sei o sette anni. Prima che mia madre proibisse la canzone, quindi. Forse proprio all'epoca in cui la stavo imparando. — C'ero anch'io?

— Non credo. E comunque non ti ha menzionato. Ma è il primo collegamento con te che non abbia scatenato un crollo mentale — dice Haymitch. — È già qualcosa, Katniss.

Mio padre. Sembra che sia dappertutto, oggi. Muore nella miniera. Si fa largo cantando nella coscienza confusa di Peeta. Guizza nello sguardo che mi rivolge Boggs mentre mi avvolge le spalle in una coperta con fare protettivo. Mi manca così tanto da far male.

Là fuori, la sparatoria fa sul serio. Gale mi passa accanto di fretta insieme a un gruppo di ribelli, impaziente di partecipare allo scontro. Non chiedo di unirmi ai combattenti, e nemmeno me lo permetterebbero. Non ne ho il fegato, comunque, non c'è calore nel mio sangue. Vorrei che Peeta, il vecchio Peeta, fosse qui, lui sarebbe in grado di spiegare con chiarezza perché è sbagliato spararsi addosso quando qualcuno, chiunque sia, sta tentando di farsi strada con le unghie per uscire dalla montagna.

O è la mia storia personale a rendermi troppo sensibile? Non siamo forse in guerra? Questo non è semplicemente un altro modo per uccidere i nostri nemici?

La notte scende veloce. Vengono accesi degli enormi riflettori sfavillanti che illuminano a giorno la piazza. Ogni lampadina deve ardere a piena potenza anche dentro la stazione ferroviaria. Persino da dove mi trovo, dall'altra parte della piazza, riesco a vedere distintamente attraverso la facciata di vetro dell'edificio lungo e stretto. Sarebbe impossibile perdersi l'arrivo di un treno o anche di una sola persona. Ma le ore passano e non arriva nessuno. Di minuto in minuto, immaginare che qualcuno sia sopravvissuto all'attacco sferrato all'Osso diventa sempre più difficile.

Mezzanotte è trascorsa da un pezzo quando Cressida viene a fissare un piccolo microfono alla mia divisa. — A cosa serve? — chiedo.

La voce di Haymitch arriva a spiegarmelo. — So che non ti piacerà, ma abbiamo bisogno che tu faccia un discorso.

— Un discorso? — dico, subito presa dalla nausea.

— Sarò io a suggerirtelo, battuta per battuta — mi rassicura. — Tu dovrai solo ripetere quello che dico. Senti, dalla montagna non viene alcun segno di vita. Abbiamo vinto, ma il combattimento continua. Perciò abbiamo pensato che se tu uscissi sui gradini del Palazzo di Giustizia e lo spiegassi, se dicessi a tutti che l'Osso è stato sconfitto e che il dominio di Capitol City sul Distretto 2 è finito, potresti indurre alla resa il resto delle forze governative.

Scruto l'oscurità oltre la piazza. — Io non le vedo nemmeno, le forze governative.

— Ecco a cosa serve il microfono — dice. — Ti trasmettiamo noi, in voce attraverso il loro impianto audio di emergenza, e per immagini ovunque abbiano accesso a uno schermo.

So che ci sono due o tre enormi schermi, qui sulla piazza. Li ho visti durante il Tour della Vittoria. Potrebbe anche funzionare, se fossi brava in questo genere di cose. Ma non lo sono. Hanno tentato di suggerirmi le battute anche in quei primi esperimenti con i pass-pro, ed è stato un fiasco.

— Potresti salvare un mucchio di vite, Katniss — dice infine Haymitch.

— D'accordo. Ci proverò — gli rispondo.

È bizzarro ritrovarmi fuori, in cima alle scale, vestita di tutto punto da Ghiandaia Imitatrice, illuminata da una luce intensa, ma senza un pubblico visibile cui rivolgere il mio discorso. Come se offrissi uno spettacolo alla luna.

— Facciamo alla svelta — dice Haymitch. — Sei troppo esposta.

Gli operatori della mia troupe, posizionati più in là sulla piazza con speciali telecamere, mi fanno segno che sono pronti. Dico a Haymitch di procedere, poi accendo il microfono e ascolto con attenzione la prima battuta del discorso che mi viene dettata. Una mia gigantesca immagine dà vita a uno degli schermi sull'altro lato della piazza mentre inizio: — Popolo del Distretto 2, sono Katniss Everdeen e vi parlo dai gradini del vostro Palazzo di Giustizia, dove...

Due treni giungono stridendo in stazione, fianco a fianco. Quando le porte scorrevoli si aprono, una moltitudine di persone si riversa fuori in una nuvola di fumo portata sin lì dall'Osso. Dovevano avere almeno un sentore di ciò che li aspettava in piazza, perché è evidente che cercano di evitare il pericolo. Quasi tutti si appiattiscono sul pavimento, e una scarica di pallottole dentro la stazione elimina le luci. Sono arrivati armati, come aveva predetto Gale, ma anche feriti. Si sentono i gemiti diffondersi nell'aria altrimenti silenziosa della notte.

Qualcuno spegne le luci sulle scale, lasciandomi protetta dall'ombra. Un fuoco si sviluppa all'interno della stazione – uno dei treni deve essere in fiamme – e volute di denso fumo nero si levano contro le finestre. Non potendo fare diversamente, i nuovi venuti cominciano a sparpagliarsi sulla piazza quasi asfissiati, ma sventolando i fucili con aria di sfida. Lancio una rapida occhiata in direzione dei tetti che circondano la piazza. Sono stati tutti fortificati con postazioni di mitragliatrici manovrate dai ribelli. La luce della luna si riflette scintillante sulle canne ben oliate.

Un giovane esce barcollando dalla stazione, una mano premuta su uno straccio insanguinato contro la guancia, l'altra che trascina un fucile. Quando inciampa e cade a faccia in giù, vedo i segni delle bruciature lungo la parte posteriore della sua camicia, la carne rossa che sta sotto. E, di colpo, per me è solo un'altra vittima delle ustioni causate da un incidente in miniera.

I miei piedi volano giù per i gradini e parto di corsa verso di lui. — Fermatevi! — urlo ai ribelli. — Non sparate! — Le parole riecheggiano per tutta la piazza e oltre, perché il microfono amplifica la mia voce. — Fermatevi! — Mi sto avvicinando al giovane, mi sto abbassando per aiutarlo, quando lui si rimette faticosamente in ginocchio e punta il fucile verso la mia testa.

D'istinto, indietreggio di qualche passo, sollevo l'arco sopra la testa per mostrare le mie intenzioni pacifiche. Adesso che ha entrambe le mani sul fucile, mi accorgo del buco irregolare sulla sua guancia, dove qualcosa – una scheggia di roccia, forse – gli ha perforato i tessuti. Odora di cose in fiamme, di capelli e carne di animali e carburante. Il suo sguardo è pazzo di dolore e paura.

— Non muoverti — sussurra la voce di Haymitch nel mio orecchio. Seguo il suo ordine, rendendomi conto che ora tutto il Distretto 2, tutto Panem forse, sta vedendo proprio questo. La Ghiandaia Imitatrice alla mercé di un uomo che non ha niente da perdere.

Le sue parole si accavallano, quasi incomprensibili. — Dammi un motivo per cui non dovrei spararti.

Il resto dell'universo svanisce. Ci sono solo io che fisso gli occhi infelici dell'uomo venuto dall'Osso, e lui chiede a me un motivo. Dovrei essere in grado di fornirgliene migliaia, ma le parole che mi salgono alle labbra sono: — Non posso.

Per logica, subito dopo l'uomo dovrebbe premere il grilletto. Ma è perplesso, cerca di capire il senso delle mie parole. Io stessa provo confusione nell'accorgermi che quello che ho detto è del tutto vero, e il nobile impulso che mi ha portato ad attraversare la piazza è sostituito dalla disperazione. — Non posso. È proprio questo il problema, vero? — Abbasso il mio arco. — Noi abbiamo fatto esplodere la vostra miniera. Voi avete ridotto in cenere il mio distretto. Abbiamo tutti i motivi per ucciderci. E allora fallo. Rendi felice Capitol City. Ne ho abbastanza di uccidere gli schiavi del governo al posto suo.

— Lascio cadere l'arco per terra e gli do un colpetto con lo stivale. L'arma scivola sulla pietra e va a fermarsi davanti alle sue ginocchia.

— Io non sono uno schiavo del governo — biascica l'uomo.

— Io sì — dico. — È per questo che ho ucciso Cato... che ha ucciso Thresh... che ha ucciso Clove... che ha cercato di uccidere me. È tutto un cerchio, e alla fine chi vince? Non noi. Non i distretti. Sempre Capitol City. Ma sono stufa di essere una pedina dei suoi Giochi.

Peeta. Sul tetto, la sera precedente i nostri primi Hunger Games. Lui aveva già capito tutto ancora prima che mettessimo piede nell'arena. Spero che adesso stia guardando, che ricordi quella sera e come si è svolta, e magari mi perdoni quando morirò.

— Continua a parlare. Di' loro che hai visto la montagna crollare — insiste Haymitch.

— Quando ho visto cadere quella montagna, stasera, ho pensato... l'hanno fatto di nuovo. Mi hanno indotto a uccidere voi, gli abitanti dei distretti. Ma perché? Il Distretto 12 e il Distretto 2 non hanno alcun motivo di combattersi, a parte quello che Capitol City ha dato a entrambi. — Il giovane mi guarda battendo le palpebre, senza capire. Cado in ginocchio davanti a lui, la voce bassa e pressante. — E perché voi combattete contro i ribelli appostati sui tetti? Contro Lyme, che è stata un vostro vincitore? Contro persone che erano vostri vicini, forse persino vostri familiari?

— Non lo so — dice l'uomo. Ma non allontana il fucile da me.

Mi rialzo e giro lentamente in tondo, rivolgendomi alle mitragliatrici. — E voi, lassù? Io vengo da una città mineraria. Da quando dei minatori condannano altri minatori a una morte come quella e poi se ne stanno lì ad aspettare di uccidere chiunque riesca a strisciare fuori dalle macerie?

— Chi è il nemico? — bisbiglia Haymitch.

— Queste persone — e indico i corpi feriti sulla piazza — non sono il vostro nemico! — Torno a girarmi di scatto verso la stazione. — I ribelli non sono il vostro nemico! Tutti noi abbiamo un solo nemico, ed è Capitol City! Questa è la nostra occasione per porre fine al suo potere, ma abbiamo bisogno di ogni cittadino dei distretti per farlo!

Le telecamere stringono su di me mentre tendo le mani verso l'uomo, verso i feriti, verso i dubbiosi di tutto Panem. — Per favore! Unitevi a noi!

Le mie parole rimangono sospese nell'aria. Guardo in direzione dello schermo sperando di vederci un brivido di riconciliazione tra i presenti.

E invece vedo me stessa mentre mi sparano in diretta TV.

CAPITOLO 16

"**S**empre."

Nel crepuscolo di morfamina, Peeta bisbiglia questa parola e io vado a cercarlo. È un universo trasparente, dalle sfumature violette, senza margini netti, e con tanti posti per nascondersi. Mi faccio largo attraverso banchi di nuvole, seguo sentieri appena visibili, percepisco profumo di cannella e aneto. C'è un momento in cui sento la sua mano sulla guancia e cerco di afferrarla, ma si dissolve come foschia tra le mie dita.

Quando infine comincio a svegliarmi nell'asettica camera dell'ospedale del 13, ricordo. Ero sotto l'effetto dello sciroppo sedativo. Mi ero fatta male a un tallone dopo aver strisciato su un ramo proteso sopra la recinzione elettrificata ed essermi lasciata cadere di nuovo all'interno del 12. Peeta mi aveva messa a letto e, mentre mi appisolavo, gli chiedevo di restare con me. Lui aveva bisbigliato qualcosa che non ero riuscita ad afferrare. Ma una parte del mio cervello aveva trattenuto quell'unica parola sussurrata in risposta e la lasciava riaffiorare adesso nei miei sogni per prendersi gioco di me. "Sempre."

La morfamina intorpidisce ogni emozione estrema, perciò, invece di provare una fitta di tristezza, sento soltanto un vuoto. Uno spazio di boscaglia rinsecchita là dove un tempo sbocciavano fiori. Purtroppo non mi è rimasta abbastanza medicina nelle vene per ignorare il dolore al lato sinistro del corpo. È lì che la pallottola mi ha colpito. Le mie mani brancolano sulla spessa fasciatura che mi riveste le costole e mi chiedo cosa sto facendo ancora lì.

Non è stato lui, l'uomo inginocchiato davanti a me sulla piazza, l'ustionato che veniva dall'Osso. Lui non ha premuto il grilletto. È stato qualcuno di molto più lontano in mezzo alla folla. Non ho provato una sensazione tipo carne perforata, quanto piuttosto quella di essere stata colpita da una mazza. Dopo l'istante dell'impatto, tutto è confusione punteggiata di spari. Tento di mettermi seduta, ma la sola cosa che riesco a fare è gemere.

La tenda bianca che separa il mio letto da quello dell'altro paziente viene scostata di scatto, e Johanna Mason abbassa lo sguardo su di me. In un primo tempo, mi sento minacciata, perché nell'arena Johanna mi aggredì. Devo ricordare a me stessa che fu per salvarmi la vita. Faceva parte del complotto dei ribelli. Questo però non significa che lei non mi disprezzi. E se il modo in cui mi trattava fosse stato solo una messinscena a beneficio di Capitol City?

— Sono viva — dico, con una voce che pare arrugginita.

— Sai che scoperta, idiota. — Johanna si avvicina e si lascia cadère pesantemente sul mio letto, provocandomi fitte di dolore lancinante in tutto il torace. Quando sogghigna di fronte al mio disagio, capisco che non siamo qui per una cordiale scena di riappacificazione. — Ancora un po' dolorante? — Con mano esperta, mi stacca rapidamente la flebo di morfamina dal braccio e la inserisce nell'attacco fissato con lo scotch all'incavo del suo.

— Hanno cominciato a ridurmi le dosi qualche giorno fa. Temono che mi trasformi in uno di quei drogati del 6. Ho dovuto farmi fare un prestito da te quando non mi vedevano. Pensavo non ti sarebbe dispiaciuto.

Dispiacermi? Come potrebbe dispiacermi se dopo l'Edizione della Memoria fu praticamente torturata a morte da Snow? Non ho alcun diritto di dispiacermi, e lei lo sa.

Johanna sospira quando la morfamina le entra in circolo. — Forse ci avevano visto giusto, nel 6. Sballa e dipingiti il corpo di fiori. Non è poi una brutta vita. E comunque sembravano più felici loro di noi.

Nelle settimane da che ho lasciato il 13, ha rimesso su un po' di peso. Sulla testa rasata le è spuntata una peluria morbida che contribuisce a nascondere qualche cicatrice. Ma se mi ruba la morfamina vuol dire che è in difficoltà.

— Hanno uno strizzacervelli che viene ogni giorno. Per aiutarmi a guarire, in teoria. Come se un tizio che ha passato la vita in questa conigliera fosse in grado di rimettermi in sesto. Un cretino totale. Mi ricorda almeno venti volte a seduta che sono assolutamente al sicuro. — Riesco a fare un sorriso. È davvero una cosa stupida da dire, soprattutto a un vincitore. Come se qualcuno, in qualche posto, avesse mai sperimentato una condizione del genere. — E tu, Ghiandaia Imitatrice? Ti senti assolutamente al sicuro?

— Oh, certo. Assolutamente, almeno finché non mi hanno sparato — dico.

— Ma per favore. Quella pallottola non ti ha neanche toccata. Ci aveva già pensato Cinna — ribatte lei.

Penso agli strati di protezione corazzati della mia tenuta da Ghiandaia Imitatrice. Ma il dolore deve essere pur venuto da qualche parte. — Costole rotte?

— Nemmeno. Un bel po' ammaccate. L'impatto ti ha spappolato la milza. Non sono riusciti a rimetterla insieme. — Fa un cenno sbrigativo con la mano. — Su con la vita, la milza mica ti serve. E, nel caso, te ne troverebbero una, no? È dovere di tutti mantenerti in vita.

— È per questo che mi odi? — chiedo.

— In parte sì — ammette. — La gelosia c'entra di sicuro. E trovo un po' difficile crederti. Con quella squallida commedia romantica e la sceneggiata da difensore-degli-oppressi. Solo che non è una sceneggiata, il che ti rende ancora più insopportabile. Liberissima di prenderla come un'offesa personale.

— Avresti dovuto farla tu, la Ghiandaia Imitatrice. Non ci sarebbe stato bisogno che qualcuno ti suggerisse le battute — osservo.

— Vero. Ma io non piaccio a nessuno — mi dice.

— Però hanno avuto fiducia in te. Per tirarmi fuori — le ricordo. — E ti temono.

— Su questo, ho dei dubbi. A Capitol City, sei tu l'unica di cui hanno paura, ormai. — Gale compare sulla soglia e Johanna si stacca abilmente la mia flebo di morfamina e la riattacca a me. — Tuo cugino non mi teme — dice, in tono confidenziale. Scende rapida dal mio letto e attraversa la stanza fino alla porta, dando un colpetto col fianco alla gamba di Gale mentre gli passa accanto. — Non è vero, bellissimo? — Sentiamo le sue risate mentre si dilegua lungo il corridoio.

Inarco le sopracciglia quando mi prende la mano. — Sono terrorizzato — dice, muovendo solo le labbra. Rido, ma il mio riso si trasforma subito in una smorfia di dolore. — Piano. — Mi accarezza il viso, mentre le fitte diminuiscono. — Devi smetterla di cacciarti sempre nei guai.

— Lo so. Ma qualcuno aveva fatto esplodere una montagna — rispondo.

Invece di tirarsi indietro, Gale si china ancora di più, studiando la mia espressione. — Tu mi credi senza cuore.

— So che non è così. Ma non ti dirò che mi sta bene — dico.

Adesso si ritrae, quasi con impazienza. — Katniss, sul serio, qual è la differenza tra schiacciare i nostri nemici in una miniera e abbatterli con una delle frecce di Beetee? Il risultato è lo stesso.

— Non lo so. Un motivo è che nell'8 eravamo sotto attacco. L'ospedale era sotto attacco — dico.

— Sì, e quegli aerei venivano dal Distretto 2 — replica lui. — Perciò, eliminando loro, abbiamo evitato ulteriori attacchi.

— Ma questo modo di pensare potrebbe diventare una buona ragione per uccidere chiunque in qualsiasi momento. Si potrebbe arrivare a giustificare che dei bambini vengano spediti agli Hunger Games per evitare che i distretti passino i limiti — obietto.

— Non sono convinto — mi dice.

— Io sì — ribatto. — Devono essere stati i viaggetti per l'arena che ho fatto.

— Benissimo. Tu e io sì che sappiamo come essere in disaccordo — dice. — È sempre stato così. Magari è un bene. Detto tra noi, il Distretto 2 è nostro, ormai.

— Davvero? — Per un attimo, una sensazione di trionfo divampa dentro di me. Poi penso alla gente sulla piazza. — Ci sono stati combattimenti dopo che mi hanno sparato?

— Poca roba. Quelli che venivano dall'Osso se la sono presa con i soldati di Capitol City. I ribelli sono rimasti a guardare e basta — spiega. — In effetti, tutto il Paese è rimasto a guardare.

— Be', è quello che sa fare meglio — commento.

Si penserebbe che perdere un organo importante ti dia il diritto di startene a oziare per qualche settimana, ma per qualche ragione i medici mi vogliono in piedi e in movimento quasi subito. Anche con la morfamina, nei primi giorni il dolore interno è molto forte, ma poi diminuisce notevolmente. L'indolenzimento delle costole ammaccate, invece, promette di resistere per un po'. Comincio a essere infastidita dal continuo attingere di Johanna alle mie scorte di morfamina, ma le permetto ancora di fare tutto quello che vuole.

Le voci sulla mia morte continuano a impazzare, così mandano la troupe a riprendermi nel mio letto d'ospedale. Mostro i punti e i miei lividi impressionanti e mi congratulo con i distretti per la loro vittoriosa battaglia per l'unità. Poi avverto Capitol City che ci rivedremo presto.

Come parte della mia riabilitazione, faccio ogni giorno brevi passeggiate in superficie. Un pomeriggio, Plutarch si unisce a me e mi aggiorna sulla situazione attuale. Ora che anche il Distretto 2 è nostro alleato, gli insorti si stanno prendendo una pausa per serrare di nuovo le fila. Consolidano i canali di rifornimento, si occupano dei feriti, riorganizzano le loro truppe. Capitol City, come il Distretto 13 nei Giorni Bui, si ritrova completamente tagliata fuori da qualsiasi aiuto esterno, pur tenendo sospesa sulla testa dei suoi nemici la minaccia di un attacco nucleare. A differenza del 13, però, Capitol City non è nella posizione di reinventare se stessa e diventare autosufficiente.

— Oh, la città potrebbe anche tirare avanti per un po' — dice Plutarch. — Ci sono sicuramente delle scorte di emergenza. Ma la differenza più significativa tra il 13 e Capitol City sta nelle aspettative della plebe. La gente del

13 era abituata alle privazioni, mentre gli abitanti di Capitol City non conoscono altro che Panem et Circenses.

— Sarebbe a dire? — Capisco Panem, naturalmente, ma il resto non ha senso.

— È una massima che risale a migliaia di anni fa, scritta in una lingua che si chiamava latino dalle parti di un posto chiamato Roma — spiega. — *Panem et Circenses* si traduce "Pane e divertimenti". L'autore diceva che, in cambio di pancia piena e spettacoli, il popolo aveva rinunciato alle proprie responsabilità politiche e, di conseguenza, al suo potere.

Penso a Capitol City. Alla sovrabbondanza di cibo. E allo spettacolo degli spettacoli. Gli Hunger Games. — Quindi è a questo che servono i distretti. A fornire pane e divertimenti.

— Sì. E fintanto che pane e divertimenti continuavano ad arrivare, Capitol City ha potuto controllare il suo piccolo impero. Adesso non è in grado di procurare né l'uno né gli altri, quantomeno non ai livelli cui sono abituati i suoi abitanti — dice Plutarch. — Noi abbiamo il cibo e io sono sul punto di organizzare un pass-pro-spettacolo che è destinato a essere un successo. Tutti adorano i matrimoni, in fondo.

Mi blocco di colpo, nauseata all'idea di ciò che sta suggerendo. All'idea che stia in qualche modo orchestrando una sorta di assurdo matrimonio tra me e Peeta. Da quando sono tornata, non sono più stata capace di mettermi davanti a quello specchio unidirezionale e, su mia stessa richiesta, ricevo aggiornamenti sulle condizioni di Peeta solo da Haymitch. Che parla pochissimo. Si stanno sperimentando le più svariate tecniche. In realtà, non troveranno mai un modo per guarire Peeta. E adesso vogliono che lo sposi per un pass-pro?

Plutarch si affretta a rassicurarmi. — Oh no, Katniss. Non il tuo matrimonio. Quello di Finnick e Annie. Tu devi soltanto fare atto di presenza e fingere di essere felice per loro.

— Quella è una delle poche cose che non dovrò fingere, Plutarch — gli dico.

I giorni successivi fervono di animazione mentre l'evento viene pianificato. La circostanza mette a nudo tutte le differenze esistenti tra Capitol City e il Distretto 13. Quando la Coin dice "matrimonio", intende due persone che firmano un pezzo di carta e ricevono una nuova unità abitativa. Plutarch, invece, intende una festa di tre giorni a cui partecipano centinaia di persone tutte in ghingheri. È divertente starli a guardare mentre mercanteggiano sui dettagli. Plutarch deve combattere per ogni invitato, per ogni nota musicale. Dopo essersi visto porre il veto dalla Coin a cena, spettacoli e alcolici, Plutarch strilla: — Allora a cosa serve il pass-pro se nessuno si diverte?

È difficile imporre un budget a uno stratega. Ma anche una festicciola tranquilla fa scalpore, nel 13, dove sembra che le vacanze non esistano proprio. Quando viene annunciato che servono dei bambini per cantare la canzone nuziale del Distretto 4, i ragazzini si presentano praticamente tutti. Non c'è penuria di volontari per aiutare a realizzare le decorazioni. Nel refettorio, la gente chiacchiera eccitata dell'avvenimento.

Forse non sono solo i festeggiamenti. Forse abbiamo tutti una tale voglia che accada qualcosa di bello che vogliamo assolutamente farne parte. Questo spiegherebbe perché – quando Plutarch è preso da convulsioni per ciò che indosserà la sposa – mi offro volontaria per portare Annie a casa mia, nel 12, dove Cinna ha lasciato un assortimento di vestiti da sera in un grande armadio a pianterreno. Tutti gli abiti da sposa che aveva disegnato per me sono tornati a Capitol City, ma ci sono alcuni vestiti che ho indossato durante il Tour della Vittoria. Stare con Annie mi rende un po' diffidente, dal momento che in realtà di lei so soltanto che Finnick la ama e che tutti la credono pazza. Mentre siamo in volo con l'hovercraft, però, concludo che, più che pazza, Annie è instabile. Ride in momenti strani della conversazione o se ne estrania con aria assente. Quegli occhi verdi si fissano su un punto con una tale intensità che ti ritrovi a cercare di capire cosa veda nel vuoto. A volte, senza alcun motivo, si preme le mani sulle orecchie come per tenere fuori un suono che le provoca dolore. È strana, d'accordo, ma se Finnick la ama, per me va bene così.

Ottengo il permesso di far venire il mio staff di preparatori, il che mi evita di dover prendere decisioni che riguardano la moda. Quando apro l'armadio, ci facciamo tutti silenziosi perché in quella cascata di tessuti avvertiamo fortissima la presenza di Cinna. Poi Octavia cade in ginocchio, si strofina l'orlo di una gonna sulla guancia e scoppia in lacrime. — È passato così tanto tempo da quando ho visto qualcosa di carino — ansima.

Benché fino all'ultimo la Coin lo ritenga troppo stravagante e Plutarch troppo tetro, il matrimonio è un successone. I trecento fortunati prescelti del Distretto 13 e i molti rifugiati indossano i vestiti di tutti i giorni, le decorazioni sono fatte con fogliame autunnale, la musica viene da un coro di bambini accompagnato dal solo violinista che sia riuscito a fuggire dal 12 portando con sé il suo strumento. È tutto molto semplice, addirittura frugale per gli standard di Capitol City, ma non importa, perché niente può competere con la bellezza degli sposi. E non è questione dello sfarzoso abbigliamento preso a prestito, anche se i vestiti sono sensazionali: Annie porta un abito di seta verde che io indossai nel Distretto 5, Finnick uno dei completi di Peeta, ritoccato per l'occasione. C'è forse qualcuno che riesce a guardare oltre i volti radiosi di due persone per le quali quella giornata è stata, un tempo, praticamente insostenibile? Dalton, il tipo del bestiame che viene dal 10, officia la cerimonia, dato che somiglia a quella che si usava dalle sue parti. Ma ci sono tocchi ineguagliabili da Distretto 4: una rete di lunghi fili d'erba intrecciati che copre la coppia durante i voti, lo sfiorare l'uno le labbra dell'altra con acqua salata, e l'antica canzone nuziale, che paragona il matrimonio a un viaggio per mare.

No, non ho bisogno di fingere di essere felice per loro.

Dopo il bacio che sigilla l'unione, gli evviva e un brindisi con sidro di mele, il violinista attacca un motivo che fa girare ogni testa proveniente dal 12. Saremo anche stati il distretto più piccolo e più povero di Panem, però sappiamo come si balla. Non c'è una programmazione ufficiale, a questo punto, ma Plutarch, che sta annunciando il pass-pro dalla sala di regia, deve avere le dita incrociate. Com'era prevedibile, Sae la Zozza prende Gale per mano, lo trascina al centro della pista e si mette di fronte a lui. Arrivano in molti per unirsi a loro, formando due lunghe file. E la danza comincia.

Sono lì accanto e batto le mani a tempo, quando delle dita ossute mi afferrano dolorosamente sopra il gomito. Johanna mi guarda male. — Vuoi perderti l'occasione di far vedere a Snow che balli? — Ha ragione. Cosa canterebbe vittoria più di un'allegra Ghianda-ia Imitatrice che piroetta qua e là a tempo di musica? Trovo Prim tra la folla. Con tutto il tempo che le serate invernali ci hanno lasciato per esercitarci, in effetti siamo diventate ballerine piuttosto brave. Ignoro le sue preoccupazioni per le mie costole e prendiamo posto nella fila. Fa male, ma la soddisfazione di farmi vedere da Snow mentre ballo con la mia sorellina polverizza ogni altra sensazione.

La danza ci trasforma. Insegniamo i passi agli invitati del Distretto 13. Pretendiamo un brano speciale per la sposa e lo sposo. Ci prendiamo per mano e formiamo un gigantesco cerchio che gira in tondo nel quale ognuno mette in mostra il suo gioco di gambe. Era tanto che non succedeva niente di frivolo, allegro o divertente. E potrebbe andare avanti tutta la notte, se non fosse per l'ultimo evento programmato da Plutarch per il pass-pro. Qualcosa di cui non sapevo niente, ma che del resto doveva essere una sorpresa.

Quattro persone fanno uscire da una stanza laterale un'enorme torta nuziale. La maggior parte degli ospiti indietreggia per lasciar passare quella rarità, quell'abbagliante creazione con una glassa di onde verdi-azzurre sormontate di bianco, fra le quali si affollano pesci e barche a vela, foche e fiori marini. Ma io mi apro un varco tra la folla per avere la conferma di ciò che sapevo sin dalla prima occhiata: come è certo che i punti del ricamo sull'abito di Annie sono stati fatti dalle mani di Cinna, è altrettanto certo che i fiori glassati sulla torta sono stati fatti da quelle di Peeta.

Può anche sembrare una sciocchezza, ma la dice lunga. Haymitch continua a nascondermi un bel po' di dettagli. Il ragazzo che ho visto l'ultima volta mentre urlava a più non posso cercando di liberarsi a forza dalle cinghie di contenimento non avrebbe mai potuto fare questo. Non avrebbe mai avuto concentrazione sufficiente né mani abbastanza ferme per disegnare qualcosa di così perfetto per Finnick e Annie. Come se prevedesse la mia reazione, Haymitch è al mio fianco.

— Facciamoci due chiacchiere — dice.

Una volta uscita in corridoio, lontano dalle telecamere, chiedo: — Cosa gli sta succedendo?

Haymitch scuote la testa. — Non lo so. Nessuno di noi lo sa. A volte è quasi razionale, poi, senza un motivo, torna a esplodere. Fare la torta è stato una specie di terapia. Ci ha lavorato per giorni. Lo guardavo... sembrava quasi lo stesso di prima.

— E adesso è autorizzato ad andare dove gli pare? — chiedo. L'idea mi rende nervosa ad almeno cinque livelli diversi.

— Oh, no. Ha glassato la torta sotto stretta sorveglianza. È ancora sotto chiave. Ma io ci ho parlato — dice Haymitch.

— Faccia a faccia? — chiedo. — E non ha dato di matto?

— No. Era molto arrabbiato con me, ma per ragioni tutte giuste. Per non avergli detto del complotto dei ribelli e altre bazzecole del genere. — Haymitch esita un attimo, come se stesse decidendo qualcosa. — Dice che gli piacerebbe vederti.

Sono su una barca a vela di glassa, sballottata da onde verdi-azzurre, con il ponte che ondeggia sotto i miei piedi. I palmi delle mie mani si conficcano nella parete per tenermi in equilibrio. Questo non faceva parte del piano. Avevo rinunciato a Peeta nel Distretto 2. Poi sarei andata a Capitol City, avrei ucciso Snow e mi sarei fatta eliminare io stessa. La pallottola che mi aveva colpito era solo un contrattempo. Non avrei mai dovuto sentire le parole "Dice che gli piacerebbe vederti". Ma adesso che le ho sentite, non ho modo di rifiutarmi.

A mezzanotte, sono fuori dalla porta della sua cella.

Una stanza d'ospedale. Dobbiamo aspettare che Plutarch finisca di montare il filmato del matrimonio, del quale è più che soddisfatto, nonostante la mancanza di quello che lui definisce ostentato esibizionismo. — Il bello del fatto che Capitol City abbia sostanzialmente ignorato il Distretto 12 per tutti questi anni è che tutti voi avete ancora un po' di spontaneità. Il pubblico ne va matto. Come quando Peeta annunciò di essere innamorato di te o quando tu facesti il giochetto delle bacche. È audience assicurata.

Vorrei poter incontrare Peeta in privato. Ma il solito pubblico di medici si è già raccolto dietro il vetro a specchio, penne e blocchi per appunti pronti per l'uso. Quando Haymitch mi dà il via nell'auricolare, apro lentamente la porta.

Subito quegli occhi azzurri si fissano su di me. Peeta ha tre cinghie di contenimento per braccio e un tubicino che può somministrargli un sedativo nel caso perda il controllo. Non lotta per liberarsi, però, mi osserva soltanto con lo sguardo diffidente di uno che non ha ancora escluso la possibilità di trovarsi in presenza di un mutante. Mi avvicino finché non arrivo a circa un metro dal letto. Non ho niente da fare con le mani, perciò incrocio protettiva le braccia sulle costole prima di parlare. — Ciao.

— Ciao — risponde lui. Somiglia alla sua voce, è quasi la sua voce, tranne per il fatto che ha dentro qualcosa di nuovo. Una punta di sospetto e di rimprovero.

— Haymitch ha detto che volevi parlarmi — dico.

— Guardarti, per cominciare. — Sembra si aspetti che mi trasformi in un ibrido di lupo, schiumante di bava, proprio davanti ai suoi occhi. Mi fissa così a lungo che mi ritrovo a gettare occhiate furtive allo specchio e a sperare in qualche indicazione da parte di Haymitch, ma il mio auricolare rimane silenzioso. — Non sei molto alta, vero? O particolarmente carina.

So che ha toccato il fondo dell'inferno e ritorno, eppure, per qualche motivo, quell'osservazione mi prende per il verso sbagliato. — Be', anche tu hai avuto un aspetto migliore.

Il consiglio di Haymitch di fare marcia indietro viene attutito dalla risata di Peeta. — E neanche lontanamente gentile, a dirmi una cosa del genere dopo quello che ho passato.

— Già. Tutti noi ne abbiamo passate di cotte e di crude. E sei tu quello che era famoso per essere gentile. Non io. — Sto sbagliando tutto. Non so perché mi sento tanto diffidente. È stato torturato! È stato depistato! Cos'ho che non va? Di colpo, penso che potrei mettermi a urlare contro di lui, non so nemmeno per cosa, perciò decido di andarmene di lì. — Senti, non mi sento troppo bene. Magari passo domani.

Ho appena raggiunto la porta quando la sua voce mi ferma. — Katniss, mi ricordo del pane.

Il pane. L'unico momento che ci ha davvero uniti prima degli Hunger Games.

— Ti hanno mostrato il nastro in cui ne parlo — dico.

— No. C'è un nastro in cui ne parli? E perché Capitol City non l'ha usato contro di me? — chiede.

— Mi hanno ripreso il giorno in cui sei stato liberato — rispondo. Il dolore che ho nel petto mi avvolge le costole come una morsa. Ballare è stato un errore. — Cosa ricordi, allora?

— Te. Sotto la pioggia — dice in tono sommesso. — Che frughi nei nostri bidoni dell'immondizia. Io che brucio il pane. Mia madre che mi picchia. Io che porto fuori il pane per il maiale e invece lo do a te.

— Esatto. È proprio quello che è successo — dico. — Il giorno seguente, dopo la scuola, volevo ringraziarti. Ma non sapevo come.

— Eravamo fuori, a fine giornata. Ho cercato di attirare la tua attenzione, ma hai distolto lo sguardo. E poi... per qualche motivo, credo che tu abbia raccolto un dente di leone. — Annuisco. Se lo ricorda davvero. Io non ho mai parlato di quel momento. — Devo averti amata molto.

— È vero. — La mia voce si spezza e fingo di tossire.

— E tu mi amavi? — chiede.

Tengo gli occhi sulle piastrelle del pavimento. — Tutti dicono di sì. Tutti dicono che è per questo che Snow ti ha fatto torturare. Per spezzare me.

— Questa non è una risposta — replica lui. — Non so cosa pensare quando mi fanno vedere certi nastri. Come quella prima volta nell'arena, sembrava che cercassi di uccidermi con quegli aghi inseguitori.

— Stavo cercando di uccidere tutti voi — dico. — Mi avevate bloccata su un albero.

— E dopo, c'è una gran quantità di baci. Non sembravano molto sinceri da parte tua. Ti piaceva baciarmi? — chiede.

— A volte — confesso. — Lo sai che c'è gente che ci sta guardando, in questo momento?

— Lo so. E Gale? — continua.

La mia rabbia sta tornando. Non me ne frega niente della sua guarigione, questi non sono affari dei tizi che stanno dietro lo specchio. — Anche lui non bacia male — dico seccamente.

— E andava bene a tutti e due? Che tu baciassi l'altro? — chiede.

— No. Non andava bene a nessuno dei due. Ma io non vi chiedevo il permesso — rispondo.

Peeta ride di nuovo. Glaciale, sprezzante. — Be', sei una bella stronza, non ti pare?

Haymitch non protesta quando me ne vado. Cammino lungo il corridoio. Attraverso l'alveare delle unità abitative. Trovo in una lavanderia una tubatura calda dietro cui nascondermi. Ci metto parecchio prima di capire perché sono tanto indispettita. E, quando ci arrivo, ammetterlo è quasi troppo umiliante. Tutti quei mesi in cui ho dato per scontato che Peeta mi considerasse meravigliosa sono finiti. Adesso mi vede per quello che sono realmente. Violenta. Sospettosa. Manipolatrice. Letale.

E lo odio per questo.

CAPITOLO 17

Colpita a tradimento. È così che mi sento quando Haymitch mi ordina di tornare in ospedale. Scendo di volata le scale che portano al Comando, la mente in subbuglio, e irrompo direttamente in un consiglio di guerra.

— Come sarebbe a dire che non vado a Capitol City? Io devo andare! Sono la Ghiandaia Imitatrice! — dico.

La Coin alza a malapena lo sguardo dal proprio schermo. — E in quanto Ghiandaia Imitatrice, hai raggiunto il tuo obiettivo primario: riunire i distretti contro Capitol City. Niente paura, se tutto va bene ti ci porteremo in aereo quando si arrenderà.

Quando si arrenderà?

— Ma sarà troppo tardi! Mi perderò tutto lo scontro. Io vi servo... sono il miglior tiratore che avete! — urlo. Di solito non me ne vanto, ma se non altro è abbastanza vero. — Gale ci va.

— Gale si è presentato all'addestramento ogni giorno, a meno che non avesse altre mansioni autorizzate da svolgere. Confidiamo che sul campo saprà cavarsela

— ribatte la Coin. — Tu a quante sessioni di addestramento hai partecipato?

A nessuna. Ecco a quante. — Be', a volte ero a caccia. E... mi sono allenata con Beetee, giù agli Armamenti speciali.

— Non è la stessa cosa, Katniss — dice Boggs. — Sappiamo tutti che sei sveglia e coraggiosa e sei un'ottima tiratrice. Ma sul campo ci servono soldati. Non hai idea di cosa voglia dire eseguire gli ordini, e dal punto di vista fisico non sei esattamente al meglio.

— Tutto questo non vi preoccupava, quando sono stata nell'8. O nel 2, se è per questo — replico.

— Non ti avevamo autorizzata al combattimento in nessuno dei due casi, all'inizio — sottolinea Plutarch, lanciandomi uno sguardo che indica che sono sul punto di dire troppo.

No, in effetti la battaglia contro i bombardieri nell'8 e il mio intervento nel 2 sono stati spontanei, avventati, e decisamente non autorizzati.

— E in un caso come nell'altro, hai finito per ferirti — mi ricorda Boggs. All'improvviso, mi vedo con i suoi occhi. Una diciassettenne piccoletta che non riesce neppure a tirare il fiato perché le sue costole non sono ancora completamente guarite. Trasandata. Indisciplinata. Convalescente. Non un soldato, ma qualcuno che ha bisogno di una balia.

— Ma io devo andare — dico.

— Perché? — chiede la Coin.

Non posso mica dire che è per mettere in atto la mia vendetta personale contro Snow. O che l'idea di rimanere qui nel 13 con l'ultimissima versione di Peeta mentre Gale se ne va a combattere mi riesce insopportabile. Ma le ragioni per voler combattere a Capitol City non mi mancano. — Per via del 12. Perché hanno annientato il mio distretto.

La presidente ci pensa su un momento. Mi studia. — Be', hai tre settimane. Non è molto, ma puoi cominciare l'addestramento. Se la Commissione Incarichi ti riterrà idonea, è possibile che il tuo caso venga riesaminato.

È tutto. Ed è il massimo in cui posso sperare. Immagino sia colpa mia. Ho bellamente ignorato il mio programma ogni giorno, eccetto quando comprendeva qualcosa che mi andava a genio. Non mi sembrava una priorità trottare di qua e di là per un campo con un fucile in mano mentre succedevano tante altre cose. E adesso pago per la mia trascuratezza.

Di ritorno in ospedale, trovo Johanna nella mia stessa situazione e fuori di sé dalla rabbia. Le racconto quello che mi ha detto la Coin. — Magari puoi fare addestramento anche tu.

— Benissimo. Farò addestramento. Ma ho tutte le intenzioni di andare in quella schifosa Capitol City, dovessi uccidere un equipaggio e volare là da sola — dice Johanna.

— Forse sarà meglio non sollevare l'argomento durante le sessioni — ribatto. — Ma è bello sapere che avrò un passaggio.

Johanna sogghigna, e percepisco un leggero ma significativo cambiamento nel nostro rapporto. Non sono sicura che siamo davvero amiche, ma il termine "alleate" potrebbe essere quello giusto. Ottimo. Avrò bisogno di un'alleata.

Il mattino seguente, quando alle 7.30 ci presentiamo all'addestramento, la realtà mi rifila uno schiaffo in pieno viso. Ci hanno messe in un corso di quattordicenni e quindicenni semiprincipianti, il che mi pare un tantino offensivo, finché non risulta evidente che loro sono molto più in forma di noi. Gale e gli altri che sono già stati scelti per andare a Capitol City si trovano in una fase più avanzata dell'addestramento. Dopo lo stretching (che fa male), ci sono un paio d'ore di esercizi di potenziamento (che fanno male) e una corsa di otto chilometri (che uccide). Anche con l'incentivo degli insulti di Johanna che mi fa tirare avanti, sono costretta a mollare dopo un chilometro e mezzo.

— Si tratta delle costole — spiego all'addestratrice, una pratica donna di mezza età alla quale dovremmo rivolgerci chiamandola soldato York. — Sono ancora ammaccate.

— Be', ti dirò, soldato Everdeen, quelle ci metteranno almeno un altro mese per guarire da sole — dice.

Scuoto la testa. — Non ce l'ho, un mese.

Mi squadra dalla testa ai piedi. — I medici non ti hanno proposto nessuna cura?

— C'è una cura? — chiedo. — A me hanno detto che si devono aggiustare in modo naturale.

— È quello che dicono loro. Ma potrebbero velocizzare il processo, se io glielo suggerissi. Però ti avverto, non è per niente divertente — mi spiega.

— La prego. Io devo partire per Capitol City — dico.

Il soldato York non fa domande. Scribacchia qualcosa su un blocchetto e mi manda direttamente in ospedale. Esito. Non voglio perdermi altro addestramento. — Sarò di ritorno per la sessione del pomeriggio — prometto. Lei si limita a stringere le labbra.

Ventiquattro punture d'ago nella gabbia toracica dopo, sono spiaccicata nel mio letto d'ospedale e digrigno i denti per trattenermi dall'implorare i dottori di ridarmi la flebo di morfamina. Era accanto al letto, perché potessi prenderne una dose in caso di bisogno. Non l'ho mai usata, negli ultimi tempi, ma la conservavo nell'interesse di Johanna. Oggi mi hanno analizzato il sangue per accertarsi che fosse pulito dall'antidolorifico, perché la mescolanza dei due farmaci, la morfamina e quello che mi ha incendiato le costole, qualunque cosa sia, ha pericolosi effetti collaterali. Mi hanno fatto capire che avrei avuto un paio di giorni difficili, ma io gli ho detto di procedere.

È una brutta notte, nella nostra stanza. Dormire è fuori questione.

Io credo di sentire davvero l'odore del cerchio di carne che brucia intorno al mio torace, e Johanna lotta contro i sintomi dell'astinenza. All'inizio, quando mi scuso per averle tolto la scorta di morfamina, accantona la cosa con un cenno della mano, dicendo che tanto doveva succedere, ma alle tre del mattino sono il bersaglio di ogni genere di colorita bestemmia che il Distretto 7 può offrire.

All'alba, mi trascina fuori dal letto, decisa ad andare all'addestramento.

— Non credo di farcela — confesso.

— Sì che ce la fai. Ce la facciamo tutte e due. Siamo vincitrici, ricordi? Siamo quelle che sopravvivono a qualsiasi cosa gli arrivi addosso — mi ringhia. Ha un brutto colorito verdastro e trema come una foglia. Intanto, mi vesto.

Dobbiamo essere vincitrici sul serio per riuscire a far passare la mattinata. Mi sembra di avere perso Johanna quando ci accorgiamo che fuori piove a dirotto. Il suo viso diventa cinereo e sembra che abbia smesso di respirare.

— È solo acqua. Non ci ucciderà — dico. Lei stringe la mascella ed esce con passo pesante in mezzo al fango. La pioggia ci inzuppa, mentre facciamo lavorare i nostri corpi e poi sgobbiamo correndo lungo il percorso. Mi fermo dopo un chilometro e mezzo e devo resistere alla tentazione di togliermi la camicia per farmi sfrigolare l'acqua fresca sulle costole. Mi sforzo di mandare giù il pranzo da campo fatto di pesce molliccio e stufato di barbabietole. Johanna arriva a metà della sua scodella prima che il cibo mi torni su.

Nel pomeriggio, impariamo ad assemblare i nostri fucili. Io ce la faccio, ma Johanna non riesce a tenere le mani abbastanza ferme per incastrare i pezzi tra di loro. Quando la York ci gira le spalle, la aiuto. Anche se la pioggia continua a scendere, il pomeriggio va meglio, perché siamo al poligono. Finalmente qualcosa in cui sono brava. Passare da un arco a un fucile richiede un po' di adattamento, ma a fine giornata ho il punteggio migliore del mio corso.

Abbiamo appena varcato le porte dell'ospedale, quando Johanna dichiara: — Questa cosa deve finire. Vivere in ospedale. Tutti ci considerano malate.

Per me non è un problema. Posso trasferirmi nell'unità abitativa dei miei, ma a Johanna non ne hanno mai assegnata una. Quando cerca di farsi dimettere, non accettano che vada a vivere da sola, anche se dice che verrà in ospedale ogni giorno per parlare con lo strizzacervelli. Probabilmente hanno fatto due più due riguardo alla morfamina, e questo deve avere confermato la loro opinione sulla sua instabilità. — Non sarà sola. Dividerò io la stanza con lei — annuncio. Qualcuno è contrario, ma Haymitch prende le nostre parti e, all'ora di andare a letto, abbiamo la nostra unità, di fronte a quella di Prim e di mia madre, che acconsente a tenerci d'occhio.

Io faccio la doccia, mentre Johanna, dopo essersi ripulita in qualche modo con un panno umido, esegue una rapida perlustrazione del luogo. Quando apre il cassetto che contiene i miei pochi averi, lo richiude alla svelta e dice: — Scusa.

Penso che nel cassetto di Johanna non c'è niente, a parte i vestiti forniti dal 13, che non ha una sola cosa che possa dire sua. — È tutto a posto. Puoi guardare la mia roba se vuoi.

Johanna apre il mio medaglione e studia le foto di Gale, Prim e mia madre. Scioglie il paracadute argentato e tira fuori la spillatrice, infilandosela nel mignolo. — Solo vederla mi fa venire sete. — Poi trova la perla che mi ha regalato Peeta. — È...?

— Sì — dico. — È riuscita ad arrivare fin qui, non si sa come. — Non voglio parlare di Peeta. Una delle cose migliori dell'addestramento è che mi impedisce di pensare a lui.

— Haymitch dice che sta meglio — osserva.

— Forse. Ma è cambiato — replico.

— Anche tu sei cambiata. Anch'io. E Finnick e Haymitch e Beetee. Vuoi che mi metta a parlare di Annie Cresta? L'arena ci ha sconvolti un bel po' tutti quanti, non credi? O ti senti ancora la ragazza che si è offerta volontaria al posto di sua sorella? — mi chiede.

— No — rispondo.

— Questa è l'unica cosa su cui il mio strizzacervelli potrebbe avere ragione. Non c'è modo di tornare indietro. Perciò tanto vale che andiamo avanti. — Ripone con cura i miei ricordi nel cassetto e sale sul letto di fronte a me proprio mentre le luci si spengono. — Non hai paura che stanotte io ti uccida?

— Come se non fossi capace di fermarti — rispondo. Poi ridiamo, perché il fisico di entrambe è così provato che sarà già un miracolo se il giorno seguente riusciremo ad alzarci. Ma lo facciamo. Ogni mattina.

E alla fine della settimana, le mie costole sembrano quasi nuove, e Johanna è in grado di assemblare il suo fucile senza aiuti.

Mentre stacchiamo a giornata conclusa, il soldato York rivolge a tutte e due un cenno della testa in segno di approvazione. — Ottimo lavoro, soldati.

Quando non siamo più a portata di orecchio, Johanna borbotta: — È stato più facile vincere i Giochi. — Ma l'espressione del suo viso dice che è contenta.

In effetti siamo quasi allegre quando arriviamo al refettorio, dove Gale sta aspettando per mangiare insieme a me. Anche ricevere una ricca porzione di stufato di manzo non fa male al mio umore. — I primi carichi di cibo sono arrivati stamattina — mi spiega Sae la Zozza. — È manzo vero, questo, del Distretto 10. Mica uno dei vostri cani selvatici.

— Non ricordo che tu me li abbia mai rifiutati — ribatte Gale.

Ci uniamo a un gruppo che comprende Delly, Annie e Finnick. È impressionante vedere quanto il matrimonio abbia cambiato Finnick. Le sue incarnazioni precedenti – il decadente oggetto del desiderio di Capitol City che avevo conosciuto prima dell'Edizione della Memoria, l'alleato enigmatico all'arena, il giovane uomo a pezzi che cercava di aiutarmi a non crollare – sono state sostituite da qualcuno che sprigiona vita. Le vere attrattive di Finnick, fatte di un umorismo schivo e di un carattere accomodante, si rivelano per la prima volta. Non lascia mai la mano di Annie. Né quando camminano né quando mangiano. Dubito che abbia in programma di farlo mai. Lei è persa in una specie di stuporosa felicità.

Ci sono ancora momenti in cui si capisce che qualcosa le si intrufola nel cervello e in cui un altro mondo le impedisce di vedere il nostro. Ma qualche parola di Finnick la riporta indietro.

Delly, che conosco da quando ero piccola ma cui non ho mai fatto molto caso, è cresciuta nella mia stima. Le hanno raccontato quello che mi disse Peeta la sera dopo il matrimonio, ma lei non è una pettegola. Secondo Haymitch, è il mio miglior difensore quando Peeta dà in escandescenze e si mette a insultarmi. Prende sempre le mie parti, attribuisce la colpa delle sue percezioni negative alle torture di Capitol City. Esercita su Peeta più influenza di chiunque altro, perché lui la conosce davvero.

In ogni caso, anche se Delly sparge zucchero a piene mani sui miei lati positivi, apprezzo quello che fa. A essere sincera, un po' di zucchero non mi dispiace.

Sto morendo di fame e lo stufato è talmente delizioso – manzo, patate, rape e cipolle immersi in un sugo denso – che devo costringermi a rallentare. Da una parte all'altra del refettorio si percepisce l'effetto ristoratore che può dare un buon pasto. Il modo in cui rende le persone più gentili, più allegre, più ottimiste, ricordando loro che continuare a vivere non è un errore. Un buon pasto è meglio di qualunque medicina. Così cerco di farmelo durare e di unirmi alla conversazione. Inzuppo il pane nel sugo e lo sbocconcello mentre ascolto Finnick raccontare la buffa storiella di una tartaruga di mare che aveva preso il largo con il suo cappello. Rido prima di accorgermi che lui è lì, proprio dall'altra parte del tavolo, dietro il posto vuoto accanto a Johanna. E mi osserva. Di punto in bianco, il pane con il sugo mi va di traverso e mi si ferma in gola.

— Peeta! — esclama Delly. — È bello vederti... in giro.
Due robusti sorveglianti sono in piedi alle sue spalle. Lui tiene il vassoio in modo goffo, in equilibrio sulla punta delle dita perché i suoi polsi sono ammanettati l'uno all'altro con una corta catena.

— E quei braccialetti stravaganti? — chiede Johanna.

— Non sono ancora del tutto affidabile — dice Peeta.
— Non posso neppure sedermi qui senza il vostro permesso. — Indica i sorveglianti con la testa.

— Ma certo che puoi sederti qui. Siamo vecchi amici
— dice Johanna, dando un colpetto sullo spazio accanto a lei. I sorveglianti annuiscono e Peeta prende posto.

— Le nostre celle erano una accanto all'altra, a Capitol City. Io conosco benissimo le sue urla e lui le mie.

Annie, che si trova dall'altro lato di Johanna, fa quella cosa di coprirsi le orecchie per distaccarsi dalla realtà. Finnick lancia a Johanna uno sguardo di rimprovero e mette il braccio intorno a Annie.

— Che c'è? Il mio strizzacervelli dice che non dovrei censurare i miei pensieri. Fa parte della terapia — replica Johanna.

L'animazione ha abbandonato la nostra piccola festa. Finnick mormora qualcosa a Annie finché lei non toglie pian piano le mani dalle orecchie. A quel punto, c'è un lungo silenzio, mentre tutti fanno finta di mangiare.

— Annie — dice Delly con vivacità, — lo sapevi che è stato Peeta a decorare la vostra torta nuziale? Quando eravamo a casa, la sua famiglia gestiva la panetteria e lui faceva tutte le glassature.

Annie guarda circospetta dall'altra parte di Johanna.
— Grazie, Peeta. Era bellissima.

— È stato un piacere, Annie — dice Peeta, e sento nella sua voce quell'antica nota di gentilezza che credevo scomparsa per sempre. Non che sia diretta a me. Però c'è ancora.

— Se vogliamo trovare il tempo per quella passeggiata, sarà meglio che andiamo — dice Finnick, rivolto a Annie. Sistema entrambi i vassoi in modo da poterli portare con una mano mentre si tiene stretta la moglie con l'altra. — È stato bello vederti, Peeta.

— Sii carino con lei, Finnick. O sarò tentato di portartela via. — Potrebbe essere una battuta, se il tono non fosse così gelido. Tutto ciò che esprime è sbagliato. L'aperta diffidenza nei confronti di Finnick, l'insinuazione che Peeta abbia messo gli occhi su Annie, che lei potrebbe abbandonare Finnick. Che io non esista neppure.

— Ehi, Peeta — dice Finnick con leggerezza. — Non farmi rimpiangere di averti rimesso in moto il cuore. — Conduce via Annie dopo avermi lanciato un'occhiata preoccupata.

Quando se ne sono andati, Delly gli dice, in tono di rimprovero: — Lui ti ha salvato la vita, Peeta. Più di una volta.

— Per lei. — Accenna a me con un rapido movimento della testa. — Per l'insurrezione, non per me. Io non gli devo niente.

Non dovrei abboccare, ma lo faccio. — Forse no. Però Mags è morta e tu sei ancora qui. Questo dovrebbe contare qualcosa.

— Già, tante cose dovrebbero contare qualcosa, ma a quanto pare non contano affatto, Katniss. Ho alcuni ricordi che non riesco a capire, e non credo che Capitol City ci abbia messo mano. Molte notti sul treno, per esempio — dice.

Ancora insinuazioni. Che sul treno ci sia stato qualcosa di più. Che quanto in realtà c'è stato (in quelle notti, se non sono impazzita, è solo perché lui mi teneva tra le braccia) non abbia più importanza. Tutta una menzogna, nient'altro che un modo per fargli del male.

Peeta fa un piccolo gesto con il cucchiaio, collegando Gale e me. — Allora voi due siete ufficialmente una coppia, adesso, o la tirano ancora in lungo con la storia degli innamorati sventurati?

— La tirano ancora in lungo — dice Johanna.

Una serie di spasmi fa sì che le mani di Peeta si chiudano a pugno per poi allargarsi in uno strano modo. Tutto qui quello che riesce a fare per tenerle lontane dal mio collo? Accanto a me, sento tendersi i muscoli di Gale, temo una lite. Ma Gale dice solo: — Non ci avrei creduto, se non l'avessi visto con i miei occhi.

— Cosa? — chiede Peeta.

— Te — risponde Gale.

— Dovrai essere un tantino più preciso — dice Peeta. — Io cosa?

— Intende dire che ti hanno sostituito con la versione malvagia di te stesso — spiega Johanna.

Gale finisce il suo latte. — Ci sei? — mi chiede. Mi alzo e attraversiamo il refettorio per deporre i nostri vassoi. Alla porta, un uomo anziano mi ferma perché stringo ancora in mano un avanzo di pane col sugo. Qualcosa nella mia espressione, o forse il fatto che non ho minimamente tentato di nasconderlo, lo induce a non essere troppo severo con me. Mi permette di ficcare il pane in bocca e passare oltre. Io e Gale siamo quasi arrivati alla mia unità, quando lui torna a parlare. — Non me l'aspettavo.

— Te l'avevo detto che mi odiava — dico.

— È il modo in cui ti odia. Mi è tanto... familiare. Una volta mi sentivo così — confessa. — Quando ti guardavo in TV mentre lo baciavi. Solo che io sapevo di essere ingiusto. Lui non lo capisce.

Raggiungiamo la mia porta. — Forse mi vede semplicemente per come sono in realtà. Devo dormire un po'.

Gale mi prende per un braccio prima che io possa scomparire. — Allora è questo che pensi, adesso? — Scrollo le spalle. — Katniss, in qualità di tuo più vecchio amico, credimi quando dico che lui non ti vede per come sei in realtà. — Mi bacia sulla guancia e se ne va.

Siedo sul mio letto, tentando di cacciarmi in testa le nozioni dei libri di Tattica Militare mentre il ricordo delle notti sul treno insieme a Peeta mi distrae.

Dopo circa venti minuti, Johanna entra e si getta di traverso in fondo al mio letto. — Ti sei persa la parte migliore. Delly si è arrabbiata moltissimo con Peeta per come ti ha trattata. È diventata praticamente stridula. Sembrava che qualcuno accoltellasse ripetutamente un topo con una forchetta. Tutto il refettorio ne era affascinato.

— Peeta cos'ha fatto? — chiedo.

— Si è messo a litigare con se stesso come se fosse due persone diverse. I sorveglianti hanno dovuto portarlo via. Il lato bello è che nessuno sembra essersi accorto che ho finito il suo stufato. — Johanna si strofina la pancia con la mano. Guardo lo strato di sporcizia sotto le sue unghie. Mi chiedo se la gente del Distretto 7 faccia mai il bagno.

Trascorriamo un paio d'ore interrogandoci a vicenda sui termini militari. Vado a trovare mia madre e Prim per un po'. Quando torno nella mia unità, dopo aver fatto la doccia ed essere rimasta a fissare il buio, alla fine chiedo: — Johanna, davvero lo sentivi urlare?

— Faceva parte del gioco — dice. — Come le ghiandaie chiacchierone nell'arena. Solo che era vero. E non smetteva dopo un'ora. *Tic, tac.*

— *Tic, tac* — le rispondo in un sussurro.

Rose. Lupi mutanti. Tributi. Delfini glassati. Amici. Ghiandaie imitatrici. Stilisti. Io.

Nei miei sogni, tutto urla, stanotte.

CAPITOLO 18

Mi butto a testa bassa nell'addestramento. Mangio, vivo e respiro gli allenamenti, le esercitazioni, la preparazione all'uso delle armi, le lezioni di tattica. Alcuni di noi vengono assegnati a un corso aggiuntivo, il che mi dà la speranza di essere un possibile candidato alla vera guerra.

I soldati lo chiamano semplicemente l'Isolato, ma il tatuaggio che ho sul braccio lo registra come SCS, sigla che sta per Simulazione di Combattimento per Strada. Nelle profondità del 13 hanno costruito un finto isolato di Capitol City. L'istruttore ci divide in squadre di otto e noi cerchiamo di portare a termine missioni diverse – conquistare una posizione, distruggere un obiettivo, perquisire una casa – come se stessimo davvero avanzando attraverso la città.

L'intero scenario è costruito in modo che tutto quello che ti può andare male ci va. Un passo falso innesca una mina anti-uomo, su un tetto sbuca un cecchino, il tuo fucile si inceppa, il pianto di un bambino ti porta in un'imboscata, il comandante della tua squadra, che è solo una voce registrata, viene colpito da un mortaio e tu devi riuscire a capire cosa fare senza ordini. Una parte di te sa che è tutto fasullo e che nessuno ti ucciderà. Se fai scoppiare una mina anti-uomo, senti l'esplosione e devi fingere di cadere a terra morto. Ma per altri versi, sembra tutto piuttosto reale, là dentro, dai soldati nemici vestiti con le uniformi dei Pacificatori, alla confusione di una bomba fumogena. Ci asfissiano persino con il gas. Io e Johanna siamo le uniche che riescono a mettersi le maschere in tempo. Gli altri della nostra squadra rimangono al tappeto per dieci minuti. E il gas teoricamente innocuo che inalo solo per pochi istanti mi causa una tremenda emicrania per il resto della giornata.

Cressida e la sua troupe riprendono Johanna e me al poligono. So che anche Gale e Finnick vengono filmati. Fa parte di una nuova serie di pass-pro che mostra i ribelli mentre si preparano all'invasione di Capitol City. Nel complesso, le cose vanno piuttosto bene.

Poi Peeta comincia a farsi vedere ai nostri allenamenti mattutini. Le manette non ci sono più, ma è costantemente accompagnato da un paio di sorveglianti.

Dopo pranzo, lo vedo mentre si esercita con un gruppo di principianti dall'altra parte del campo. Non so cosa pensino, al Comando. Se un battibecco con Delly può ridurlo a litigare con se stesso, non ha motivo di imparare ad assemblare un fucile.

Quando affronto Plutarch, lui mi assicura che è tutta una sceneggiata a uso delle telecamere. Hanno filmato Annie che si sposava e Johanna che colpiva bersagli, ma l'intero Panem si sta chiedendo che fine abbia fatto Peeta.

Il pubblico deve vedere che combatte per gli insorti e

non per Snow. E magari, se potessero avere un paio di riprese di noi due... Non dobbiamo baciarci per forza, solo sembrare felici perché siamo di nuovo insieme...

Me ne vado, interrompendo la conversazione. Questo non succederà.

Nei miei rari momenti liberi, osservo con ansia i preparativi per l'invasione.

Vedo approntare equipaggiamento e viveri, radunare divisioni. Chi ha avuto ordine di partire si distingue dal taglio di capelli cortissimo, segno che andrà in battaglia. Si parla molto dell'offensiva iniziale, che servirà a mettere in sicurezza i tunnel ferroviari da cui Capitol City riceve cibo.

Solo qualche giorno prima della partenza delle prime truppe, inaspettatamente la York dice a me e a Johanna di averci raccomandate per l'esame, e che dobbiamo presentarci subito.

L'esame si suddivide in quattro parti: un percorso di guerra che valuta le condizioni fisiche, una prova scritta di tattica, un test sull'abilità con le armi e una simulazione di combattimento nell'Isolato. Non ho neppure il tempo di innervosirmi per le prime tre e vado bene, ma poi c'è un ritardo all'Isolato. Qualche genere di problema tecnico che stanno cercando di risolvere. Alcuni di noi si scambiano informazioni. Pare tutto vero. Dovremo sbrigarcela da soli. Non c'è modo di prevedere in che situazione ci cacceranno. Sottovoce, un ragazzo dice di aver sentito che la cosa è progettata per individuare i punti deboli di ognuno.

I miei punti deboli? Quella è una porta che non vorrei neppure aprire. Però trovo un angolo tranquillo e allora mi metto a valutare quali possano essere, questi punti deboli.

La lunghezza dell'elenco mi deprime. Mancanza di forza bruta. Il minimo indispensabile di addestramento. E, in un certo senso, la mia posizione di spicco in quanto Ghiandaia Imitatrice non sembra rappresentare un vantaggio, in un contesto in cui cercano di amalgamarci in un gruppo compatto. Potrebbero mettermi alla prova su mille cose diverse.

Johanna viene chiamata tre persone prima di me, e io le faccio un cenno di incoraggiamento con la testa. Avrei voluto essere in cima alla lista perché ormai, a forza di analizzare tutta la faccenda, sono paralizzata.

Quando chiamano il mio nome, non ho idea della strategia che dovrei usare.

Per fortuna, una volta entrata nell'Isolato, mi viene in aiuto una certa dose di addestramento. È una situazione di imboscata. Quasi subito compaiono i Pacificatori, e io devo avanzare sino a un punto d'incontro per riunirmi alla mia squadra che si è sparpagliata. Percorro lentamente la strada, facendo fuori vari Pacificatori mentre procedo.

Due sul tetto alla mia sinistra, un altro su una porta davanti a me. È impegnativo, ma non difficile come mi aspettavo. Continuo ad avere la sensazione che, se le cose sono troppo facili, evidentemente non ho colto il nocciolo della questione. Sono a un paio di edifici di distanza dal mio obiettivo quando l'atmosfera comincia a scaldarsi.

Una mezza dozzina di Pacificatori sbuca da dietro l'angolo a passo di carica. Avranno la meglio su di me, però noto qualcosa. Un bidone di benzina abbandonato per distrazione nel canaletto di scolo.

Eccola. La mia prova: accorgermi che far esplodere quel bidone sarà l'unico modo per portare a termine la mia missione.

Proprio mentre affretto il passo per farlo, il comandante della mia squadra, del tutto inutile fino a questo momento, mi ordina in tono sommesso di buttarmi a terra. Ogni istinto che possiedo mi grida di ignorare la voce, premere il grilletto e far saltare in aria i Pacificatori.

E all'improvviso capisco quale sarà, secondo i militari, il mio maggior punto debole. Dal primo istante nei Giochi, quando mi sono precipitata a prendere quello zaino arancione, fino allo scontro a fuoco nell'8, alla mia corsa irriflessiva attraverso la piazza del 2.

Non sono capace di eseguire gli ordini.

Mi scaravento a terra con tanta violenza e rapidità che continuerò a togliermi ghiaia dal mento per una settimana. Qualcun altro fa esplodere il fusto di benzina. I Pacificatori muoiono. Io raggiungo il mio punto d'incontro.

Quando abbandono l'Isolato dall'uscita più lontana, un soldato si congratula con me, mi stampiglia il numero di squadra 451 sulla mano e mi dice di presentarmi al Comando. Con la testa che quasi mi gira per avercela fatta, corro lungo i corridoi, slittando a ogni angolo, scendendo i gradini a balzi perché l'ascensore è troppo lento. Piombo nella stanza prima che la stranezza della situazione si faccia strada nella mia mente. Io non dovrei trovarmi al Comando. Dovrei essere a farmi rasare i capelli. I tizi intorno al tavolo non sono soldati nuovi di zecca ma quelli che prendono le decisioni.

Boggs sorride e scuote la testa quando mi vede. — Fa' vedere. — Ormai insicura, tendo la mano stampigliata. — Sei con me. È una unità speciale di tiratori scelti. Unisciti alla tua squadra. — Con un cenno della testa, mi indica il gruppo allineato contro la parete. Gale. Finnick. Altri cinque che non conosco. La mia squadra.

Non solo ne ho una, ma ho anche l'occasione di lavorare agli ordini di Boggs. Insieme ai miei amici. Mi costringo a raggiungerli con passo tranquillo e marziale invece di saltellare.

Dobbiamo essere importanti, anche, perché siamo al Comando, e questo non ha niente a che fare con una certa Ghiandaia Imitatrice.

Plutarch osserva con attenzione un largo pannello piatto al centro del tavolo. Sta spiegando qualcosa a proposito della natura di ciò che incontreremo a Capitol City. Penso che sia un disastro, come relazione, anche in punta di piedi non riesco a vedere cosa c'è sul pannello, finché lui non preme un tasto. Nell'aria appare l'immagine olografica di un isolato di Capitol City.

— Questa, per esempio, è l'area che circonda una delle caserme dei Pacificatori. Non è un obiettivo insignificante, ma neppure il più cruciale, eppure guardate. — Plutarch inserisce una specie di codice su una tastiera, e alcune luci cominciano a lampeggiare. Sono di vari colori e si illuminano a intervalli diversi. — Ogni luce corrisponde a ciò che chiamiamo "baccello" e rappresenta un ostacolo differente, la cui natura può andare da una bomba a un branco di ibridi. State pur certi che, qualunque cosa contenga, il baccello è progettato per intrappolarvi o per uccidervi. Alcuni sono stati installati già all'epoca dei Giorni Bui, altri li hanno realizzati nel corso degli anni. Per essere sincero, io stesso ne ho creato un discreto numero. Questo programma, trafugato da uno dei nostri quando abbandonammo Capitol City, costituisce la nostra più recente fonte di informazioni. Loro non sanno che l'abbiamo. Tuttavia, è possibile che negli ultimi mesi abbiano attivato nuovi baccelli. Ecco cosa vi troverete davanti.

Non mi accorgo che i miei piedi si stanno muovendo verso il tavolo finché non mi ritrovo a pochi centimetri dall'ologramma. Vi introduco una mano, piegandola a coppa intorno a una luce verde che si accende e si spegne velocissima.

Qualcuno mi raggiunge, il corpo in tensione. Finnick, naturalmente. Perché solo un vincitore è in grado di vedere ciò che io ho notato all'istante. L'arena. Contornata di baccelli controllati da Strateghi. Le dita di Finnick accarezzano un bagliore rosso e costante che si trova sopra una porta. — Signore e signori...

La sua voce è tranquilla, ma la mia risuona attraverso la stanza: — ... che i Settantaseiesimi Hunger Games abbiano inizio!

Rido. In fretta. Prima che qualcuno abbia il tempo di registrare le parole che ho appena pronunciato. Prima che si inarchino sopracciglia, si sollevino obiezioni, si faccia due più due e si concluda che dovrei essere tenuta il più lontano possibile da Capitol City. Perché una vincitrice arrabbiata che pensa con la sua testa e si porta dietro una cicatrice psicologica troppo spessa da penetrare è forse l'ultima persona che vorresti nella tua squadra.

— Non so nemmeno perché ti sei disturbato a far seguire le sessioni di addestramento a Finnick e a me, Plutarch — dico.

— Già, noi due siamo già i soldati più preparati che hai — aggiunge Finnick in tono sfacciato.

— Non crediate che io non lo sappia — ribatte lui con un cenno impaziente della mano. — E adesso tornate in riga, soldati Odair ed Everdeen. Ho una relazione da finire.

Ci ritiriamo ai nostri posti, ignorando gli sguardi interrogativi lanciati verso di noi.

Assumo un atteggiamento di estrema concentrazione, mentre Plutarch va avanti, annuendo qua e là, cambiando posizione per avere una visuale migliore, ripetendomi varie volte di resistere fino al momento in cui potrò andare nei boschi e mettermi a urlare. O imprecare. O piangere. O magari tutte e tre le cose insieme.

Se questo era un test, io e Finnick l'abbiamo superato entrambi. Quando Plutarch conclude e la riunione è aggiornata, passo un brutto momento nell'apprendere che c'è un ordine speciale per me. Ma si tratta solo del taglio di capelli militare, che riesco a evitare, perché vogliono che la Ghiandaia Imitatrice somigli il più possibile alla ragazza dell'arena quando, come tutti speriamo, Capitol City si arrenderà. Per le telecamere, si sa. Scrollo le spalle per far capire che la lunghezza dei miei capelli mi lascia del tutto indifferente. Mi congedano senza ulteriori commenti.

Nel corridoio, io e Finnick ci avviciniamo piano piano, come attratti dalla forza di gravità. — Cosa dirò a Annie? — chiede lui, sottovoce.

— Niente — rispondo. — E niente è ciò che dirò io a mia madre e mia sorella. — È già abbastanza pesante che siamo noi a sapere di essere inviati un'altra volta in un'arena zeppa di attrezzi mortali. Inutile informarne anche le persone che amiamo.

— Se vede quell'ologramma... — comincia a dire.

— Non lo vedrà. È un'informazione riservata. Deve esserlo — replico. — E comunque non è come una vera edizione dei Giochi. Sopravvivranno in tanti. Stiamo solo reagendo in maniera eccessiva, perché... be', lo sai perché. Però vuoi ancora andare, vero?

— Certo. Voglio distruggere Snow quanto lo vuoi tu — dice.

— Non sarà come per gli altri — commento in tono fermo, cercando di convincere anche me stessa. Poi mi appare chiara la vera bellezza della situazione. — Stavolta, anche Snow sarà un giocatore.

Prima che possiamo continuare, si presenta Haymitch. Non era alla riunione, non sta pensando all'arena, ma a qualcos'altro. — Johanna è di nuovo in ospedale.

Credevo che Johanna stesse bene e avesse superato l'esame ma che non sarebbe stata assegnata a un'unità di tiratori scelti, tutto qui.

È bravissima a lanciare una scure, ma con un fucile è più o meno nella media. — Si è forse fatta male? Cos'è successo?

— È stato quando era nell'Isolato. Cercano di scoprire i potenziali punti deboli di ogni soldato. Perciò hanno inondato la strada — dice Haymitch.

Questo non mi aiuta. Johanna sa nuotare. O almeno mi sembra di ricordare che si arrangiasse, all'Edizione della Memoria. Non nuota come Finnick, naturalmente, ma nessuno di noi è come Finnick. — E quindi?

— È così che la torturavano, a Capitol City. La immergevano nell'acqua e poi usavano l'elettroshock — spiega Haymitch. — Nell'Isolato ha avuto una specie di flashback. Si è fatta prendere dal panico, non sapeva dov'era. L'hanno rimessa sotto sedativi. — Io e Finnick stiamo lì e basta, come se avessimo perso la capacità di reagire. Penso che Johanna non fa mai la doccia. Che quel giorno si è costretta a uscire sotto la pioggia come se fosse acido, ma avevo attribuito il suo tormento all'astinenza da morfamina.

— Voi due dovreste andare da lei. Siete la cosa più vicina a degli amici, per lei — dice.

Questo peggiora tutta la faccenda.

Non so proprio cosa ci sia tra Johanna e Finnick. Ma io la conosco appena. Non ha famiglia. Non ha amici. Neanche un ricordo del Distretto 7 da mettere accanto ai vestiti d'ordinanza nel suo anonimo cassetto. Proprio niente.

— Sarà meglio che vada a dirlo a Plutarch. Non ne sarà felice — continua Haymitch. — Vuole che le telecamere seguano dentro Capitol City il maggior numero possibile di vincitori. Pensa che assicuri più audience.

— Tu e Beetee andate? — chiedo.

— Il maggior numero possibile di vincitori giovani e attraenti — si corregge Haymitch. — Perciò, no. Noi rimarremo qui.

Finnick scende direttamente a trovare Johanna, ma io indugio fuori qualche istante, finché Boggs non esce. È il mio comandante, adesso, quindi immagino che ci si debba rivolgere a lui per chiedere favori speciali.

Quando gli spiego cosa voglio, scrive un permesso che mi autorizza ad andare nei boschi durante la Riflessione, a patto che io rimanga entro il raggio visivo delle guardie.

Corro alla mia unità, pensando di usare il paracadute, ma è troppo intriso di ricordi orribili. Allora vado dall'altra parte del corridoio e prendo una delle garze di cotone bianco che ho portato dal 12. Quadrate. Resistenti. Proprio quel che ci vuole.

Nei boschi, trovo un pino e stacco manciate di aghi fragranti dai rami. Dopo averli ordinatamente ammucchiati al centro della garza, riunisco i lati, li attorciglio e li lego ben stretti con un lungo rampicante, facendone un fagotto delle dimensioni di una mela.

Sulla porta della stanza d'ospedale, osservo Johanna per un attimo e mi accorgo che gran parte dei suoi modi bruschi dipende dall'atteggiamento esageratamente aggressivo che assume. Privata di questo, come adesso, resta solo un'esile giovane donna i cui occhi sbarrati lottano per non chiudersi contro il potere dei farmaci, terrorizzati da ciò che il sonno porterà con sé. Mi avvicino a lei e le porgo il fagotto.

— Cos'è? — dice con voce roca. Punte di capelli umidi formano piccoli aculei sulla sua fronte.

— L'ho fatto per te. Qualcosa da mettere nel tuo cassetto. — Glielo depongo tra le mani. — Senti l'odore.

Si porta il fagotto al naso e lo annusa, esitante. — Sa di casa. — Le lacrime le riempiono gli occhi.

— Era quello che speravo, dato che vieni dal 7 e tutto il resto — dico. — Ricordi quando ci siamo incontrate? Tu eri un albero. Be', per poco.

Di colpo, stringe il mio polso in una morsa d'acciaio. — Tu devi ucciderlo, Katniss.

— Puoi starne certa. — Resisto alla tentazione di liberare il braccio con uno strattone.

— Giuralo. Su qualcosa a cui tieni — sibila lei.

— Lo giuro. Sulla mia vita. — Ma lei non mi lascia il braccio.

— Sulla vita della tua famiglia — insiste.

— Sulla vita della mia famiglia — ripeto. Immagino non ritenga sufficiente la preoccupazione per la mia personale sopravvivenza. Lei molla la presa e io mi strofino il polso. — E comunque, perché credi che ci vada, secondo te?

Questo la fa sorridere un po'. — Avevo solo bisogno di sentirlo. — Si preme il fagotto di aghi di pino sul naso e chiude gli occhi.

I giorni rimasti trascorrono in un turbine di attività. Tutte le mattine, dopo un breve allenamento, la mia squadra si addestra a tempo pieno al poligono. Io mi esercito soprattutto con il fucile, ma un'ora al giorno è dedicata alle specialità di ognuno, così riesco a usare il mio arco da Ghiandaia Imitatrice e Gale quello super-accessoriato che gli hanno dato.

Il tridente che Beetee ha progettato per Finnick ha un sacco di particolarità, ma la più notevole è che lui può lanciarlo, premere un tasto sul bracciale metallico che ha al polso, e farselo tornare in mano senza dover andare a raccoglierlo.

A volte spariamo contro dei manichini di Pacificatori per prendere confidenza con i punti deboli del loro equipaggiamento protettivo: la crepa nell'armatura, per così dire. Se colpisci la carne, sei ricompensato da un getto di sangue finto. I nostri manichini sono intrisi di rosso.

È rassicurante vedere quanto sia elevato il livello di precisione del nostro gruppo. Oltre a Finnick e a Gale, la squadra comprende cinque soldati del 13. Jackson, una donna di mezza età che è il secondo di Boggs, sembra un po' lenta, ma è in grado di colpire cose che noialtri non vediamo nemmeno con un mirino telescopico. È ipermetrope, dice.

Ci sono due sorelle sui vent'anni di nome Leeg che in uniforme si somigliano moltissimo, e infatti le chiamiamo Leeg 1 e Leeg 2, per chiarezza. Non riesco a distinguerle, finché non mi accorgo che Leeg 1 ha delle curiose macchioline gialle negli occhi. Due tizi più vecchi, Mitchell e Homes, non parlano granché, ma con un colpo sono capaci di spolverarti gli scarponi a cinquanta metri di distanza.

Vedo altre squadre che sono quasi altrettanto forti, ma il nostro livello non mi è ben chiaro fino alla mattina in cui Plutarch ci raggiunge.

— Membri della squadra 4-5-1, siete stati selezionati per una missione speciale — inizia. Mi mordo l'interno del labbro, illudendomi che si tratti di assassinare Snow. — Abbiamo molti tiratori scelti, ma poche troupe televisive. Pertanto, abbiamo selezionato con cura voialtri otto perché formiate ciò che chiameremo la nostra Squadra di Stelle. Sarete voi i volti rappresentativi dell'invasione che mostreremo sullo schermo.

Delusione, indignazione e infine rabbia corrono attraverso il gruppo. — In pratica, stai dicendo che noi non combatteremo davvero — dice Gale in tono duro.

— Voi combatterete, ma non sarete sempre in prima linea. Ammesso che sia possibile individuare una prima linea, in questo genere di guerra — precisa Plutarch.

— Nessuno di noi vuole una cosa del genere. — L'osservazione di Finnick è seguita da un generale brontolio di approvazione, ma io me ne sto zitta. — Noi in battaglia ci dobbiamo andare.

— Voi dovete essere più utili possibile allo sforzo bellico — ribatte Plutarch. — Ed è stato deciso che sarete più produttivi in televisione. Pensate solo all'effetto che ha avuto Katniss facendosi vedere con la tenuta da Ghiandaia Imitatrice. Ha invertito il trend dell'intera ribellione. Vi siete accorti che è l'unica a non lamentarsi? È perché lei capisce l'influenza che esercita lo schermo.

In realtà Katniss non si lamenta perché non ha alcuna intenzione di rimanere con la Squadra di Stelle, ma comprende la necessità di arrivare a Capitol City prima di mettere in pratica qualsiasi progetto. Tuttavia, anche mostrarmi troppo arrendevole potrebbe far sorgere dei sospetti.

— Però non sarà tutta una finta, vero? — chiedo. — Sarebbe uno spreco di talento.

— Non ti preoccupare — mi dice Plutarch. — Avrete bersagli in abbondanza da colpire. Ma vedete di non saltare in aria. Ho già abbastanza cose da fare senza dovervi anche sostituire. E adesso andate a Capitol City e mettete in scena un bello spettacolo.

La mattina della partenza, saluto i miei familiari. Non ho detto loro quanto i sistemi difensivi di Capitol City rispecchino le armi dell'arena, ma il fatto che io vada in guerra è già abbastanza atroce per conto suo. Mia madre mi stringe forte e a lungo. Sento che ha la guancia bagnata di lacrime, cosa che era riuscita a nascondere quando mi avevano destinata ai Giochi. — Non stare in ansia. Sarò più che al sicuro. Non sono neppure un vero soldato, solo una delle marionette televisive di Plutarch — la rassicuro.

Prim mi accompagna fino alle porte dell'ospedale. — Come ti senti?

— Meglio, sapendo che siete in un posto in cui Snow non può raggiungervi — dico.

— La prossima volta che ci vedremo, ce ne saremo liberate per sempre — dice Prim in tono fermo. Poi mi getta le braccia al collo. — Sta' attenta.

Esamino l'idea di un ultimo saluto a Peeta e concludo che sarebbe dannoso per entrambi. Ma faccio scivolare la perla nella tasca della mia uniforme. Un ricordo del ragazzo del pane.

Un hovercraft ci porta, tra tutti i luoghi possibili, nel Distretto 12, dove è stata allestita un'area di transito provvisoria, lontano dalla zona di fuoco. Niente treni di lusso, stavolta, ma un vagone merci pieno fino all'orlo di soldati in divisa grigio scuro che dormono con la testa sullo zaino. Dopo un paio di giorni di viaggio, scendiamo dentro una delle gallerie che attraversano la montagna e conducono a Capitol City, e da lì ci facciamo a piedi il resto del tragitto di sei ore, avendo cura di camminare solo sulla linea di vernice verde brillante che ci serve da lasciapassare per gli aerei sopra di noi.

Sbuchiamo nel campo dei ribelli, che si estende per dieci isolati fuori dalla stazione ferroviaria dove io e Peeta avevamo fatto le nostre precedenti apparizioni. Brulica già di soldati. Alla squadra 451 viene assegnato uno spazio dove piantare le sue tende. La zona è sicura da più di una settimana. Gli insorti hanno respinto i Pacificatori, perdendo centinaia di uomini. Le forze governative si sono ritirate e riorganizzate più lontano, all'interno della città. Tra noi e loro, ci sono le strade minate, vuote e invitanti. Dovremo ripulirle dai baccelli una per una prima di poter avanzare.

Mitchell si informa sui bombardamenti aerei – ci sentiamo molto vulnerabili, accampati così all'aperto – ma Boggs dice che non è un problema.

Quasi tutti i velivoli di Capitol City sono andati distrutti nel Distretto 2 o durante l'invasione. Se ne è rimasto qualcuno, se lo tengono stretto, magari per permettere a Snow e alla sua cerchia di fuggire all'ultimo minuto verso un rifugio presidenziale nascosto da qualche parte. I nostri, di apparecchi, sono costretti a terra, dopo che i missili antiaerei di Capitol City hanno decimato le prime ondate. Questa guerra si combatterà nelle strade, si spera con danni superficiali alle infrastrutture e un numero minimo di vittime.

I ribelli vogliono Capitol City proprio come Capitol City voleva il 13.

Dopo tre giorni, c'è il rischio che buona parte della squadra 451 diserti per la noia. Cressida e la sua troupe ci riprendono mentre spariamo. Ci dicono che facciamo parte della squadra di disinformazione. Se gli insorti sparassero solo ai baccelli di Plutarch, quelli di Capitol City ci metterebbero due minuti a capire che abbiamo l'ologramma. E così, per sviarli, passiamo un sacco di tempo a fracassare cose senza importanza. Ci limitiamo perlopiù a ingrossare i mucchi di vetri multicolori che facciamo volar fuori dagli edifici dalle tinte pastello. Immagino che alternino questi filmati con quelli sulla distruzione di obiettivi più importanti. Di tanto in tanto, pare che siano richiesti i servigi di un vero tiratore scelto. Otto mani si alzano, ma io, Gale e Finnick non veniamo mai scelti.

— È colpa tua, sei così telegenico — dico a Gale. Se gli sguardi potessero uccidere...

Temo che non sappiano cosa farsene di noi tre, soprattutto di me. Ho portato la tenuta da Ghiandaia Imitatrice, ma sono stata ripresa solo con l'uniforme. A volte uso il fucile, a volte mi chiedono di tirare con l'arco. È come se non volessero lasciar perdere del tutto la Ghiandaia Imitatrice, ma nel contempo avessero intenzione di ridurre il mio ruolo a quello di un normale soldato di fanteria. E dal momento che la cosa non mi interessa, immaginare i dibattiti in corso nel 13 mi diverte più di quanto non mi turbi.

Anche se in apparenza sono scontenta per la nostra mancanza di reale partecipazione, sono occupatissima con i miei programmi personali.

Ciascuno di noi ha una cartina di Capitol City. L'abitato forma un quadrato quasi perfetto. Delle linee dividono la cartina in quadrati più piccoli, con lettere in cima e numeri a lato che compongono una griglia. La consumo a forza di studiare ogni incrocio e via laterale, ma è un palliativo. I comandanti di qui logorano l'olo·

gramma di Plutarch, invece. Hanno tutti un aggeggio portatile chiamato Olo che genera immagini come quelle che ho visto al Comando. Possono ingrandire qualsiasi area della griglia e vedere quali baccelli li aspettano. L'Olo è un dispositivo indipendente, una specie di cartina più sofisticata, che non può inviare né ricevere segnali, comunque è decisamente meglio della mia versione cartacea.

Un Olo viene attivato dalla voce di un certo comandante quando questo dà il proprio nome. Una volta in funzione, l'Olo risponde anche ad altre voci della squadra, in modo che, ad esempio, se Boggs venisse ucciso o gravemente ferito, qualcun altro potrebbe subentrare al suo posto. Se un membro qualunque del gruppo ripete "tic tac" per tre volte, l'Olo esplode, facendo saltare in aria ogni cosa entro un raggio di cinque metri. Questo per motivi di sicurezza in caso di cattura. È chiaro che tutti noi lo faremmo senza esitare.

Quindi ciò che devo fare è rubare l'Olo già attivato di Boggs e filarmela prima che lui se ne accorga. Credo che sarebbe più facile rubargli i denti.

La quarta mattina, il soldato Leeg 2 colpisce un baccello classificato in modo sbagliato, che infatti non rilascia lo sciame di moscerini mutanti per il quale i ribelli si sono preparati, ma sprigiona un'esplosione a raggiera di dardi metallici. Uno trova la sua testa. Leeg 2 muore prima che i medici riescano a raggiungerla. Plutarch promette un rapido rimpiazzo.

La sera seguente, arriva il nuovo membro della nostra squadra. Niente manette. Nessun sorvegliante. Esce senza fretta dalla stazione ferroviaria con il fucile che dondola appeso alla cinghia sulla sua spalla. Siamo stupiti, confusi, ostili, ma il numero 451 è stampigliato con inchiostro ancora fresco sul dorso della mano di Peeta. Boggs gli toglie l'arma e va a fare una telefonata.

— Non servirà — ci dice Peeta. — La presidente in persona ha stabilito la mia destinazione. Ha deciso che i pass-pro andavano un po'... scaldati.

Sì, forse i pass-pro vanno scaldati. Ma se la Coin ha mandato qui Peeta, allora ha deciso anche qualcos'altro: che per lei sono più utile da morta che da viva.

TERZA PARTE

L'ASSASSINA

CAPITOLO 19

Non ho mai visto Boggs arrabbiato. Non quando ho disubbidito ai suoi ordini o gli ho vomitato addosso, nemmeno quando Gale gli ha spaccato il naso. Ma è arrabbiato quando torna dalla sua telefonata con la presidente. La prima cosa che fa è ordinare al soldato Jackson, il suo secondo, di organizzare la sorveglianza di Peeta ventiquattr'ore su ventiquattro, a turni di due persone. Poi mi accompagna a fare due passi, e insieme zigzaghiamo attraverso la disordinata distesa di tende dell'accampamento sino a essere ben lontani dalla nostra squadra.

— Cercherà di uccidermi comunque — dico. — Soprattutto qui, dove ci sono tanti brutti ricordi che lo sconvolgono.

— Lo terrò sotto controllo, Katniss — ribatte Boggs.

— Perché adesso la Coin mi vuole morta? — chiedo.

— Lei lo nega — risponde lui.

— Ma noi sappiamo che è vero — dico. — E tu devi avere almeno una teoria.

Boggs mi guarda a lungo, con espressione dura, prima

di rispondere. — Io so solo questo. Alla presidente non piaci. Non le sei mai piaciuta. Lei voleva che fosse Peeta a essere liberato dall'arena, ma nessun altro era d'accordo. E il fatto che tu l'abbia costretta a concedere l'immunità ai vincitori ha peggiorato le cose. Ma avrebbe potuto chiudere un occhio persino su questo, visti gli ottimi risultati che hai ottenuto.

— Allora cos'è? — insisto.

— Un giorno o l'altro, nell'immediato futuro, questa guerra finirà. E verrà scelto un nuovo leader — dice Boggs.

Roteo gli occhi. — Boggs, nessuno può credere che sarò io, il leader.

— No. Nessuno lo crede, infatti — concorda. — Ma darai il tuo appoggio a qualcuno. Sarà alla presidente Coin? O a qualcun altro?

— Non lo so. Non ci ho mai pensato — replico.

— Se la tua prima risposta non è "Coin", allora rappresenti una minaccia. Tu sei il volto della ribellione. Puoi esercitare un'influenza maggiore di chiunque altro — dice Boggs. — Vista dall'esterno, il massimo che tu abbia mai fatto è stato sopportarla.

— Quindi mi ucciderà per chiudermi la bocca. — Nell'attimo stesso in cui pronuncio quelle parole, so che sono vere.

— Ormai non le servi più da punto di riferimento. Come ha detto lei, il tuo obiettivo principale, che era riunire i distretti, è stato raggiunto con successo — mi ricorda Boggs. — Adesso i pass-pro sarebbero realizzabili anche senza di te. C'è solo un'ultima cosa che potresti fare per aggiungere altro fuoco alla ribellione.

— Morire — concludo, in tono sommesso.

— Sì. Darci un martire per cui combattere — conferma Boggs. — Ma questo non succederà sotto la mia sorvegiianza, soldato Everdeen. Mi aspetto che tu abbia una lunga vita.

— Perché? — Quel modo di pensare non gli porterà altro che guai. — Tu non mi devi niente.

— Perché te lo sei guadagnato — dice lui. — E adesso, torna alla tua squadra.

So che dovrei sentirmi riconoscente nei confronti di Boggs, che rischia il collo per me, ma in realtà sono soltanto esasperata. Voglio dire, come faccio a rubare il suo Olo e a disertare, adesso? Tradirlo era abbastanza difficile senza quest'altro cumulo di debiti di gratitudine. Già gli devo la vita.

Di ritorno al nostro campo, vedere la causa del mio dilemma che pianta con calma la sua tenda mi fa imbestialire. — A che ora monto di guardia? — chiedo alla Jackson.

Mi guarda strizzando gli occhi, incerta, o forse sta solo cercando di mettere a fuoco il mio viso. — Non ti ho inserito nei turni.

— Perché no? — chiedo.

— Non sono sicura che saresti davvero capace di sparare a Peeta, se si arrivasse a tanto — dice.

Alzo la voce, così che l'intera squadra possa sentirmi chiaramente. — Non sarebbe come sparare a Peeta. Lui è già morto. Johanna ha ragione. Sarebbe come sparare a un altro degli ibridi di Capitol City. — È bello dire qualcosa di terribile su di lui, dirlo a voce alta, in pubblico, dopo tutta l'umiliazione che ho patito da quando è tornato.

— Be', un commento di questo genere non ti rende granché affidabile — dice la Jackson.

— Inseriscila nei turni — sento dire a Boggs, dietro di me.

La Jackson scuote la testa e si fa un appunto. — Da mezzanotte alle quattro. Sei di guardia insieme a me.

Suona la sirena della cena, e io e Gale ci mettiamo in fila davanti alla mensa. — Vuoi che lo uccida? — mi chiede senza giri di parole.

— Così ci rimandano indietro tutti e due? — commento. Ma anche se sono furibonda, la brutalità dell'offerta mi innervosisce. — Me la vedo io con lui.

— Vuoi dire finché non tagli la corda? Tu e la tua cartina e magari un Olo, se riesci a metterci le mani sopra? — E così a Gale non sono sfuggiti i miei preparativi. Spero non siano stati altrettanto evidenti per gli altri. Nessuno di loro conosce la mia testa meglio di lui, in effetti. — Non starai progettando di lasciarmi qui, vero? — chiede.

Fino a questo momento era così, infatti. Ma avere il mio partner di caccia che mi guarda le spalle non sembra una cattiva idea. — Come tuo commilitone, devo vivamente consigliarti di restare con la tua squadra. Ma non posso impedirti di venire, ti pare?

Sogghigna. — No. A meno che tu non voglia che io avverta il resto dell'esercito.

La squadra 451 e la troupe televisiva ritirano la cena dalla mensa e si riuniscono in cerchio per mangiare, in un'atmosfera satura di tensione. All'inizio penso che la causa del disagio sia Peeta, ma alla fine del pasto mi rendo conto che la maggior parte di quegli sguardi poco amichevoli è diretta a me. Certo che il voltafaccia è stato rapido: sono quasi certa che, alla comparsa di Peeta, tutto il gruppo si preoccupava di quanto lui avrebbe potuto essere pericoloso, soprattutto per me. Ma è solo quando parlo al telefono con Haymitch che finalmente capisco.

— Cosa stai cercando di fare? Di spingerlo ad aggredirti? — mi chiede.

— Certo che no. Voglio solo che mi lasci in pace — rispondo.

— Be', non può. Non dopo quello che Capitol City gli ha fatto passare — dice Haymitch. — Senti, la Coin può anche averlo mandato lì sperando che ti uccida, ma questo Peeta non lo sa. Non capisce cosa gli è successo. Quindi non puoi prendertela con lui...

— Ma non lo faccio! — esclamo.

— Sì che lo fai! Lo punisci di continuo per cose che sono fuori dal suo controllo. Ora, non sto dicendo che non dovresti tenere un'arma ben carica a portata di mano ventiquattr'ore su ventiquattro, ma credo sia arrivato il momento che provi a invertire mentalmente la situazione. Se tu fossi stata catturata da Capitol City e depistata, e poi avessi cercato di uccidere Peeta, è così che ti tratterebbe lui? — chiede Haymitch.

Mi zittisco. No. Lui non mi tratterebbe mai così. Tenterebbe di riportarmi indietro a qualunque costo. Senza respingermi, senza abbandonarmi o reagire con astio a ogni piè sospinto.

— Io e te abbiamo fatto un patto per cercare di salvarlo. Te lo ricordi? — dice Haymitch. Non ricevendo risposta, chiude la comunicazione dopo un breve: — Prova a ricordartelo.

Da fresca che era, la giornata autunnale si fa fredda. Quasi tutti i membri della squadra cercano rifugio nei loro sacchi a pelo. Alcuni dormono all'aperto, vicini alla stufa posta al centro del nostro campo, altri si ritirano nelle tende. Leeg 1 si è finalmente sciolta in lacrime per sua sorella, e attraverso la tela ci giungono i suoi singhiozzi soffocati. Mi raggomitolo nella mia tenda, riflettendo sulle parole di Haymitch, accorgendomi con vergogna che l'ossessione di uccidere Snow mi ha fatto ignorare un problema molto più arduo: cercare di strappare Peeta al mondo pieno di ombre in cui l'ha gettato il depistaggio. Non so come ritrovarlo, figuriamoci come condurlo fuori di lì. Non sono neppure in grado di ideare un piano. E di fronte a tutto questo, attraversare un'arena insidiosa, localizzare Snow e piantargli una pallottola in testa sembra un gioco da ragazzi.

A mezzanotte, striscio fuori dalla mia tenda e mi piazzo su uno sgabello da campo vicino alla stufa per fare il mio turno di guardia insieme alla Jackson. Boggs ha ordinato a Peeta di dormire fuori, in piena vista, dove tutti noi possiamo tenerlo d'occhio. Lui però non dorme. Se ne sta seduto con la borsa contro il petto e, in modo maldestro, cerca di fare dei nodi con un pezzetto di corda. Lo conosco bene, quel pezzo di corda. È lo stesso che mi ha prestato Finnick quella notte nel rifugio. Vederlo nelle sue mani è come sentirmi ripetere da Finnick ciò che ha già detto Haymitch, cioè che ho abbandonato Peeta. Adesso potrebbe essere il momento giusto per cominciare a rimediare. Se riuscissi a pensare a qualcosa da dire. Ma non ci riesco. Perciò non dico niente. Mi limito a lasciare che il respiro dei soldati riempia la notte.

Dopo circa un'ora, la voce di Peeta rompe il silenzio. — Gli ultimi due anni devono essere stati estenuanti per te. Cercare di decidere se uccidermi o no. Avanti e indietro. Avanti e indietro.

Le sue parole mi sembrano estremamente ingiuste, e il mio primo impulso è dire qualcosa di tagliente. Ma considero di nuovo la mia conversazione con Haymitch e provo a fare un cauto passo in direzione di Peeta. — Io non ho mai voluto ucciderti. Tranne quando pensavo che stessi aiutando i Favoriti a uccidere me. Dopo, ti ho sempre considerato un... alleato. — Bella parola di sicurezza. Del tutto priva di impegno emotivo ma innocua.

— Alleato. — Peeta pronuncia il termine lentamente, assaporandolo. — Amica. Innamorata. Vincitrice. Nemica. Fidanzata. Obiettivo. Ibrido. Vicina di casa. Cacciatrice. Tributo. Alleata. Aggiungerò anche questa all'elenco delle parole che uso per cercare di capirti. — Fa passare la corda avanti e indietro tra le dita. — Il problema è che non riesco più a riconoscere cosa sia vero e cosa sia inventato.

Il ritmo dei respiri si è interrotto, il che suggerisce che tutti si sono svegliati o che non hanno mai dormito. Mi sa che la seconda è quella giusta.

Da un fagotto immerso nell'ombra si leva la voce di Finnick. — Allora dovresti chiedere, Peeta. È così che fa Annie.

— Chiedere a chi? — obietta Peeta. — Di chi mi posso fidare?

— Be', di noi, tanto per cominciare. Siamo la tua squadra — dice la Jackson.

— Siete i miei sorveglianti — fa notare Peeta.

— Siamo anche questo — conferma lei. — Ma tu hai salvato moltissime vite, nel 13. E non è il genere di cosa che dimentichiamo.

Nel silenzio che segue, provo a immaginare di non essere capace di distinguere l'illusione dalla realtà. Di non sapere se Prim o mia madre mi vogliano bene. Se Snow sia il mio nemico. Se la persona dall'altra parte della stufa mi abbia salvato o sacrificato. Non serve che mi sforzi troppo, la mia vita si trasforma rapidamente in un incubo. Provo la voglia improvvisa di spiegare a Peeta ogni cosa: chi è lui, chi sono io, come siamo finiti qui. Ma non so come iniziare. Niente. Non valgo niente.

Qualche minuto prima delle quattro, Peeta si rivolge di nuovo a me. — Il tuo colore preferito... è il verde?

— Esatto. — Poi penso a qualcosa da aggiungere. — E il tuo è l'arancione.

— L'arancione? — Sembra poco convinto.

— Non l'arancione brillante. La sua sfumatura più tenue. Come il tramonto — dico. — O almeno è così che mi hai detto, tempo fa.

— Ah. — Chiude gli occhi per un attimo, forse tentando di evocare l'immagine di quel tramonto, poi fa segno di sì con la testa. — Grazie.

Ma altre parole sgorgano confuse dalla mia bocca. — Sei un pittore. Sei un fornaio. Ti piace dormire con la finestra aperta. Non metti mai lo zucchero nel tè. E ti annodi sempre due volte i lacci delle scarpe.

Poi mi tuffo nella mia tenda prima di fare qualcosa di stupido come mettermi a piangere.

La mattina, Gale, Finnick e io usciamo per sparare a qualche vetro delle case, a beneficio della troupe. Quando torniamo al campo, Peeta è seduto in cerchio coi soldati del 13, armati ma intenti a chiacchierare apertamente assieme a lui. La Jackson ha ideato un gioco chiamato "Vero o falso" per dare una mano a Peeta. Lui menziona qualcosa che pensa sia successo e loro gli dicono se l'episodio è reale o immaginario, di solito facendolo seguire da una breve spiegazione.

— Quasi tutta la popolazione del 12 è rimasta uccisa nell'incendio.

— Vero. Ce l'hanno fatta a raggiungere il 13 in meno di novanta.

— L'incendio è stata colpa mia.

— Falso. Il presidente Snow ha distrutto il 12, come ha fatto con il 13, per mandare un messaggio ai ribelli.

Sembra una buona idea, finché non mi rendo conto che sarò io l'unica a poter confermare o smentire gran parte di ciò che lo opprime. La Jackson ci divide per i turni di guardia. Abbina Finnick, Gale e me ciascuno con un soldato del 13. In questo modo Peeta avrà sempre accesso a qualcuno che lo conosce personalmente. Non è una conversazione continua. Peeta trascorre molto tempo a vagliare ogni singolo brandello di informazione, tipo il posto in cui tutti compravano il sapone quando eravamo a casa. Gale lo mette al corrente di una sacco di cose che riguardano il Distretto 12. Finnick è l'esperto di entrambi gli Hunger Games di Peeta, in quanto mentore nei primi e tributo nei secondi. Ma visto che i maggiori dubbi di Peeta si incentrano su di me (e non tutto può essere spiegato in modo semplice), i nostri dialoghi sono faticosi e tesi, anche se tocchiamo solo i dettagli più banali. Il colore dell'abito che portavo nel 7. La mia predilezione per le focaccine al formaggio. Il nome del nostro insegnante di matematica quando eravamo piccoli. Ricostruire il suo ricordo di me è straziante. Forse non è neppure possibile, dopo quello che gli ha fatto Snow. Ma sembra giusto aiutarlo a provarci.

Il pomeriggio seguente, ci comunicano che c'è bisogno dell'intera squadra per mettere in scena un passpro abbastanza complesso. Peeta aveva ragione su una cosa: la Coin e Plutarch sono insoddisfatti della qualità dei filmati che ricevono dalla Squadra di Stelle. Estremamente insipidi. Noiosissimi. La risposta più ovvia è che non ci lasciano mai fare niente, solo recitare coi fucili in mano. Comunque, qui non si tratta di giustificare noi stessi, quanto di tirar fuori un prodotto utilizzabile. Oggi, quindi, ci è stato riservato un particolare isolato per le riprese. Che ha persino un paio di baccelli. Uno provoca una raffica di spari. L'altro fa calare una rete su-

gli invasori e li intrappola perché possano essere inter-
rogati o giustiziati, secondo i gusti di chi li cattura. Ma
si tratta comunque di un quartiere residenziale di poca
importanza, privo di valore strategico.

La troupe televisiva intende dare una sensazione di
maggiore pericolo lanciando bombe fumogene e aggiun-
gendo l'effetto sonoro di una sparatoria. Noi soldati indossiamo il pesante equipaggiamento protettivo, e lo fa
anche la troupe, come se fossimo diretti nel cuore della
battaglia. Chi tra noi è specializzato nell'uso di certe armi
viene autorizzato a portarle insieme ai fucili. Boggs restituisce anche il fucile a Peeta, facendo in modo di dire
a voce alta che è caricato a salve.

Peeta si limita a scrollare le spalle. — Non sono un
gran tiratore, comunque. — Sembra osservare Pollux
con un'intensità che comincia a diventare preoccupan-
te, finché non riesce finalmente a indovinare e si mette a parlare, tutto agitato. — Sei un senza-voce, vero? Lo
capisco dal modo in cui deglutisci. C'erano due senza-
voce, in prigione con me. Darius e Lavinia, ma le guardie li chiamavano quasi sempre teste rosse. Erano i nostri servitori al Centro di Addestramento, quindi hanno
arrestato anche loro. Li ho guardati mentre li torturavano a morte. Lei è stata fortunata. Hanno usato un vol-
taggio troppo alto e il suo cuore si è fermato subito. Per
finire lui, invece, ci sono voluti giorni. Pestaggi, ampu-
tazioni. Continuavano a fargli delle domande, ma non
poteva parlare, emetteva solo quegli orribili suoni ani-
maleschi. Non volevano informazioni, sapete? Volevano solo che io assistessi.

Peeta si guarda intorno, fissa i nostri volti scioccati
come se aspettasse una risposta. Visto che nessuno sembra volergliela dare, chiede: — Vero o falso? — La man-

canza di reazione lo sconvolge ancora di più. — Vero o falso?! — insiste.

— Vero — dice Boggs. — Per quello che ne so io, almeno... vero.

Peeta si affloscia. — Lo pensavo. Non c'era niente di... luccicante in quel ricordo. — Si allontana senza meta dal gruppo, borbottando qualcosa a proposito di dita delle mani e dei piedi.

Mi muovo verso Gale, premo la fronte sul giubbotto antiproiettile, là dove dovrei trovare il suo petto, e sento intorno a me la stretta del suo braccio. Conosciamo finalmente il nome della ragazza che vedemmo rapire da Capitol City nei boschi del 12, e il destino dell'amico pacificatore che tentò di tenere in vita Gale. Questo non è il momento di evocare ricordi di istanti felici. Loro sono morti per causa mia. Li aggiungo al mio personale elenco di uccisioni che è cominciato nell'arena e ormai comprende migliaia di nomi. Quando sollevo lo sguardo, capisco che Gale l'ha presa diversamente. La sua espressione dice che non esistono abbastanza montagne da frantumare né abbastanza città da distruggere. La sua espressione promette morte.

Con il raccapricciante resoconto di Peeta ancora fresco nelle nostre teste, avanziamo scricchiolando per le strade coperte di vetri rotti sino a raggiungere il nostro obiettivo, l'isolato che dobbiamo prendere. Benché piccola, è una vera missione da svolgere. Ci raduniamo intorno a Boggs per studiare la proiezione della strada fornita dall'Olo. Il baccello della sparatoria si trova a un terzo circa del percorso, appena sopra le tendine di un appartamento. Dovremmo essere in grado di innescarlo con qualche pallottola. Il baccello della rete, invece, è sull'altro lato, quasi all'angolo successivo. Per quello ci vorrà qualcuno che faccia scattare il sensore di movimento. Tutti si offrono volontari, tranne Peeta, che sembra non sapere esattamente cosa stia succedendo. Io non vengo scelta. Mi mandano da Messalla, che mi applica un po' di trucco sul viso per i primi piani previsti.

Sotto la guida di Boggs, la squadra prende posizione, ma poi dobbiamo aspettare che Cressida sistemi anche i cameraman. Sono tutti e due alla nostra sinistra, con Castor davanti e Pollux in coda, per essere sicuri di non filmarsi l'un l'altro. Messalla lancia un paio di fumogeni, tanto per creare l'atmosfera. Dato che questa è sia una missione sia una ripresa, sono sul punto di chiedere chi comanda, se il mio superiore o il mio regista, quando Cressida grida: — Azione!

Procediamo lentamente lungo la strada piena di foschia, proprio come in una delle nostre esercitazioni all'Isolato. Ognuno di noi ha almeno un porzione di finestre da far saltare, ma a Gale viene assegnato il vero obiettivo. Quando colpisce il baccello, ci mettiamo al riparo, accucciandoci nei vani delle porte o appiattendoci sulle belle lastre di pavimentazione arancione chiaro e rosa, mentre una pioggia di pallottole ci sfreccia sopra la testa da ogni parte. Dopo un po', Boggs ci ordina di avanzare.

Cressida ci ferma prima che possiamo alzarci perché le servono alcune riprese in primo piano. Uno alla volta, replichiamo le nostre reazioni. Cadendo a terra, facendo smorfie, tuffandoci nelle rientranze. Sappiamo che questa dovrebbe essere una faccenda seria, ma l'intera storia sembra un tantino ridicola. Specie quando si scopre che non sono io l'attrice peggiore della squadra. Ridiamo così forte tutti quanti di fronte al tentativo di Mitchell di esprimere la sua idea di disperazione – comprensivo di denti stretti e narici dilatate – che Boggs è costretto a rimproverarci.

— Contegno, 4-5-1 — dice in tono fermo. Ma si vede che sta soffocando un sorriso mentre controlla di nuovo il baccello successivo. E orienta l'Olo per cercare la luce migliore nell'aria piena di fumo. E, ancora rivolto verso di noi, fa un passo indietro con il piede sinistro sulla lastra arancione. Innescando la bomba che gli fa saltare le gambe.

CAPITOLO 20

Nel giro di un istante, è come se una finestra colorata andasse in frantumi, rivelando l'orribile mondo che vi si nascondeva dietro. Le risate si trasformano in urla, il sangue macchia le lastre dai colori pastello, un fumo autentico scurisce gli effetti speciali della televisione.

Una seconda esplosione sembra lacerare l'aria e mi lascia un ronzio nelle orecchie. Ma non riesco a capire da dove sia venuta.

Raggiungo Boggs, cerco di dare un senso alla carne strappata, alle membra mancanti, di trovare qualcosa per arrestare il getto rosso che esce dal suo corpo.

Homes mi spinge da parte, aprendo con uno strattone il kit di pronto soccorso. Boggs mi stringe il polso. Il suo viso, grigio di morte e di cenere, sembra allontanarsi poco a poco. Ma le parole che seguono sono un ordine. — L'Olo.

L'Olo. Mi muovo freneticamente tutto intorno, scavando in mezzo a pezzi di piastrelle scivolosi di sangue, rabbrividendo quando mi imbatto in brandelli di carne ancora calda. Lo trovo nella tromba di una scala insieme a uno scarpone di Boggs. Lo recupero, lo ripulisco a mani nude e lo riporto al mio comandante.

Homes ha coperto il moncherino della coscia sinistra di Boggs con una stretta fasciatura, ma è già inzuppata. Sta provando a stringere un laccio emostatico sull'altra, sopra il ginocchio superstite. Il resto della squadra si è raccolto in formazione difensiva intorno alla troupe e a noi. Finnick sta cercando di far riprendere i sensi a Messalla, che l'esplosione ha mandato a sbattere contro un muro. La Jackson sbraita in un comunicatore portatile, nel vano tentativo di avvertire il campo che mandi dei medici, ma io so che è troppo tardi. Da bambina, osservando lavorare mia madre, ho imparato che quando la pozza di sangue raggiunge una certa dimensione non c'è più niente da fare.

Mi inginocchio accanto a Boggs, preparata a replicare il ruolo che ho sostenuto con Rue e con la morfaminomane del Distretto 6, a offrire anche a lui qualcuno cui aggrapparsi mentre si scioglie dalla vita. Ma Boggs ha tutte e due le mani al lavoro sull'Olo. Inserisce un comando, preme il pollice sullo schermo per l'autenticazione dell'impronta e recita una sequenza di lettere e numeri rispondendo a un prompt del dispositivo. Un raggio di luce verde erompe dall'Olo e gli illumina il viso. Boggs dice: — Inabile al comando. Trasferimento del nulla osta di massima sicurezza al soldato Katniss Everdeen, squadra 4-5-1. — L'unica cosa che riesce a fare è girare l'Olo verso il mio viso. — Di' il tuo nome.

— Katniss Everdeen — dichiaro al raggio verde. Che, di colpo, mi imprigiona nella sua luce. Non posso muovermi né battere le palpebre, mentre alcune immagini guizzano veloci davanti ai miei occhi.

Mi sta scannerizzando? Registrando? Accecando? Il

raggio scompare, e io scuoto la testa per schiarirmi le idee. — Cos'hai fatto?

— Preparatevi a ritirarvi! — grida la Jackson.

Finnick le urla qualcosa di rimando, gesticolando verso l'estremità dell'isolato da cui siamo entrati. Una sostanza nera e oleosa scaturisce dalla strada come un geyser, levandosi a ondate tra gli edifici, creando un impenetrabile muro d'ombra. Non sembra né liquida né gassosa, né meccanica né naturale. Ma di sicuro è letale. Non c'è modo di tornare da dove siamo venuti.

Gli spari sono assordanti quando Gale e Leeg 1 cominciano a far saltare le lastre di pavimentazione formando un sentiero che va verso la parte opposta dell'isolato. Non capisco cosa stiano facendo fino al momento in cui, a circa nove metri di distanza, un'altra bomba esplode e apre un buco nella strada. A quel punto mi accorgo che stanno attuando un rudimentale tentativo di sminamento. Io e Homes afferriamo Boggs e cominciamo a trascinarlo dietro Gale. Lo strazio prende il sopravvento, lui grida di dolore e io vorrei fermarmi, trovare un modo migliore, ma tra le case il buio sta crescendo, ingrossando, rotolando come un'onda verso di noi.

Vengo strattonata all'indietro, perdo la presa su Boggs e sbatto contro il lastricato. Peeta mi guarda dall'alto, perso, folle, ripiombato in un lampo nel paese dei depistati, il fucile sollevato sopra di me che scende per fracassarmi il cranio. Rotolo, sento il calcio che picchia sulla strada, intravedo con la coda dell'occhio il groviglio di corpi quando Mitchell placca Peeta e lo inchioda a terra. Ma Peeta, sempre pieno di vigore e ora sospinto dalla pazzia degli aghi inseguitori, fa passare i piedi sotto il ventre di Mitchell e lo scaglia lontano, lungo l'isolato.

C'è lo scatto sonoro di una trappola mentre il baccello si innesca. Quattro cavi, fissati a delle scanalature degli edifici, spaccano le lastre e trascinano verso l'alto la rete che avvolge Mitchell. Non ha alcun senso il fatto che stia già grondando sangue, finché non vediamo gli uncini che sporgono dal filo metallico che lo imprigiona. Lo riconosco all'istante. Ornava la sommità della recinzione che correva intorno al 12. Mentre gli urlo di non muoversi, mi vengono dei conati di vomito per il fetore denso, simile a catrame, che si leva da tutto quel liquame nero. L'onda ha formato una cresta e sta precipitando.

Gale e Leeg 1 sparano alla serratura della porta d'ingresso di una casa d'angolo, poi cominciano a tirare i cavi che trattengono la rete di Mitchell. Ci sono altri a bloccare Peeta, adesso. Balzo di nuovo verso Boggs, e io e Homes lo trasciniamo all'interno dell'appartamento, attraverso un salotto di velluto rosa e bianco, lungo un corridoio decorato da foto di famiglia e poi sul pavimento di marmo di una cucina, e lì crolliamo. Castor e Pollux portano dentro un Peeta che si contorce tra di loro. In qualche modo, la Jackson gli mette le manette, ma questo lo rende ancora più furioso, e sono costretti a chiuderlo in un armadio.

In salotto, la porta d'ingresso sbatte, tutti urlano. Poi dei passi pesanti attraversano di corsa l'entrata mentre l'onda nera oltrepassa ruggendo la casa. Dalla cucina, sentiamo le finestre gemere, frantumarsi. La puzza malsana del catrame impregna l'aria. Finnick porta dentro Messalla. Leeg 1 e Cressida, tossendo, entrano con passo malfermo dopo di loro.

— Gale! — strillo.

È lì, sbatte la porta della cucina alle sue spalle ed emette un'unica parola soffocata. — Esalazioni! — Castor e Pollux afferrano strofinacci e grembiuli da cucina per tappare le fessure mentre Gale vomita nel lavello di un giallo brillante.

— Mitchell? — chiede Homes. Leeg 1 si limita a scuotere la testa.

Boggs mi caccia in mano l'Olo a forza. Le sue labbra si stanno muovendo, ma non riesco a capire cosa dice. Mi chino e appoggio l'orecchio alla sua bocca per cogliere il suo roco bisbiglio. — Non fidarti di loro. Non tornare indietro. Uccidi Peeta. Fa' quello che sei venuta a fare.

Mi tiro indietro per vederlo in viso. — Cosa? Boggs? Boggs? — Gli occhi sono ancora aperti, ma già morti. Premuto nella mia mano, incollato lì dal suo sangue, c'è l'Olo.

I violenti calci che Peeta sferra contro lo sportello dell'armadio interrompono il respiro già spezzato degli altri. Ascoltiamo, ma proprio allora la sua energia sembra diminuire. I colpi si riducono a un martellio irregolare. Poi più nulla. Mi chiedo se non sia morto anche lui.

— È andato? — chiede Finnick, abbassando lo sguardo su Boggs. Annuisco. — Dobbiamo uscire di qui. Adesso. Abbiamo appena innescato un'intera via piena di baccelli. Ci hanno beccato di sicuro con i nastri di sorveglianza.

— Ci puoi contare — dice Castor. — Ogni strada è tappezzata di telecamere di sicurezza. Scommetto che hanno scatenato l'onda nera manualmente, quando ci hanno visto registrare il pass-pro.

— I nostri comunicatori radio hanno smesso di funzionare quasi subito. Un congegno a impulsi elettromagnetici, probabilmente. Ma farò in modo che torniamo tutti al campo. Dammi l'Olo. — La Jackson cerca di prendere il dispositivo, ma io me lo stringo al petto.

— No. Boggs l'ha dato a me — dico.

— Non essere ridicola — scatta. Naturale che pensi sia suo. È il comandante in seconda.

— Ma è vero — dice Homes. — Boggs ha trasferito a lei il nulla osta di massima sicurezza mentre moriva. L'ho visto.

— È perché mai l'avrebbe fatto? — chiede la Jackson.

Già, perché? Mi gira la testa per i terribili avvenimenti degli ultimi cinque minuti... Boggs mutilato, morente, morto. La furia omicida di Peeta. Mitchell sanguinante, imprigionato nella rete, ingoiato da quella puzzolente ondata nera. Mi giro verso Boggs, sentendo il bisogno spasmodico di averlo lì, vivo. Di colpo sicura che lui, e forse soltanto lui, è interamente dalla mia parte. Penso ai suoi ultimi ordini...

Non fidarti di loro. Non tornare indietro. Uccidi Peeta. Fa' quello che sei venuta a fare.

Cosa intendeva? Non fidarmi di chi? Dei ribelli? Della Coin? Della gente che mi sta guardando proprio in questo momento? Io non tornerò indietro, ma lui doveva certo sapere che non posso semplicemente ficcare una pallottola in testa a Peeta. Posso? Devo? Boggs aveva intuito che quello che sono venuta a fare, in realtà, è disertare e uccidere Snow per conto mio?

Non sono in grado di rispondere a tutte queste domande, adesso, perciò decido di eseguire solo i primi due ordini: non fidarmi di nessuno e addentrarmi ulteriormente nella città. Ma come lo giustifico? Come li convinco a lasciarmi tenere l'Olo?

— Perché sono in missione speciale per conto della presidente Coin. Credo che Boggs fosse l'unico a saperlo.

Questo non persuade la Jackson neanche un po'. — Per fare cosa?

Perché non dire loro la verità? È plausibile quanto una motivazione improvvisata. Però devo farla sembrare una missione autentica, non una vendetta. — Per assassinare il presidente Snow prima che la perdita di vite umane causata da questa guerra renda impossibile la sopravvivenza della nostra gente.

— Non ti credo — dice la Jackson. — In qualità di tuo attuale comandante, ti ordino di trasferire a me il nulla osta di massima sicurezza.

— No — replico. — Sarebbe una diretta violazione degli ordini della presidente Coin.

Si alzano i fucili di tutta la squadra. Una metà è puntata contro la Jackson, l'altra metà contro di me. Qualcuno sta già per morire, quando interviene Cressida. — È vero. Noi siamo qui per questo. Plutarch vuole che venga trasmesso in TV. Pensa che se riusciamo a filmare la Ghiandaia Imitatrice che assassina Snow, la guerra finirà.

Le sue parole fanno esitare persino la Jackson. Che poi, col fucile, indica l'armadio. — E perché lui è qui?

Bella domanda. Non riesco a pensare a un solo motivo sensato per cui la Coin, avendomi assegnato un compito così cruciale, avrebbe dovuto mandarmi dietro un ragazzo instabile e programmato per uccidermi. Questo rende tutta la mia storia molto meno efficace. Cressida mi viene in aiuto un'altra volta. — Perché le due interviste successive ai Giochi con Caesar Flickerman sono state girate nelle stanze private del presidente Snow. Plutarch ritiene che Peeta potrebbe esserci utile come guida in un posto di cui sappiamo poco.

Vorrei chiedere a Cressida perché sta mentendo per me, perché sta lottando per farci portare avanti una missione che mi sono affidata da sola. Ma adesso non è il momento.

— Dobbiamo andare! — esclama Gale. — Io seguo Katniss. Se voi non volete farlo, tornate al campo. Però muoviamoci!

Homes apre l'armadio e si getta sulle spalle un Peeta privo di sensi. — Pronto.

— Boggs? — chiede Leeg 1.

— Non possiamo portarcelo dietro. Lui capirebbe — dice Finnick. Toglie il fucile dalla spalla di Boggs e se lo mette a tracolla. — Facci strada, soldato Everdeen.

Non so come. Guardo l'Olo per sapere da che parte andare. È ancora attivato, ma potrebbe benissimo essere fuori uso, per quello che ne so. Non c'è tempo di mettersi a giocherellare con i tasti cercando di capire come farlo funzionare. — Non so usarlo. Boggs diceva che mi avresti aiutato tu — racconto alla Jackson. — Ha detto che avrei potuto contare su di te.

La Jackson si acciglia, mi strappa l'Olo dalle mani e inserisce un comando. Compare un incrocio. — Se usciamo dalla porta della cucina, c'è un cortiletto e poi il retro di un altro appartamento d'angolo. Stiamo guardando una visione d'insieme delle quattro vie che si incontrano all'incrocio.

Cerco di orientarmi mentre fisso la sezione della carta che lampeggia di baccelli in ogni direzione. Ma quelli sono solo i baccelli di cui è al corrente Plutarch. L'Olo non segnalava che l'isolato che abbiamo appena lasciato era minato, che aveva il geyser nero, o che la rete era fatta di filo spinato. A parte questo, è possibile che ci siano dei Pacificatori da affrontare, adesso che conoscono la nostra posizione. Mi mordo l'interno del labbro, sentendo gli occhi di tutti su di me. — Mettetevi le maschere. Usciremo da dove siamo entrati.

Immediate obiezioni. Alzo la voce per sovrastarle. — Se l'onda era tanto forte, potrebbe aver attivato e inglobato altri baccelli sul nostro percorso.

Si fermano tutti a riflettere. Pollux fa alcuni rapidi segni al fratello. — Potrebbe aver messo fuori uso anche le telecamere — traduce Castor. — Aver coperto gli obiettivi.

Gale appoggia uno scarpone sul piano della cucina e studia lo schizzo nero sulla punta. Lo gratta con un coltello che ha preso da un ceppo lì sopra. — Non è corrosivo. Credo che questa roba dovesse soffocarci o avvelenarci.

— La nostra ripresa migliore, probabilmente — commenta Leeg 1.

Mettiamo le maschere. Finnick sistema quella di Peeta sul suo viso inanimato. Cressida e Leeg 1 sostengono in mezzo a loro un Messalla intontito.

Sto aspettando che qualcuno prenda la testa del gruppo, quando ricordo che quello è compito mio, adesso. Spingo la porta della cucina e non incontro alcuna resistenza. Uno strato spesso un centimetro e mezzo di sostanza nera e appiccicosa si è sparso tra il salotto e tre quarti dell'entrata. Saggiandone prudentemente la superficie con la punta dello scarpone, scopro che ha la consistenza di un gel. Sollevo il piede e la massa collosa si tende un po', poi torna di scatto dov'era. Faccio tre passi e mi volto a guardare. Nessuna impronta. È la prima cosa bella che sia successa oggi. Il gel si fa leggermente più denso, mentre attraverso il salotto. Apro con delicatezza la porta d'ingresso, aspettandomi che quella roba si riversi dentro a litri, e invece mantiene la sua forma.

Sembra che l'isolato rosa e arancione sia stato immerso in una lucida vernice nera e messo fuori ad asciugare. Il lastricato, le case, persino i tetti, sono ricoperti di gel. Sopra la strada è rimasta sospesa una grande lacrima. Individuiamo due forme sporgenti. La canna di un fucile e una mano umana. Mitchell. Aspetto sul marciapiede, fissandolo, finché l'intero gruppo non mi raggiunge.

— Se qualcuno, per qualsiasi motivo, volesse tornare

indietro, questo è il momento giusto per farlo — dico. — Niente domande e amici come prima. — Nessuno pare propenso a battere in ritirata. Comincio ad avanzare dentro Capitol City, sapendo che non abbiamo molto tempo. Qui il livello del gel è più alto, dieci-dodici centimetri, e fa un rumore di risucchio ogni volta che alzi il piede, ma copre ancora le nostre tracce.

L'onda dev'essere stata enorme, e spinta da una forza tremenda, perché ha interessato parecchi isolati davanti a noi. Procedo con cautela, ma credo che il mio istinto avesse ragione, a proposito dell'innesco di altri baccelli. Un isolato è cosparso dei corpi dorati degli aghi inseguitori. Devono essere stati liberati solo per cadere vittima delle esalazioni. Un po' più in là, un intero condominio è crollato e giace in un mucchio sotto il gel. Attraverso gli incroci di corsa, alzando una mano per fare aspettare gli altri mentre cerco di individuare gli eventuali pericoli, ma sembra che l'ondata abbia disarmato i baccelli molto meglio di quanto avrebbe potuto fare qualsiasi squadra di ribelli.

Al quinto isolato, capisco che siamo arrivati nel punto in cui l'onda ha cominciato a esaurirsi. Il gel è alto solo un paio di centimetri e vedo spuntare le cime dei tetti azzurro chiaro dall'altra parte dell'incrocio. La luce del pomeriggio è calata, e noi abbiamo un disperato bisogno di metterci al riparo e formulare un piano. Scelgo un appartamento a due terzi dell'isolato. Homes forza la serratura, io ordino agli altri di entrare. Resto in strada solo per un attimo, osservando l'ultima delle nostre impronte che svanisce, poi mi chiudo la porta alle spalle.

Le torce elettriche incorporate nei nostri fucili rischiarano un ampio salotto con le pareti a specchio che ci rimandano i nostri stessi volti ovunque guardiamo. Gale controlla le finestre, che non presentano danni, e si toglie la maschera. — È tutto a posto. L'odore si sente, ma non è troppo forte.

L'appartamento sembra essere disposto proprio come il primo nel quale ci siamo rifugiati. Sul davanti, il gel oscura completamente il chiarore naturale del giorno, ma un po' di luce filtra ancora dalle persiane della cucina. Lungo il corridoio, ci sono due camere da letto dotate di bagno. Una scala a chiocciola in salotto conduce a un unico, ampio locale che occupa gran parte del secondo piano. Di sopra non ci sono finestre, ma le luci sono state lasciate accese, forse da qualcuno che aveva fretta di scappare. Un gigantesco schermo televisivo, che non mostra immagini ma sparge un lieve bagliore, occupa un'intera parete. Poltrone e divani sontuosi sono sparsi per tutta la stanza. È qui che ci raduniamo, accasciandoci sulle imbottiture e cercando di riprendere fiato.

La Jackson ha il fucile puntato su Peeta, che pure è ancora ammanettato e privo di sensi, abbandonato di traverso sul divano blu scuro sul quale Homes l'ha depositato. Cosa diavolo ne farò di lui? Della troupe? Di tutti quanti, a dire la verità, a parte Gale e Finnick? Perché preferirei rintracciare Snow con loro due piuttosto che senza, ma non posso guidare dieci persone attraverso Capitol City in una finta missione, anche se fossi in grado di leggere l'Olo. Avrei dovuto o potuto rimandarli indietro quando ne ho avuto l'occasione? O era troppo pericoloso? Sia per loro sia per la mia missione? Forse non avrei dovuto stare a sentire Boggs: poteva essere in stato confusionale perché stava morendo. Forse dovrei semplicemente vuotare il sacco, ma a quel punto la Jackson assumerebbe il comando e finiremmo per tornare al campo. Dove troverei la Coin a cui dare delle risposte.

Proprio mentre la complessità del casino in cui ho trascinato tutti comincia a sovraccaricarmi il cervello, il succedersi lontano di alcune esplosioni fa vibrare la stanza.

— Non erano vicine — ci assicura la Jackson. — Almeno a quattro o cinque isolati di distanza.

— Dove abbiamo lasciato Boggs — dice Leeg 1.

Benché nessuno gli si sia neppure avvicinato, il televisore si accende di colpo, emettendo una serie di acuti bip e facendo balzare in piedi la metà di noi.

— È tutto a posto! — grida Cressida. — È solo una trasmissione di emergenza. Tutti i televisori di Capitol City si attivano automaticamente, in questi casi.

Ed eccoci sullo schermo, subito dopo che la bomba ha fatto fuori Boggs. Una voce fuori campo spiega agli spettatori ciò che stanno vedendo mentre noi cerchiamo di riunirci, reagiamo al gel nero che sgorga dalla strada, perdiamo il controllo della situazione. Guardiamo il caos che segue finché l'onda non offusca le telecamere. L'ultima immagine che vediamo è Gale, solo in mezzo alla strada, che tenta di sparare ai cavi che tengono in aria Mitchell.

Il cronista identifica Gale, Finnick, Boggs, Peeta, Cressida e me per nome.

— Non ci sono riprese dall'alto. Boggs aveva ragione riguardo al loro potenziale aereo — dice Castor. Io non l'avevo notato, ma immagino che questo sia il genere di cose di cui un cameraman si accorge subito.

Il servizio continua dal cortile dietro l'appartamento in cui ci eravamo rifugiati. Ci sono dei Pacificatori allineati sul tetto che sta dalla parte opposta rispetto al nostro precedente nascondiglio. Alcune granate, lanciate all'interno degli appartamenti disposti l'uno accanto all'altro, innescano le esplosioni a catena che abbiamo sentito e fanno crollare l'intero edificio in un mucchio di polvere e macerie.

Adesso passiamo alla trasmissione dal vivo. Una giornalista è in piedi sul tetto insieme ai Pacificatori. Dietro di lei il condominio brucia. I pompieri cercano di controllare l'incendio con le manichette dell'acqua. Siamo dichiarati morti.

— Finalmente un po' di fortuna — commenta Homes.

Immagino che abbia ragione. Di certo è meglio che avere Capitol City alle calcagna. Ma continuo a pensare che questa registrazione verrà trasmessa e ritrasmessa nel 13, dove mia madre e Prim, Hazelle e i bambini, Annie, Haymitch e tutti gli abitanti del distretto credono di averci appena visto morire.

— Mio padre. Ha perduto mia sorella da poco, e adesso... — dice Leeg 1.

Guardiamo il filmato ancora e ancora. Godono della loro vittoria, su di me in particolare. Interrompono con un inserto sull'ascesa al potere rivoluzionario della Ghiandaia Imitatrice (credo che questa parte l'avessero preparata già da un bel po', perché sembra piuttosto ritoccata) e poi tornano dal vivo, per permettere a due giornalisti di parlare della mia fine violenta e strammeritata. Più tardi, promettono, il presidente Snow farà una dichiarazione ufficiale. Lo schermo si scolorisce e torna al suo chiarore.

I ribelli non hanno mai tentato di interrompere la trasmissione, il che mi induce a pensare che credano sia tutto vero. Se è così, siamo davvero soli.

— Allora, adesso che siamo morti, quale sarà la nostra prossima mossa? — chiede Gale.

— Non è ovvio? — Nessuno si era minimamente accorto che Peeta aveva ripreso conoscenza. Non so da quanto sia lì a guardare ma, a giudicare dalla sua espressione infelice, ha avuto abbastanza tempo per vedere quello che è successo in strada. Come sia impazzito, abbia cercato di sfondarmi la testa e scagliato Mitchell nella trappola del baccello. Si mette seduto a fatica e rivolge le sue parole a Gale.

— La nostra prossima mossa... è uccidere me.

CAPITOLO 21

E con questa fanno due richieste di ammazzare Peeta in meno di un'ora.

— Non essere ridicolo — dice la Jackson.

— Ho appena assassinato un membro della vostra squadra! — urla Peeta.

— L'hai spinto per togliertelo di dosso. Non potevi sapere che avrebbe attivato la rete in quel punto preciso — ribatte Finnick, cercando di calmarlo.

— Chi se ne frega! È morto, no? — Le lacrime cominciano a scorrergli lungo il viso. — Non lo sapevo. Non mi sono mai visto così, prima. Katniss ha ragione. Sono io il mostro. Sono io l'ibrido. Sono io quello che Snow ha trasformato in un'arma!

— Non è colpa tua, Peeta — dice Finnick.

— Non potete portarmi con voi. È solo questione di tempo prima che uccida qualcun altro. — Peeta fa girare lo sguardo sui nostri volti tormentati.

— Magari pensate che sia più gentile scaricarmi semplicemente da qualche parte. Lasciare che io corra il rischio. Ma questo equivarrebbe a consegnarmi a Capitol

City. Non penserete di farmi un favore rispedendomi da Snow, vero?

Peeta. Di nuovo nelle mani di Snow. Torturato e martoriato fino a quando neppure un frammento del suo io precedente riuscirà più a tornare in superficie.

Per qualche ragione, mi risuona in testa l'ultima strofa dell'"Albero degli impiccati". Quella in cui l'uomo preferisce vedere morta la sua amata piuttosto che farle affrontare la malvagità che la attende.

Verrai, verrai,
all'albero verrai,
di corda una collana, per stare insieme a me?
Strani eventi qui si son verificati
e nessuno mai verrebbe a curiosare
se a mezzanotte ci incontrassimo
all'albero degli impiccati.

— Ti ucciderò io prima che succeda — dice Gale. — Te lo prometto.

Peeta esita, come se stesse valutando l'affidabilità della sua offerta, poi scuote la testa. — È inutile. E se tu non fossi lì per farlo? Voglio una di quelle pillole avvelenate che avete tutti.

Il morso della notte. Ho una pillola, al campo, nascosta in una speciale fessura sulla manica della mia divisa da Ghiandaia Imitatrice. Ma ne ho un'altra qui, nel taschino dell'uniforme. È interessante sapere che non ne abbiano fornita una anche a Peeta. Forse la Coin pensava che potesse prenderla prima di avere l'occasione di ammazzarmi. Non si capisce se Peeta intenda dire che la farebbe finita adesso, per risparmiare a noi la fatica di ucciderlo, o solo nel caso in cui Capitol City lo catturi un'altra volta. Nelle condizioni in cui si trova, prevedo che accadrebbe prima anziché poi. Certo, renderebbe le cose più facili a tutti, non dovergli sparare. Certo, risolverebbe il problema dei suoi raptus omicidi.

Non so se siano i baccelli, o la paura, o l'aver visto morire Boggs, ma sento l'arena tutto intorno a me. È come se in realtà non ne fossi mai uscita. Sto combattendo di nuovo non solo per la mia sopravvivenza, ma anche per quella di Peeta. Che soddisfazione, che divertimento sarebbe per Snow costringermi a ucciderlo. Obbligarmi ad avere la morte di Peeta sulla coscienza per il tempo che mi resta da vivere.

— Non sei tu il problema — dico. — Abbiamo una missione. E tu ci servi. — Mi rivolgo agli altri. — Pensate che potremmo trovare del cibo qui?

Oltre al kit medico e alle telecamere, non abbiamo nient'altro che le nostre uniformi e le nostre armi.

Una metà di noi rimane a sorvegliare Peeta e a tenere gli occhi aperti in attesa della trasmissione di Snow, mentre gli altri si mettono a cercare qualcosa da mangiare. Messalla si dimostra preziosissimo, perché abitava in un appartamento che era la copia di questo e sa dov'è più probabile che abbiano nascosto dei viveri. Per esempio, sa che dietro un pannello a specchio della camera da letto c'è un ripostiglio, o che è facilissimo smontare la griglia di aerazione dell'ingresso. Così, anche se gli armadietti della cucina sono vuoti, troviamo più di trenta lattine di cibo e parecchie scatole di biscotti.

Tutto quell'accaparramento disgusta i soldati cresciuti nel 13. — Ma non è illegale? — chiede Leeg 1.

— Al contrario, a Capitol City saresti considerato stupido se non lo facessi — risponde Messalla. — Anche prima dell'Edizione della Memoria, la gente stava comınciando a fare incetta delle provviste che scarseggiavano.

— E gli altri facevano senza — conclude Leeg 1.

— Esatto — conferma Messalla. — È così che funziona, qui.

— Meno male, se no saremmo restati — dice Gale. — Ognuno prenda una lattina.

Alcuni membri del gruppo sembrano esitare, ma quello è un sistema buono quanto un altro. E non sono davvero dell'umore giusto per mettermi a dividere tutto in undici parti uguali, calcolando età, peso corporeo e rendimento fisico. Frugo in una pila di scatolette e sono sul punto di scegliere una zuppa di merluzzo, quando Peeta mi tende una lattina. — Tieni.

La prendo, senza sapere cosa aspettarmi. Sull'etichetta c'è scritto STUFATO DI AGNELLO.

Stringo le labbra, ricordando la pioggia che colava dalle rocce, i miei goffi tentativi di flirtare con lui, la fragranza della mia specialità preferita di Capitol City che si diffondeva nell'aria fredda. Allora nella sua testa ci dev'essere ancora una parte di quei ricordi. Come eravamo felici e affamati e vicini, quando quel cesto da picnic arrivò fuori dalla nostra grotta. — Grazie. — Apro il coperchio. — Ci sono persino le prugne secche. — Piego la latta e la uso come cucchiaio improvvisato per raccogliere un pezzetto di stufato e mettermelo in bocca. Adesso questo posto ha pure il sapore dell'arena.

Ci stiamo passando una scatola di sofisticati biscotti col ripieno di crema, quando il televisore riattacca coi suoi bip. Il sigillo di Panem illumina lo schermo e rimane lì per tutta l'esecuzione dell'inno. Poi cominciano a mostrare le immagini dei morti, proprio come facevano con i tributi dell'arena. Iniziano dai quattro volti della nostra troupe televisiva, seguiti da Boggs, Gale, Finnick, Peeta e me. Escluso Boggs, non si prendono il disturbo di menzionare i soldati del 13, o perché non hanno idea di chi siano, o perché sanno che le loro facce non significano niente per il pubblico. E a quel punto compare lui, seduto alla scrivania, con una bandiera drappeggiata alle spalle e la rosa bianca splendente di freschezza appuntata al bavero. Credo si sia fatto fare qualche altro lavoretto, di recente, perché le sue labbra sono più gonfie del solito. E il suo staff di preparatori dovrebbe andarci più leggero con il fard.

Snow si congratula con i Pacificatori per il lavoro magistrale, rende loro onore per aver liberato il paese da quella minaccia chiamata Ghiandaia Imitatrice. Con la mia morte, Snow preannuncia un'inversione di tendenza nell'andamento della guerra, perché ai ribelli scoraggiati non è rimasto nessuno da seguire. E poi cos'ero io, in realtà? Una povera ragazza instabile con un certo talento per arco e frecce. Non una grande pensatrice, non il cervello della rivolta, solo un viso strappato all'anonimato della plebaglia perché aveva attirato l'attenzione del Paese con le sue buffonate ai Giochi. Ma indispensabile, assolutamente indispensabile, perché i ribelli non hanno nessun vero capo tra loro.

Da qualche parte, nel Distretto 13, Beetee preme un pulsante, perché adesso chi ci guarda non è più il presidente Snow ma la presidente Coin. Si presenta a Panem, si identifica come il capo della rivolta, poi recita il mio elogio funebre. Loda la ragazza che è sopravvissuta al Giacimento e agli Hunger Games e in seguito ha trasformato un popolo di schiavi in un esercito di combattenti per la libertà. — Viva o morta, Katniss Everdeen resterà il volto di questa ribellione. Se mai la vostra determinazione dovesse vacillare, pensate alla Ghiandaia Imitatrice, e in lei troverete la forza di cui avete bisogno per liberare Panem dai suoi oppressori.

— Non avevo idea di essere tanto importante per la Coin — dico a Gale, che ride, mentre gli altri mi lanciano sguardi interrogativi.

Appare una foto, pesantemente truccata, che mi ritrae bellissima e fiera su uno sfondo di fiamme guizzanti. Niente parole. Niente slogan. Il mio viso è l'unica cosa di cui hanno bisogno, ormai.

Beetee restituisce le redini del programma a uno Snow molto controllato. Ho la sensazione che il presidente ritenesse impenetrabile il canale di emergenza e che, stanotte, questa intromissione costerà la vita di qualcuno. — Domani mattina, quando estrarremo il cadavere di Katniss Everdeen dalle ceneri, vedremo con precisione chi è la Ghiandaia Imitatrice. Una ragazza morta che non è riuscita a salvare nessuno, nemmeno se stessa. — Sigillo, inno e fine.

— Solo che non la troverete — dice Finnick allo schermo vuoto, esprimendo ad alta voce ciò che forse stiamo pensando tutti. La tregua sarà breve. Una volta che avranno scavato in quelle ceneri, salterà fuori che mancano undici corpi e capiranno che siamo fuggiti.

— Almeno abbiamo un vantaggio su di loro — dico. E di colpo mi sento stanchissima. Tutto quello che voglio è sdraiarmi sul lussuoso divano verde lì accanto e addormentarmi. Avvilupparmi nella trapunta di pelliccia di coniglio e piume d'oca. E invece tiro fuori l'Olo e insisto perché la Jackson mi spieghi nel dettaglio i comandi essenziali – che in realtà consistono nell'inserire le coordinate dell'intersezione più vicina sulla griglia della carta – così sarò almeno in grado di far funzionare quel coso. Quando l'Olo proietta i dintorni, sento il cuore che sprofonda ancora di più. Dobbiamo esserci avvicinati a qualche obiettivo sensibile, perché il numero dei baccelli è nettamente aumentato. Come facciamo ad avanzare fra tutte quelle luci intermittenti senza essere scoperti? Non possiamo. E se è così, siamo intrappolati come uccelli in una rete. Decido che è meglio non assumere atteggiamenti di superiorità, quando sto con loro, specie se i miei occhi continuano a spostarsi su quel divano. Così chiedo: — Qualche idea?

— Perché non cominciamo con l'escludere alcune possibilità? — suggerisce Finnick. — La strada non è una possibilità.

— Neanche i tetti vanno bene — aggiunge Leeg 1.

— Abbiamo ancora la possibilità di ritirarci, di tornare da dove siamo venuti — dice Homes. — Ma significherebbe abbandonare la missione.

Mi rimorde la coscienza, visto che sono stata io a inventarmela, la missione. — Non è stato previsto che andassimo tutti. Voi avete solo avuto la disgrazia di essere con me.

— Be', ormai siamo con te — commenta la Jackson. — Dunque. Non possiamo restare qui. Non possiamo spostarci verso l'alto. Non possiamo spostarci di lato. Credo che questo ci lasci con un'unica scelta.

— Sottoterra — conclude Gale.

Sottoterra. Cosa che detesto. Come le miniere e le gallerie del 13. Sottoterra, dove ho il terrore di morire, il che è sciocco perché, anche se morissi in superficie, la prima cosa che farebbero sarebbe seppellirmi comunque sottoterra.

L'Olo è in grado di mostrarci tanto i baccelli sotterranei quanto quelli a livello strada. Vedo che, scendendo, le linee nette e precise del piano stradale si intrecciano con un tortuoso caos di tunnel, però i baccelli sembrano meno numerosi.

Due porte più in là, un tubo verticale collega il nostro condominio ai tunnel. Per raggiungere l'appartamento in cui si trova quel tubo, dovremo infilarci in un condotto di aerazione che corre per tutta la lunghezza dell'edificio. Possiamo accedere al condotto dal fondo di una cabina armadio al piano di sopra.

— D'accordo, allora. Facciamo in modo che nessuno capisca che siamo stati qui — dico. Cancelliamo ogni segno della nostra permanenza. Spediamo le lattine vuote giù per lo scivolo dei rifiuti, mettiamo da parte quelle piene per dopo, rigiriamo i cuscini del divano macchiati di sangue, spazziamo le mattonelle per eliminare le tracce di gel. Non c'è modo di aggiustare la serratura della porta d'ingresso, ma tiriamo un altro chiavistello così che almeno la porta non si apra al primo tocco.

Alla fine, resta da affrontare solo Peeta. Che si pianta sul divano blu, rifiutando di muoversi. — Io non vengo. Rivelerò la vostra posizione o ucciderò qualcun altro.

— Gli uomini di Snow ti troveranno — dice Finnick.

— Allora lasciatemi una pillola. La prenderò solo se devo — ribatte Peeta.

— Non è una scelta tua. Cammina! — dice la Jackson.

— Oppure cosa fate? Mi sparate? — chiede Peeta.

— Ti mettiamo fuori combattimento e ti trasciniamo con noi — risponde Homes. — Il che ci rallenterà e ci esporrà al pericolo.

— Smettetela di fare i generosi! Non me ne frega niente se muoio! — Si rivolge a me, ormai implorante. — Katniss, ti prego. Non capisci che voglio uscirne?

Il guaio è che lo capisco, eccome. Per quale ragione

non riesco semplicemente a lasciarlo andare? Ad allungargli una pillola, a premere il grilletto? È perché tengo troppo a lui o perché mi importa troppo che Snow possa averla vinta? Ho forse trasformato Peeta in una pedina dei miei Giochi personali? È spregevole, ma potrebbe anche essere degno di me. Se è così, la cosa più compassionevole da fare sarebbe uccidere Peeta, qui e ora. Comunque sia, non sono motivata dalla compassione. — Stiamo sprecando tempo. Vieni di tua volontà o dobbiamo stenderti?

Peeta nasconde il viso tra le mani per alcuni istanti, poi si alza per unirsi a noi.

— Gli liberiamo le mani? — chiede Leeg 1.

— No! — le ringhia contro Peeta, avvicinandosi le manette al corpo.

— No — gli faccio eco. — Però voglio la chiave. — La Jackson me la consegna senza parlare. La faccio scivolare nella tasca dei pantaloni, e lì urta la perla con un rumore secco.

Quando Homes forza il piccolo sportello metallico che porta al condotto di aerazione, incontriamo un'altra difficoltà. Le corazze da coleottero non riusciranno mai a incunearsi in quello stretto passaggio. Castor e Pollux le tolgono e staccano le telecamere di riserva. Hanno le dimensioni di una scatola da scarpe ed è probabile che funzionino comunque. A Messalla non viene in mente un posto migliore per nascondere quelle voluminose corazze, perciò finiamo per buttarle nell'armadio. Lasciare una pista così facile da seguire mi irrita, ma cos'altro potremmo fare?

Anche procedendo in fila indiana con gli zaini e l'equipaggiamento contro il fianco, il passaggio è stretto lo stesso.

Superiamo il primo appartamento e ci introduciamo nel secondo. Qui, in una delle camere da letto, al posto del bagno c'è una porta contrassegnata dalla scritta Locale di Servizio. Dietro quella porta si trova la stanza da cui si accede al tubo.

Tornato per un attimo al suo mondo di fronzoli, Messalla si acciglia davanti all'ampio coperchio rotondo. — Ecco perché nessuno vuole mai la casa al centro. Operai che vanno e vengono a qualsiasi ora e niente secondo bagno. Però l'affitto è molto meno caro. — Poi si accorge dell'espressione divertita di Finnick e aggiunge: — Non farci caso.

Il coperchio del tubo è facile da sbloccare. Una larga scala con pioli rivestiti di gomma consente una rapida e facile discesa nelle viscere della città. Ci riuniamo ai piedi della scala, in attesa che i nostri occhi si abituino alle fioche strisce di luce, inalando un misto di sostanze chimiche, ruggine e liquami.

Pollux, smorto e sudato, tende una mano e si attacca al polso di Castor. Come se potesse cadere senza qualcuno che lo sorregga.

— Mio fratello ha lavorato quaggiù dopo essere diventato un senza-voce — dice Castor. Ovvio, a chi altri potrebbero far curare la manutenzione di questi condotti umidi e maleodoranti e disseminati di baccelli? — Ci abbiamo messo cinque anni per riuscire a comprare la sua risalita in superficie. E lui non aveva visto il sole nemmeno una volta.

In condizioni migliori, in una giornata con meno orrori e più riposo, qualcuno saprebbe cosa dire. E invece ce ne restiamo tutti lì un bel po', impalati, cercando di formulare una risposta.

Alla fine, rivolto a Pollux, Peeta dice: — Be', allora mi

sa che sei appena diventato la nostra risorsa più preziosa.
— Castor ride e Pollux riesce a fare un sorriso.

Siamo già a metà del primo tunnel quando capisco che cosa ha reso tanto particolare quello scambio di battute. Peeta sembra quello di una volta, il ragazzo sempre in grado di pensare alla cosa giusta da dire quando nessun altro ci riesce. Ironico, rassicurante, spiritoso, ma mai a spese di qualcuno. Mi giro a guardarlo mentre si trascina faticosamente, scortato da Gale e dalla Jackson, con gli occhi fissi a terra, le spalle curve. Avvilito. Ma per un attimo, è stato davvero qui.

Peeta ha detto bene. A conti fatti, Pollux vale dieci Olo. La semplice rete di ampie gallerie che troviamo coincide alla perfezione col grosso delle strade in superficie e si trova proprio sotto i viali e le vie laterali più importanti. La chiamano il Transito, dato che viene usata da piccoli camion per consegnare merci in giro per la città.

Durante il giorno, i suoi tanti baccelli sono disattivati, ma di notte è un campo minato. Ciononostante, centinaia di passaggi aggiuntivi, condotti di servizio, binari ferroviari e tubature di scolo formano un labirinto che si estende su più livelli. Pollux è a conoscenza di particolari che condurrebbero a morte certa chiunque li ignori, per esempio quali biforcazioni richiedono l'uso di maschere antigas o presentano cavi elettrificati o sono popolate da ratti grandi come castori. Ci mette in guardia sul fiotto d'acqua che dilaga nelle fogne a intervalli regolari, prevede l'ora in cui le squadre di senza-voce si daranno il cambio, ci guida dentro tubature umide e buie per evitare il passaggio quasi silenzioso dei treni merci. E, cosa più importante, sa dove sono le telecamere. Ce ne sono molte, in questo posto tetro e avvolto dalla foschia, ma non nel Transito. Però ci teniamo ben lontani dalla loro portata.

Sotto la guida di Pollux, procediamo a una discreta velocità... a una notevole velocità, se la confrontiamo col viaggio in superficie. Dopo circa sei ore, la fatica ha la meglio. Sono le tre del mattino, quindi immagino che ci resti ancora qualche ora prima che scoprano che i nostri cadaveri non ci sono, o che frughino tra le macerie dell'intero condominio scoprendo che abbiamo cercato di fuggire per i condotti, e abbia inizio la caccia.

Quando propongo di riposare, nessuno si oppone. Pollux trova uno stanzino caldo nel quale ronzano macchinari zeppi di leve e quadranti. Alza le dita per indicare che dovremo andarcene entro quattro ore. La Jackson programma i turni di guardia e, visto che non sono compresa nel primo, mi infilo nello stretto spazio tra Gale e Leeg 1, addormentandomi all'istante.

Mi sembra che siano passati solo alcuni minuti quando do la Jackson mi scuote per svegliarmi e dirmi che è il mio turno. Sono le sei in punto e tra un'ora dovremo essere in marcia. La Jackson mi dice di mangiare una lattina di cibo e tenere d'occhio Pollux, che ha insistito per montare di guardia tutta la notte. — Quaggiù non riesce a dormire. — Mi induco faticosamente a uno stato di relativa vigilanza, mangio stufato di patate e fagioli in scatola e mi siedo contro la parete di fronte alla porta. Pollux sembra sveglissimo. Probabilmente ha continuato a rivivere quei cinque anni di prigionia per l'intera nottata. Tiro fuori l'Olo e riesco a inserire le coordinate della nostra posizione per esaminare i tunnel. Come previsto, più avanziamo verso il centro di Capitol City e più i baccelli rilevati aumentano di numero. Per un po', io e Pollux armeggiamo con i tasti dell'Olo per vedere quali trappole aspettarci e dove. Quando comincia a girarmi la testa, gli porgo il marchingegno e mi appoggio alla parete. Abbasso lo sguardo sul gruppo addormentato di soldati, troupe e amici, e mi chiedo quanti di noi rivedranno mai il sole.

Quando l'occhio mi cade su Peeta, che ha la testa posata proprio accanto ai miei piedi, vedo che è sveglio. Vorrei saper leggere quello che succede nella sua mente, vorrei poterci entrare e districare quell'intrico di bugie. Invece mi accontento di qualcosa che è più alla mia portata.

— Hai mangiato? — chiedo. Una lieve scrollata di capo mi segnala che non l'ha fatto. Apro una lattina di zuppa di pollo e riso e gliela tendo, tenendomi il coperchio nel caso tentasse di tagliarcisi i polsi o roba del genere. Si mette seduto e inclina la lattina, trangugiando rumorosamente la zuppa senza preoccuparsi di masticarla. Il fondo metallico riflette le luci dei macchinari, e ricordo un particolare che mi solletica le meningi sin da ieri.

— Peeta, quando hai parlato di quel che era successo a Darius e Lavinia, e Boggs ha confermato che era vero, tu hai detto che lo pensavi. Perché in quel ricordo non c'era niente di luccicante. Cosa volevi dire?

— Oh. Non so bene come spiegarlo — mi dice. — All'inizio era tutto confuso e basta. Adesso riesco a distinguere determinate cose. Credo ci sia uno schema che sta venendo a galla. I ricordi che hanno alterato col veleno degli aghi inseguitori hanno una strana caratteristica. È come se fossero troppo intensi o le immagini tremolassero. Ti ricordi com'era, quando siamo stati punti?

— Gli alberi andavano in pezzi. C'erano gigantesche farfalle multicolori. Io sono caduta in una buca di bolle arancioni. — Ci rifletto un attimo. — Bolle arancioni e luccicanti.

— Giusto. Ma non c'era niente di simile nel mio ricordo di Darius e Lavinia. Non credo che mi avessero ancora dato il veleno — dice.

— Be', è una bella cosa, no? — chiedo. — Se riesci a fare una distinzione, allora puoi capire quello che è vero.

— Sì. E se mi facessi crescere le ali, potrei volare. Solo che alle persone non crescono le ali — dice lui. — Vero o falso?

— Vero — rispondo. — Ma alle persone non servono le ali per sopravvivere.

— Alle ghiandaie imitatrici sì. — Finisce la zuppa e mi restituisce la lattina.

Nella luce fluorescente, i cerchi che ha sotto gli occhi sembrano lividi. — C'è ancora tempo. Dovresti dormire. — Torna a sdraiarsi, remissivo, ma rimane a fissare l'ago di uno dei quadranti che scatta di continuo da una parte all'altra. Lentamente, come farei con un animale ferito, tendo la mano e gli scosto una ciocca ondulata dalla fronte. Lui rabbrividisce al contatto, ma non si ritrae. E così continuo a lisciargli delicatamente i capelli all'indietro. È la prima volta che lo tocco di mia volontà dall'ultima arena.

— Stai ancora cercando di proteggermi. Vero o falso? — bisbiglia.

— Vero — rispondo. Ma il concetto mi sembra richieda un'ulteriore spiegazione. — Perché è questo che facciamo, io e te. Ci proteggiamo a vicenda. — Dopo circa un minuto, cade poco a poco nel sonno.

Poco prima delle sette, io e Pollux cominciamo a muoverci in mezzo agli altri, scuotendoli. Ci sono i soliti sbadigli e sospiri che accompagnano il risveglio. Ma le mie

orecchie colgono qualcos'altro. Una specie di sibilo. Forse è solo vapore che esce da una tubatura, o il lontano
spostamento d'aria prodotto da uno dei treni...

Zittisco il gruppo per decifrarlo meglio. Sì, c'è un sibilo, ma non è un suono prolungato. Somiglia di più a
un susseguirsi di molteplici espirazioni che formano parole. Un'unica parola. Un nome. Ripetuto all'infinito.

Katniss.

CAPITOLO 22

La tregua è terminata. Forse Snow ha ordinato di scavare per tutta la notte. Non appena estinto l'incendio, in ogni caso. Hanno trovato i resti di Boggs, per un attimo si sono sentiti rassicurati, ma poi, con il trascorrere delle ore senza altri trofei, hanno cominciato a sospettare. A un certo punto si sono accorti di essere stati ingannati. E il presidente Snow non può tollerare che gli si faccia fare la figura dello stupido. Ha poca importanza che abbiano seguito le nostre tracce fino al secondo appartamento o abbiano pensato che siamo scesi subito sottoterra. Adesso sanno che siamo quaggiù e hanno sguinzagliato qualcosa, un branco di ibridi probabilmente, che è ben deciso a trovarmi.

— Katniss. — Faccio un balzo per la vicinanza del suono. Ne cerco frenetica la fonte, l'arco incoccato, cercando un bersaglio da colpire. — Katniss. — Le labbra di Peeta si muovono appena, ma non c'è alcun dubbio, il nome è venuto da lui. Proprio quando pensavo di vederlo un po' meglio, proprio quando pensavo che potesse lentamente tornare da me, ecco la prova di quanto sia giunto in profondità il veleno di Snow. — Katniss. — Peeta è programmato per rispondere a quel coro di sibili, per unirsi alla caccia. Sta cominciando a tremare. Non ho scelta. Posiziono la mia freccia perché gli penetri nel cervello. Lui è a malapena cosciente. All'improvviso, si mette seduto, gli occhi sbarrati per la preoccupazione, il fiato corto. — Katniss! — Gira di scatto la testa verso di me, ma non sembra accorgersi del mio arco, della freccia in attesa. — Katniss! Esci di qui!

Esito. Ha la voce di chi è agitato, non squilibrato. — Perché? Cos'è che fa questo rumore?

— Non lo so. So solo che deve ucciderti — dice Peeta. — Corri! Esci! Vai!

Dopo un attimo di disorientamento, concludo che non ho bisogno di ucciderlo. Allento la corda dell'arco. Osservo i volti ansiosi che mi circondano. — Qualunque cosa sia, ce l'ha con me. Potrebbe essere l'occasione giusta per separarci.

— Ma noi siamo la tua scorta — dice la Jackson.

— E la tua troupe — aggiunge Cressida.

— Io non ti lascio — dichiara Gale.

Guardo la troupe, armata soltanto di telecamere e blocchi per appunti. E c'è Finnick, con due fucili e un tridente. Gli suggerisco di dare un fucile a Castor. Tolgo il caricatore a salve da quello di Peeta, ne inserisco uno vero, e consegno l'arma a Pollux. Dato che io e Gale abbiamo i nostri archi, passiamo i fucili a Messalla e Cressida. Non c'è tempo per mostrargli altro, se non come si fa a puntare e a premere il grilletto, ma in quello spazio ristretto può bastare. Sempre meglio che essere inermi. Adesso l'unico senza un'arma è Peeta, ma chi sussurra il mio nome insieme a un branco di ibridi non ne ha comunque bisogno.

Usciamo dallo stanzino dopo esserci liberati di tutto salvo che del nostro odore. Non c'è modo di cancellarlo, adesso. Immagino che sia così che quelle cose sibilanti ci inseguono, perché non abbiamo lasciato molte tracce materiali.

Il fiuto degli ibridi sarà di certo più fine del normale, ma forse il tempo che abbiamo trascorso ad arrancare in mezzo all'acqua dei canali di scarico contribuirà a confonderlo.

Una volta fuori dal ronzio dello stanzino, il sibilo si fa più distinto. Ma c'è anche la possibilità di percepire meglio dove si trovano gli ibridi. Sono dietro di noi, ancora un bel po' distanti. Probabilmente Snow li ha fatti liberare sottoterra vicino al luogo in cui hanno trovato il cadavere di Boggs. In teoria dovremmo avere un buon vantaggio su di loro, anche se di sicuro sono molto più veloci di noi. La mia mente torna alle creature simili a lupi della prima arena, alle scimmie dell'Edizione della Memoria, agli orrori cui ho assistito in TV nel corso degli anni, e mi chiedo che forma abbiano assunto questi ibridi. Qualunque forma Snow consideri capace di spaventarmi a morte.

Io e Pollux abbiamo già pianificato la tappa successiva del nostro viaggio e, visto che ci allontana dal sibilo, non vedo motivi per cambiare. Se ci muoviamo in fretta, forse riusciremo a raggiungere la villa di Snow prima che gli ibridi raggiungano noi. Ma la rapidità comporta disattenzione: lo scarpone calato malamente che si traduce in un tonfo, il casuale fragore metallico di un fucile contro una tubatura, persino i miei stessi ordini, impartiti a voce troppo alta e quindi con scarsa prudenza.

Abbiamo coperto circa altri tre isolati passando per un tubo sfioratore e una sezione in disuso di binari ferroviari, quando iniziano le urla. Rauche, gutturali. Rimbalzano contro le pareti dei tunnel.

— Senza-voce — dice subito Peeta. — Erano questi i suoni che emetteva Darius quando lo torturavano.

— Gli ibridi devono averli trovati — commenta Cressida.

— Allora non ce l'hanno solo con Katniss — osserva Leeg 1.

— Forse uccidono chiunque. Il fatto è che non si fermeranno finché non arriveranno a lei — dice Gale. Dopo le ore che ha trascorso a studiare con Beetee, è molto probabile che abbia ragione.

Ed eccomi di nuovo qui. A guardare la gente che muore per causa mia. Amici, alleati, completi estranei che perdono la vita per la Ghiandaia Imitatrice. — Lasciate che vada avanti da sola. Che me li tiri dietro. Trasferirò l'Olo alla Jackson. Voi potrete portare a termine la missione.

— Nessuno di noi accetterà una proposta simile! — esclama la Jackson, esasperata.

— Stiamo perdendo tempo! — dice Finnick.

— Ascoltate — sussurra Peeta.

Le urla sono cessate, e in loro assenza il mio nome si ripete, impressionante per quanto è vicino. Adesso è sotto e dietro di noi. — Katniss.

Do un colpetto sulla spalla di Pollux e ci mettiamo a correre. Il guaio è che avevamo in programma di scendere al livello sottostante, ma ormai è fuori discussione. Quando arriviamo alla scaletta che porta giù, io e Pollux esaminiamo sull'Olo le possibili alternative, ma proprio in quel momento comincio ad avere dei conati di vomito.

— Mettete le maschere! — ordina la Jackson.

Ma non c'è bisogno delle maschere. Respiriamo tutti la stessa aria. E io sono l'unica a liberarmi dello stufato perché sono l'unica a essere stimolata da quell'odore. Che risale dalla tromba delle scale. Che fende i liquami. Rose. Comincio a tremare.

Mi allontano di scatto dal fetore ed esco a passo malfermo proprio sul Transito. Strade ben livellate, ricoperte di piastrelle dai colori pastello, proprio come quelle in superficie, ma fiancheggiate da pareti di mattoni bianchi invece che da case. Una carreggiata dove i veicoli delle consegne possono viaggiare comodamente, senza gli ingorghi di Capitol City. Vuote, adesso, vuote di tutto tranne che di noi. Sollevo l'arco con un movimento brusco e faccio saltare il primo baccello con una freccia esplosiva, il che uccide i ratti carnivori annidati all'interno. Poi corro veloce fino all'incrocio successivo, dove so che un passo falso ci farà disintegrare il terreno sotto i piedi, dandoci in pasto a una cosa identificata come "Tritacarne". Gridando, avverto gli altri di restare con me. Il mio piano prevede che tutti giriamo l'angolo e poi io faccia esplodere il Tritacarne, ma un altro baccello non segnalato ci aspetta.

Accade senza rumore. Non me ne accorgerei proprio se Finnick non mi fermasse con uno strattone. — Katniss!

Mi volto di scatto, la freccia già pronta a partire, ma cosa potrei fare? Due delle frecce di Gale giacciono inutilizzabili accanto al fascio di luce dorata che si irradia dal soffitto al pavimento. Dentro quella luce, Messalla è immobile come una statua, sollevato sulla punta di un piede, la testa piegata all'indietro, imprigionato dal raggio. Non capisco se stia urlando, anche se la sua bocca è spalancata. Restiamo a guardare, del tutto impotenti, mentre la carne si scioglie sul suo corpo come cera di candela.

— Non possiamo aiutarlo! — Peeta comincia a spingere avanti la gente. — Non possiamo! — Pare incredibile, ma lui è l'unico a essere ancora abbastanza lucido da farci muovere. Non so perché si controlli, quando invece dovrebbe dare i numeri e spaccarmi la testa, una cosa che potrebbe accadere da un momento all'altro. La sua mano che mi preme la spalla mi induce a distogliere lo sguardo da quella cosa spaventosa che è diventata Messalla. Mi sforzo di mettere un piede davanti all'altro, in fretta, così in fretta che riesco appena a fermarmi in scivolata prima dell'incrocio successivo.

Una scarica di fucilate mi rovescia addosso una valanga di gesso. Giro freneticamente la testa da una parte all'altra, in cerca del baccello, ma poi mi volto e vedo la squadra di Pacificatori che viene verso di noi a passo di carica lungo il Transito. Col baccello del Tritacarne che ci blocca la strada, non possiamo fare altro che rispondere al fuoco. Loro sono due volte più numerosi, ma noi abbiamo ancora sei membri originari della Squadra di Stelle che non hanno alcuna intenzione di sparare solo per coprirsi la fuga.

Pesci in un barile, penso, mentre macchie di rosso fioriscono sulle loro uniformi bianche. Ne abbiamo abbattuti e uccisi tre quarti, quando altri cominciano a entrare a frotte dalla parete del tunnel, la stessa che ho attraversato a capofitto per allontanarmi dalla puzza, da...

Quelli non sono Pacificatori.

Sono bianchi, dotati di quattro arti, e sono grandi più o meno come un essere umano adulto, ma i paragoni finiscono lì. Non indossano vestiti, hanno lunghe code da rettile, schiene arcuate e teste protese in avanti. Sciamano sui Pacificatori, vivi e morti, stringono loro il collo con la bocca e gli strappano via la testa con tutto l'elmetto. A quanto pare, un pedigree di Capitol City è inutile qui come lo era nel 13. Ci vuole solo qualche secondo prima che i Pacificatori vengano decapitati. Gli ibridi ricadono sul ventre e corrono veloci verso di noi a quattro zampe.

— Da questa parte! — urlo, rasentando la parete e girando stretto a destra per evitare il baccello. Quando tutti mi hanno raggiunta, sparo in direzione dell'incrocio, e il Tritacarne si attiva. Enormi denti meccanici sfondano la strada e masticano le piastrelle sino a ridurle in polvere. Quello dovrebbe impedire agli ibridi di seguirci, ma non ne sono sicura. I lupi e le scimmie mutanti che ho incontrato riuscivano a saltare incredibilmente lontano.

Il sibilo mi brucia le orecchie e il tanfo di rose fa ondeggiare i muri.

Afferro il braccio di Pollux. — Dimentica la missione. Qual è la via più rapida per risalire in superficie?

Non c'è tempo per controllare l'Olo. Seguiamo Pollux per meno di dieci metri lungo il Transito e varchiamo una porta. Le piastrelle si trasformano in calcestruzzo, e noi strisciamo per uno stretto condotto puzzolente fino a un ballatoio largo una trentina di centimetri. Siamo nella fogna principale. Nemmeno un metro più giù, l'intruglio venefico di rifiuti organici umani, immondizia e scorie chimiche ci passa accanto gorgogliando. Alcuni punti della superficie sono in fiamme, altri emettono nubi di vapore dall'aspetto sgradevole. Basta uno sguardo per capire che, se ci cadi dentro, non ne verrai mai fuori. Muovendoci sul ballatoio scivoloso con tutta la rapidità che ci consente il nostro coraggio, ci dirigiamo verso un ponticello e lo attraversiamo. In una rientranza dalla parte opposta, Pollux batte con la mano su una scala a pioli indicando il condotto. È questa, la nostra via di uscita.

Una veloce occhiata al nostro gruppo mi dice che qualcosa non va. — Aspettate! Dove sono la Jackson e Leeg 1?

— Sono rimaste al Tritacarne per trattenere gli ibridi — dice Homes.

— Cosa? — Mi sto slanciando di nuovo verso il ponte, decisa a non lasciare nessuno in balia di quei mostri, quando lui mi strattona all'indietro.

— Non sprechiamo altre vite, Katniss. È troppo tardi. Guarda! — Con un cenno del capo, Homes indica la conduttura: gli ibridi stanno strisciando sul ballatoio.

— State indietro! — urla Gale. Usando le frecce con la punta esplosiva, sradica dalle fondamenta l'altra estremità del ponte. Il resto sprofonda tra le bolle, proprio mentre arrivano gli ibridi.

Li osservo con attenzione per la prima volta. Un misto di essere umano, lucertola e chissà cos'altro. Pelle da rettile, bianca e tesa, imbrattata di sangue, mani e piedi dotati di artigli, volti che sono un'accozzaglia di tratti discordanti. Adesso sibilano, strillano il mio nome, e i loro corpi si contorcono per il furore. Agitano code e artigli, si sbranano l'uno con l'altro o squarciano le loro stesse carni con le grandi bocche schiumanti, impazziti dal desiderio di distruggermi. Il mio odore deve essere evocativo per gli ibridi quanto il loro lo è per me. O anche di più, perché cominciano a gettarsi dentro la fogna mefitica senza curarsi della sua tossicità.

Lungo la nostra sponda, tutti aprono il fuoco. Io scelgo le mie frecce senza troppa cura, spedendo punte normali, incendiarie o esplosive nei corpi degli ibridi. Sono esseri mortali, ma appena appena. Nessun prodotto della natura continuerebbe a venire avanti con una dozzina di pallottole in corpo. Sì, alla fine riusciamo a ucciderli, però ce ne sono tantissimi – è un flusso infinito quello che si riversa dalla tubatura – e non esitano neppure a servirsi dei liquami per avanzare.

Ma non è il loro numero a farmi tremare le mani. Non esistono ibridi buoni. Sono nati apposta per distruggerti. Alcuni ti prendono la vita, come le scimmie. Altri la ragione, come gli aghi inseguitori. Eppure la loro vera mostruosità, la più spaventosa, sta in un perverso rovesciamento psicologico, concepito per terrorizzare la vittima. La vista dei lupi mutanti con gli occhi dei tributi morti. Il verso delle ghiandaie chiacchierone che riproducevano le grida straziate di Prim. Il profumo delle rose di Snow mescolato con l'odore del sangue dei caduti. Che aleggia su tutta la fogna. Che sovrasta persino questo putridume. Che mi fa battere il cuore all'impazzata, mi ghiaccia la pelle e mi opprime i polmoni. È come se Snow mi alitasse dritto in faccia, dicendomi che è tempo di morire.

Gli altri stanno gridando qualcosa, ma io non riesco a reagire. Braccia forti mi sollevano mentre faccio saltare la testa di un ibrido che con gli artigli mi ha sfiorato la caviglia. Vengo scaraventata verso la scaletta. Mi spingono le mani contro i pioli. Mi ordinano di arrampicarmi. Le membra di legno della marionetta che sono adesso ubbidiscono. Il movimento mi riporta lentamente alla ragione. Individuo una persona sopra di me. Pollux. Peeta e Cressida sono sotto. Raggiungiamo una piattaforma. Ci trasferiamo su una seconda scaletta. Pioli resi scivolosi dal sudore e dalla muffa. Alla piattaforma successiva, ho le idee più chiare e mi rendo finalmente conto che quanto è accaduto è vero. Frenetica, comincio ad allontanare la gente dalla scala. Peeta. Cressida. Fine.

Cosa ho fatto? Nelle mani di cosa ho abbandonato gli altri? Sto scendendo di nuovo la scaletta quando uno dei miei scarponi colpisce qualcuno.

— Sali! — mi sbraita Gale. Torno su, con lui alle calcagna, e scruto il buio in cerca di altri compagni. — No.

— Gale gira il mio viso verso di lui e scuote la testa. Ha l'uniforme stracciata. Una ferita aperta sul lato del collo.

Da sotto proviene un grido umano. — Qualcuno è ancora vivo — supplico.

— No, Katniss. Non verrà più nessuno — dice Gale. — Solo gli ibridi.

Incapace di accettare la cosa, uso la torcia del fucile di Cressida per fare luce lungo il condotto. Molto più giù, riesco appena a distinguere Finnick che si sforza di resistere mentre tre ibridi lo dilaniano. Quando uno gli strattona la testa all'indietro per infliggere il morso mortale, succede qualcosa di strano. È come se fossi Finnick, se guardassi scorrere in un baleno le immagini della mia vita. L'albero di una barca a vela, un paracadute argentato, Mags che ride, un cielo rosa, il tridente di Beetee, Annie nel suo abito da sposa, onde che si infrangono sulle rocce. Poi è finita.

Mi sfilo l'Olo dalla cintura, con voce soffocata dico per tre volte "tic tac" e poi lo lascio cadere. Mi rannicchio contro la parete insieme agli altri mentre l'esplosione scuote la piattaforma e pezzi di ibrido e carne umana schizzano fuori dalla conduttura, piovendoci addosso.

C'è un rumore metallico quando Pollux richiude il tubo sbattendo il coperchio e tira il chiavistello. Pollux, Gale, Cressida e io. Siamo tutto ciò che rimane. Più tardi arriveranno anche le emozioni umane. Ora sono consapevole soltanto dell'urgenza animale di tenere in vita i pochi sopravvissuti del nostro gruppo. — Non possiamo fermarci qui.

Qualcuno offre una benda. La leghiamo intorno al collo di Gale. Lo rimettiamo in piedi. Solo una figura resta raggomitolata contro il muro. — Peeta — dico. Nessuna risposta. Che sia svenuto? Mi accovaccio davanti a lui e gli scosto le mani ammanettate dal viso. — Peeta? — I suoi occhi sembrano pozze nere, le pupille si sono così dilatate che le iridi azzurre sono quasi scomparse. I muscoli dei suoi polsi sono duri come metallo.

— Lasciami qui — sussurra. — Non riuscirò a resistere.

— Sì, invece. Ci riuscirai! — gli dico.

Peeta scuote la testa. — Sto perdendo il controllo. Impazzirò. Come loro.

Come gli ibridi. Come una belva rabbiosa, decisa a squarciarmi la gola. E qui, proprio qui, in questo posto e in questa circostanza, dovrò veramente ucciderlo. E Snow avrà vinto. Un odio cocente, feroce, mi scorre dentro. Snow ha già vinto troppo, per oggi.

Le probabilità di successo sono minime, forse è un suicidio, ma faccio l'unica cosa che mi viene in mente. Mi protendo e bacio Peeta dritto sulla bocca. Lui rabbrividisce tutto, ma io tengo le labbra premute sulle sue finché non sono costretta a riprendere fiato. Le mie dita risalgono lungo i suoi polsi ad afferrargli le mani. — Non permettergli di portarti via da me.

Peeta ansima forte mentre combatte contro gli incubi che infuriano nella sua testa. — No. Non voglio...

Gli stringo le mani sino a fargli male. — Resta con me.

Le sue pupille si contraggono come punte di spillo, si dilatano rapidamente ancora una volta, poi tornano a quella che parrebbe la normalità. — Sempre — mormora.

Aiuto Peeta a rialzarsi e mi rivolgo a Pollux. — Quanto è lontana la strada? — Lui indica che è proprio sopra di noi. Mi arrampico per l'ultima scaletta e spingo il coperchio che dà sul locale di servizio di un qualche appartamento. Mi sto alzando in piedi quando una donna apre la porta. Indossa una vestaglia di seta color turchese brillante, ricamata con figure di uccelli esotici. I suoi capelli color magenta sono vaporosi come una nuvola e ornati di farfalle dorate. L'unto della salsiccia mezza mangiata che tiene in mano le imbratta le labbra. L'espressione sul suo viso dice che mi ha riconosciuta. Apre la bocca per chiamare aiuto.

Senza esitare, le trafiggo il cuore con una freccia.

CAPITOLO 23

A chi abbia urlato la donna resta un mistero, perché, dopo aver perlustrato l'appartamento, scopriamo che era sola. Forse il suo grido era destinato a un vicino di casa, o si trattava semplicemente di un moto di paura. In ogni caso, non c'era nessun altro in grado di sentirla.

Questo appartamento sarebbe un posto eccellente in cui rintanarsi per un po', ma è un lusso che non possiamo permetterci. — Secondo voi, quanto tempo abbiamo prima che capiscano che qualcuno di noi è sopravvissuto? — chiedo.

— Per me potrebbero arrivare da un momento all'altro — risponde Gale. — Sapevano che eravamo diretti alle strade. È probabile che l'esplosione li confonda per qualche minuto, ma dopo cominceranno a cercare il punto da cui siamo usciti.

Vado a una finestra che dà sulla strada e, quando sbircio dalle tende avvolgibili, non mi trovo di fronte le squadre dei Pacificatori, ma una moltitudine di persone che vanno di fretta e badano agli affari loro. Nel corso del nostro viaggio sotterraneo, ci siamo allontanati parecchio dalle zone evacuate e siamo riemersi in un quartiere affollato di Capitol City. Questa ressa è la nostra unica possibilità di fuga. Non ho un Olo, ma ho Cressida. Mi raggiunge alla finestra, conferma di sapere dove siamo e mi dà la bella notizia che ci troviamo a pochi isolati dalla villa del presidente.

Una sola occhiata ai miei compagni mi dice che non è il momento per sferrare a Snow un attacco a sorpresa. Gale perde ancora sangue dalla ferita sul collo che non abbiamo nemmeno disinfettato. Peeta è seduto su un divano di velluto con un cuscino stretto tra i denti, vuoi per lottare contro la pazzia vuoi per soffocare un urlo. Pollux piagnucola appoggiato alla mensola di un elaborato caminetto. Cressida se ne sta in piedi al mio fianco con aria decisa, ma è così pallida che le sue labbra sono esangui. Io mi reggo sull'odio. Quando verranno a mancarmi anche le energie per odiare, non sarò più utile a nessuno.

— Controlliamo gli armadi — dico.

In una stanza da letto, troviamo centinaia di completi, cappotti e scarpe della donna, un arcobaleno di parrucche, e trucchi in quantità sufficiente per tinteggiare una casa. La camera dall'altra parte del corridoio contiene un'analoga scelta di articoli maschili. Forse appartengono a suo marito. O forse a un amante che stamattina ha avuto la fortuna di non essere lì.

Chiamo gli altri perché vengano a vestirsi. Alla vista dei polsi sanguinanti di Peeta, mi frugo in tasca cercando la chiave delle manette, ma lui si allontana da me di scatto.

— No — dice. — Non farlo. Mi aiutano a tenere insieme i pezzi di me stesso.

— Potresti aver bisogno delle mani — osserva Gale.

— Quando sento che sto perdendo colpi, conficco i

polsi nelle manette, e il dolore mi aiuta a mettere a fuoco — spiega Peeta. Lascio stare le manette.

Fuori fa freddo, per fortuna, quindi possiamo nascondere gran parte delle nostre uniformi e delle armi sotto cappotti e mantelli dalla linea morbida. Ci appendiamo gli scarponi al collo con i lacci e li copriamo, poi al loro posto ci infiliamo delle scarpe assurde. Il vero problema, naturalmente, sono le nostre facce. Cressida e Pollux rischiano di essere identificati da eventuali conoscenti, l'aspetto di Gale potrebbe risultare familiare per via di pass-pro e notiziari, mentre ogni singolo abitante di Panem conosce me e Peeta. In fretta, ci aiutiamo l'un l'altro a stendere strati di trucco, indossare parrucche e occhiali da sole. Cressida copre il naso e la bocca miei e di Peeta con una sciarpa.

Sento girare le lancette dell'orologio, ma mi fermo solo qualche istante per riempire le tasche di tutti con cibo e materiali di pronto soccorso. — Restate uniti — dico, sulla porta d'ingresso. Dopodiché usciamo direttamente in strada. È cominciata a cadere una neve leggera. Intorno a noi turbinano persone agitate che parlano di ribelli e di fame e di me, con l'accento lezioso di Capitol City. Attraversiamo la strada e superiamo qualche altro appartamento. Proprio mentre giriamo l'angolo, una trentina di Pacificatori ci passano davanti con passo deciso. Ci spostiamo precipitosamente, come fanno i veri cittadini, aspettiamo che la calca riprenda il suo flusso normale, e continuiamo a muoverci. — Cressida — sussurro. — Puoi pensare a un posto qualsiasi?

— Ci sto provando — risponde.

Percorriamo un altro isolato, e partono le sirene. Dalla finestra di un appartamento, vedo trasmettere un servizio televisivo urgente e le nostre foto. Non hanno ancora identificato i morti del nostro gruppo, perché tra le immagini noto Castor e Finnick. Tra poco ogni passante sarà pericoloso quanto un pacificatore. — Cressida?

— C'è un posto. Non è l'ideale. Ma possiamo tentare — dice. La seguiamo per qualche altro isolato e svoltiamo passando dal cancello di quella che pare una residenza privata. Ma è solo una scorciatoia, perché, dopo aver attraversato un giardino ben curato, usciamo da un secondo cancello e sbuchiamo su una stradina secondaria che collega due viali. Ci sono alcuni negozietti angusti, uno che acquista articoli usati e un altro che vende gioielli falsi. In giro, solo un paio di persone che non fanno caso a noi. Cressida comincia a blaterare con voce acuta di biancheria intima di pelliccia e di come sia indispensabile nei mesi freddi. — Aspettate di vedere i prezzi! Credetemi, sono la metà di quello che si paga sui viali!

Ci fermiamo davanti a una sudicia vetrina piena di manichini che indossano biancheria di pelliccia. Il posto non sembra neppure aperto, ma Cressida spinge la porta d'ingresso ed entra, azionando uno scampanellio dissonante. All'interno del negozio stretto e scuro, nel quale si allineano appendiabiti carichi di merce, l'odore di pelli non ancora conciate mi riempie il naso. Gli affari devono andare a rilento: siamo gli unici clienti. Cressida si dirige senza esitazioni verso la figura curva che siede in fondo. La seguo, facendo scorrere le dita sugli indumenti morbidi mentre passiamo.

Dietro il banco, è seduta la donna più strana che abbia mai visto. È un esempio estremo di chirurgia estetica malriuscita, perché nemmeno a Capitol City qualcuno potrebbe trovare attraente quel viso. La pelle è stata tirata al massimo e tatuata a strisce nere e oro. Il naso è stato appiattito al punto da sembrare quasi inesistente.

Ho già visto dei baffi da gatto sulla gente di Capitol City, ma mai così lunghi. Il risultato è una grottesca maschera semi-felina che adesso ci guarda con diffidenza, strizzando gli occhi.

Cressida si toglie la parrucca, scoprendo i suoi rampicanti. — Tigris — dice. — Abbiamo bisogno di aiuto.

Tigris. Quel nome mi fa suonare un campanello in testa. Nei primissimi Giochi di cui ho memoria, quella donna, in una versione più giovane e meno inquietante, era una specie di istituzione. Una stilista, credo. Non ricordo per quale distretto. Non per il 12. Poi deve aver fatto un'operazione di troppo e aver oltrepassato il limite del disgusto.

Allora è qui che finiscono gli stilisti quando hanno fatto il loro tempo. In patetici negozietti di intimo dove aspettano la morte. Lontani dai riflettori.

Fisso il suo viso, chiedendomi se i suoi genitori l'abbiano davvero chiamata Tigris, ispirandole quella mutilazione, o se sia stata lei a scegliere lo stile e a cambiarsi il nome per intonarlo alle strisce.

— Plutarch ha detto che potevamo fidarci di te — aggiunge Cressida.

Fantastico, è uno dei tirapiedi di Plutarch. Perciò, se la sua prima mossa non sarà consegnarci a Capitol City, informerà lui, e di conseguenza la Coin, di dove siamo. No, il negozio di Tigris non è l'ideale, ma al momento è tutto ciò che abbiamo. Ammesso che ci aiuti. Scruta alternativamente un vecchio televisore che ha sul banco e noi, come se cercasse di riconoscerci. Per facilitarla, tiro giù la sciarpa, tolgo la parrucca e mi avvicino, in modo che la luce proveniente dallo schermo mi cada sul viso.

Tigris emette un basso brontolio, non dissimile da quello con cui potrebbe salutarmi Ranuncolo. Scende furtiva dallo sgabello e scompare dietro un appendiabiti di fuse-aux foderati di pelliccia. Si sente scivolare qualcosa, poi la sua mano riemerge e ci invita a venire avanti. Cressida mi guarda come per chiedere "Sei sicura?" Ma che scelta abbiamo? Tornare per le strade in queste condizioni sarebbe una garanzia di cattura o di morte. Giro intorno alle pellicce e scopro che Tigris ha fatto scorrere un pannello sulla parete. Dietro, sembra esserci la cima di una ripida scala di pietra. Mi fa cenno di entrare.

Tutta la situazione puzza di trappola. Ho un attimo di panico e mi ritrovo a girarmi verso Tigris, cercando i suoi occhi fulvi. Perché lo sta facendo? Non è Cinna, non è una persona disposta a sacrificarsi per gli altri. Questa donna è l'incarnazione della superficialità di Capitol City. È stata una delle star degli Hunger Games finché... finché non lo è stata più. È questo, allora? Amarezza? Odio? Vendetta? A dire il vero, l'idea mi consola. Il desiderio di vendetta può bruciare a lungo e con violenza. Specie se ogni occhiata allo specchio non fa che ravvivarlo.

— Snow ti ha bandita dai Giochi? — chiedo. Lei si limita a restituirmi lo sguardo. Da qualche parte, la sua coda da tigre guizza di disappunto. — Perché io ho intenzione di ucciderlo, sai? — La sua bocca si allarga in quello che prendo per un sorriso. Rassicurata sul fatto che non sia una totale follia, penetro lentamente nello spazio vuoto.

A circa metà della scala, il mio viso si scontra con una catenella che pende. La tiro e illumino il nascondiglio con una tremolante lampada fluorescente. È una piccola cantina senza porte né finestre. Bassa e ampia. Forse solo un'intercapedine tra due locali seminterrati. Un luogo la cui esistenza può passare inosservata, a meno di non avere molto occhio per le dimensioni. È freddo e umido, con cataste di pelli che immagino non vedano la luce del giorno da anni. Se non sarà Tigris a consegnarci, credo che qui non ci troverà nessuno. Quando raggiungo il pavimento in calcestruzzo, i miei compagni sono lungo la scala. Il pannello scivola di nuovo al suo posto. Sento l'appendiabiti della biancheria che viene risistemato sulle sue ruote cigolanti. Il passo felpato di Tigris che torna al suo sgabello. Siamo stati inghiottiti dal suo negozio.

E appena in tempo, perché Gale sembra sul punto di crollare. Prepariamo un letto di pelli, gli togliamo gli strati di armi e lo aiutiamo a sdraiarsi. In fondo alla cantina, a una trentina di centimetri dal pavimento, c'è un rubinetto con sotto uno scarico. Apro il rubinetto e, dopo molto sputacchiare e tanta ruggine, l'acqua comincia a scorrere trasparente. Puliamo la ferita al collo di Gale e mi accorgo che le bende non saranno sufficienti. Gli servirà qualche punto. I materiali di pronto soccorso comprendono ago e filo sterile, ma quello che a noi manca è qualcuno in grado di usarli. Per un attimo penso di arruolare Tigris. Come stilista, deve per forza saperci fare, con gli aghi. Ma in questo caso non rimarrebbe nessuno in negozio, e lei sta già facendo abbastanza. Ammetto di essere forse la persona più qualificata per il lavoro, digrigno i denti, e pratico la sutura con una fila di punti irregolari. Non è bella, ma funziona. La medico e la fascio. Offro a Gale alcuni antidolorifici. — Puoi riposare, adesso. Questo posto è sicuro — gli dico. Si addormenta alla velocità della luce.

Mentre Cressida e Pollux allestiscono giacigli di pelliccia per tutti, io mi occupo dei polsi di Peeta. Sciacquo il sangue con delicatezza, applico un antisettico e li fascio sotto le manette. — Devi tenerli puliti, altrimenti l'infezione potrebbe diffondersi e...

— So cos'è l'avvelenamento del sangue, Katniss — dice Peeta. — Anche se mia madre non è una guaritrice.

Vengo sbalzata indietro nel tempo a un'altra ferita, ad altre fasciature. — Mi hai detto la stessa cosa nei primi Hunger Games. Vero o falso?

— Vero — risponde. — E tu hai rischiato la vita per procurarti la medicina che mi ha salvato?

— Vero. — Scrollo le spalle. — Lo dovevo a te, se ero ancora viva per farlo.

— A me? — Il mio commento lo ha confuso. Ci dev'essere qualche ricordo luccicante che lotta per conquistare la sua attenzione, perché il corpo gli si irrigidisce e i polsi appena bendati fanno forza contro le manette di metallo. Poi tutta l'energia lo abbandona. — Sono così stanco, Katniss.

— Dormi — dico. Si rifiuta di farlo finché non gli rimetto a posto le manette, incatenandolo ai sostegni della scala. Non può stare comodo, sdraiato lì con le braccia sopra la testa. Ma nel giro di qualche minuto si assopisce anche lui.

Cressida e Pollux hanno preparato i letti, riordinato cibo e medicinali, e adesso chiedono come penso di organizzare i turni di guardia. Guardo il pallore di Gale, le manette di Peeta. Pollux non dorme da giorni, e io e Cressida abbiamo dormicchiato per qualche ora soltanto. Se un drappello di Pacificatori dovesse entrare da quella porta, saremmo intrappolati come ratti. Siamo in completa balia di una decrepita donna-tigre con quello che posso solo sperare sia un desiderio divorante di vedere Snow morto.

— Sinceramente non credo che fare dei turni di guardia serva a qualcosa. Cerchiamo piuttosto di dormire un po' — dico. Loro annuiscono, intontiti, e ci rintaniamo tutti tra le nostre pelli. Il mio fuoco interiore si è spento con un guizzo, e con lui la mia forza. Mi arrendo alla morbida pelliccia che sa di muffa e al nulla.

Ricordo soltanto un sogno. Una cosa lunga e spossante, dove sto tentando di arrivare al Distretto 12. La casa che sto cercando è intatta, le persone sono vive. Effie Trinket, vistosa con una parrucca e un completo su misura di un rosa vivace, viaggia con me. Mi sforzo di piantarla in asso a più riprese, ma inspiegabilmente lei ricompare ogni volta al mio fianco, sostenendo che, come mia accompagnatrice, è sua precisa responsabilità farmi rispettare il programma. Solo che il programma cambia di continuo, vanificato dalla mancanza di un timbro da parte di un funzionario o ritardato dalla rottura di uno dei tacchi alti di Effie. Restiamo accampate per giorni sulla panchina di una stazione grigia nel Distretto 7, aspettando un treno che non arriva mai. Quando mi sveglio, per qualche ragione mi sento più prosciugata da questo sogno che dalle mie solite incursioni notturne nel sangue e nel terrore.

Cressida, l'unica già in piedi, mi dice che è tardo pomeriggio. Mangio una lattina di stufato di manzo e lo annaffio con molta acqua. Poi mi appoggio alla parete della cantina, ripercorrendo gli eventi dell'ultima giornata. Procedendo da una morte all'altra. Contandole sulle dita. Uno, due: Mitchell e Boggs perduti nell'isolato. Tre: Messalla liquefatto dal baccello. Quattro, cinque: Leeg 1 e la Jackson che si sacrificano al Tritacarne. Sei, sette, otto: Castor, Homes e Finnick che vengono decapitati dalle lucertole mutanti al profumo di rose. Otto compagni morti in ventiquattr'ore. So che è successo, eppure non mi sembra reale. Castor è sicuramente addormentato sotto quella pila di pellicce, tra un attimo Finnick scenderà i gradini saltellando e Boggs mi spiegherà il suo piano di fuga.

Crederli morti significa ammettere che li ho uccisi. D'accordo, magari non Mitchell e Boggs, che sono morti per adempiere a un vero incarico. Ma gli altri hanno perso la vita per difendermi nel corso di una missione che ho inventato io. Il mio complotto per uccidere Snow sembra così sciocco, adesso. Estremamente sciocco, mentre me ne sto seduta in questa cantina a tremare, a tenere il conto delle nostre perdite, a giocherellare coi fiocchi degli alti stivali argentati che ho rubato dalla casa della donna. Ah, già... dimenticavo. Ho ucciso anche lei. Ormai faccio fuori anche i cittadini disarmati.

Credo sia giunta l'ora di arrendermi.

Quando finalmente gli altri si svegliano, confesso. Di aver mentito sulla missione, di avere messo tutti in pericolo per inseguire la mia vendetta. Quando finisco di parlare, c'è un lungo momento di silenzio. Poi Gale dice: — Katniss, lo sapevamo tutti che mentivi sulla Coin e sul fatto che ti avesse mandato ad assassinare Snow.

— Tu magari lo sapevi. Ma i soldati del 13 no — replico.

— Pensi davvero che la Jackson credesse che avevi ricevuto ordini dalla Coin? — chiede Cressida. — Certo che no. Ma si fidava di Boggs, ed era evidente che lui voleva che andassi avanti.

— Non ho mai detto a Boggs cosa progettavo di fare — ribatto.

— L'hai detto a tutti, al Comando! — esclama Gale. — Era una delle condizioni per essere la Ghiandaia Imitatrice. "Sarò io a uccidere Snow".

Le due cose non sembrano collegate. L'aver trattato con la Coin per il privilegio di giustiziare Snow a guerra finita e questa fuga non autorizzata attraverso Capitol City.

— Ma non così — protesto. — È stato un disastro totale.

— Credo che la riterrebbero una missione molto ben riuscita, invece — dice Gale. — Ci siamo infiltrati in campo nemico, dimostrando che le difese di Capitol City possono essere violate. Siamo riusciti a far passare un filmato della nostra azione su tutti i notiziari di Capitol City. Abbiamo gettato l'intera città nel caos, nel tentativo di trovarci.

— Credimi, Plutarch ne sarà entusiasta — aggiunge Cressida.

— Questo perché a Plutarch non interessa chi muore — dico. — Non finché i suoi Giochi sono un successo.

Cressida e Gale non la smettono più di parlare per cercare di convincermi. Pollux annuisce ai loro discorsi in segno di conferma. Solo Peeta non esprime un'opinione.

— Cosa ne pensi, Peeta? — chiedo alla fine.

— Penso... che tu non ne abbia ancora idea, dell'effetto che puoi fare. — Fa scivolare le manette lungo il sostegno e si mette in posizione seduta. — I compagni che abbiamo perduto non erano stupidi. Sapevano quello che facevano. Ti hanno seguita perché credevano che saresti davvero riuscita a uccidere Snow.

Non so perché la sua voce mi tocchi come nessun'altra. Ma se ha ragione, e credo sia così, ho un debito nei confronti degli altri che può essere ripagato in un solo modo. Prendo la cartina dalla tasca della mia uniforme e la spiego sul pavimento con nuova determinazione. — Dove siamo, Cressida?

Il negozio di Tigris si trova a circa cinque isolati dall'Anfiteatro cittadino e dalla villa di Snow. Possiamo coprire facilmente a piedi quella distanza attraversando una zona in cui i baccelli sono disattivati per la sicurezza dei residenti. Abbiamo travestimenti che, un po' ritoccati con le pellicce del magazzino di Tigris, potrebbero farci arrivare là sani e salvi. E poi cosa? La casa sarà di certo sotto stretto controllo, protetta da telecamere di video-sorveglianza ventiquattr'ore su ventiquattro e attorniata da baccelli che si attivano semplicemente premendo un interruttore.

— Quello che ci serve è farlo uscire allo scoperto — mi dice Gale. — A quel punto, uno di noi potrà abbatterlo.

— Fa ancora qualche apparizione pubblica? — chiede Peeta.

— Non credo — risponde Cressida. — In occasione degli ultimi discorsi che ho visto, almeno, era sempre dentro la sua residenza. Anche da prima che i ribelli arrivassero qui. Immagino sia diventato più cauto, dopo che Finnick ha divulgato i suoi crimini in TV.

Giusto. Ormai non sono più solo le Tigris di Capitol City a odiare Snow, ma una miriade di persone, collegate l'una all'altra, che sanno ciò che ha fatto ai loro amici e familiari. Ci vorrebbe qualcosa ai limiti del miracoloso, per attirarlo fuori. Qualcosa come...

— Scommetto che per me uscirebbe — dico. — Se venissi catturata. Vorrebbe farlo sapere a più gente possibile. Vorrebbe che fossi giustiziata sui gradini di fronte a casa sua. — Lascio che l'idea faccia presa. — E allora Gale potrebbe spargli stando in mezzo al pubblico.

— No. — Peeta scuote la testa. — Ci sono troppe conclusioni alternative, in questo piano. Snow potrebbe decidere di trattenerti e torturarti per estorcerti informazioni. O di farti giustiziare pubblicamente, ma senza essere presente. O di ucciderti dentro casa ed esporre il tuo corpo fuori.

— Gale? — chiedo.

— Mi sembra che sia troppo presto per arrivare a una soluzione tanto estrema — risponde lui. — Se tutto il resto non dovesse funzionare, magari. Continuiamo a pensare.

Nel silenzio che segue, sentiamo il rumore leggero dei passi di Tigris sopra le nostre teste. Dev'essere ora di chiusura. Sta girando una chiave, forse blocca le persiane. Qualche minuto dopo, il pannello in cima alle scale scivola e si apre.

— Venite su — dice una voce roca. — Vi do qualcosa da mangiare. — È la prima volta che parla da quando siamo arrivati. Non so se le venga naturale o sia il frutto di anni di pratica, ma c'è qualcosa nel suo modo di parlare che ricorda le fusa di un gatto.

Mentre saliamo la scala, Cressida chiede: — Hai contattato Plutarch, Tigris?

— Non si può. — Tigris scrolla le spalle. — Immaginerà che siete in una casa sicura. Non preoccupatevi.

Preoccuparmi? Mi sento enormemente sollevata alla notizia che dal 13 non mi verranno impartiti ordini che sarei costretta a ignorare. O che non dovrò imbastire una difesa plausibile per le decisioni che ho preso negli ultimi due giorni.

Nel negozio, il banco è apparecchiato con alcuni grossi pezzi di pane stantio, una fetta di formaggio ammuffito e un vasetto di senape. Ciò mi ricorda che in questi giorni non tutti gli abitanti di Capitol City hanno la pancia piena. Mi sento in dovere di dire a Tigris che ci rimangono delle scorte di cibo, ma lei respinge le mie obiezioni con un gesto della mano. — Io non mangio quasi niente — dice. — E comunque, solo carne cruda. — Questo mi sembra un po' troppo tipico, ma non faccio domande. Mi limito a grattare via la muffa dal formaggio e a ripartire il cibo tra gli altri.

Mentre mangiamo, guardiamo i servizi degli ultimi

notiziari di Capitol City. Il governo limita a noi cinque il numero dei ribelli sopravvissuti. Sono state offerte taglie enormi per qualsiasi informazione possa portare alla nostra cattura. Mettono in risalto la nostra pericolosità. Mostrano la nostra squadra durante la sparatoria coi Pacificatori, ma non gli ibridi che strappano teste. Rendono un melodrammatico omaggio alla donna che giace dove l'abbiamo lasciata, con la mia freccia ancora nel cuore. Qualcuno le ha rifatto il trucco, a beneficio delle telecamere.

Gli insorti lasciano che le trasmissioni di Capitol City vadano avanti senza interromperle. — I ribelli hanno fatto qualche dichiarazione, oggi? — chiedo a Tigris. Lei scuote la testa. — Dubito che la Coin sappia cosa fare con me, adesso che per lei sono di nuovo viva.

Tigris emette una risatina di gola. — Nessuno sa cosa fare con te, ragazzina. — Poi mi fa prendere un paio di fuseaux di pelliccia, anche se non posso pagarglieli. È il genere di regalo che devi accettare per forza. E comunque fa freddo, in quella cantina.

Di sotto, dopo la cena, continuiamo a scervellarci per ideare un piano. Non ne esce niente di valido, ma siamo d'accordo sul fatto che non possiamo più uscire tutti e cinque insieme e che dovremo cercare di infiltrarci nella residenza del presidente prima che io gli faccia da esca. Accetto questo secondo punto per evitare ulteriori discussioni. Se deciderò di consegnarmi, non mi servirà il permesso o la partecipazione di nessuno.

Cambiamo le bende a Gale, torniamo ad ammanettare Peeta al suo sostegno e ci mettiamo a dormire. Qualche ora dopo, sono di nuovo sveglia e mi accorgo che qualcuno sta chiacchierando tranquillamente. Peeta e Gale. Non posso trattenermi dall'origliare.

— Grazie per l'acqua — dice Peeta.

— Figurati — replica Gale. — Tanto mi sveglio dieci volte a notte.

— Per assicurarti che Katniss sia ancora qui? — chiede Peeta.

— Qualcosa del genere — ammette Gale.

C'è un lungo intervallo prima che Peeta torni a parlare. — Era buffo, quello che ha detto Tigris. Che nessuno sa cosa fare con lei.

— Be', tu e io non l'abbiamo mai saputo — dice Gale.

Ridono entrambi. È stranissimo sentirli parlare così. Quasi da amici. Cosa che non sono mai stati. Anche se non sono esattamente nemici.

— Lei ti ama, sai? — dice Peeta. — In pratica me l'ha detto, dopo che ti avevano frustato.

— Non crederci — ribatte Gale. — Il modo in cui ti baciava durante l'Edizione della Memoria... be', non ha mai baciato me così.

— Faceva semplicemente parte dello spettacolo — gli spiega Peeta, benché la sua voce abbia un tono di dubbio.

— No, sei riuscito a farle cambiare idea. Hai rinunciato a tutto per lei. Forse è il solo modo per convincerla che la ami. — C'è un lungo silenzio. — Avrei dovuto offrirmi volontario al posto tuo nei primi Hunger Games. Avrei dovuto proteggerla allora.

— Non potevi — dice Peeta. — Non te l'avrebbe mai perdonata. Tu dovevi prenderti cura di sua madre e di sua sorella. Lei tiene più a loro che alla sua stessa vita.

— Be', non sarà un problema ancora per molto. Secondo me è improbabile che alla fine di questa guerra saremo vivi tutti e tre. E nel caso, immagino che saranno affari di Katniss. Chi scegliere, dico. — Gale sbadiglia. — Dovremmo dormire un po'.

— Sì. — Sento le manette di Peeta che scorrono lungo il sostegno mentre si sistema. — Mi chiedo come farà a decidere.

— Oh, io lo so già. — Riesco appena a cogliere le ultime parole di Gale attraverso lo strato di pelliccia. — Tra noi due, Katniss sceglierà quello che ritiene indispensabile alla sua sopravvivenza.

CAPITOLO 24

Un brivido mi pervade. Sono davvero così fredda e calcolatrice? Gale non ha detto "Tra noi due, Katniss sceglierà quello che non può abbandonare perché farlo le spezzerebbe il cuore", o "quello di cui non potrebbe fare a meno nella sua vita". Parole del genere avrebbero sottinteso che fossi mossa da una qualche passione. E invece il mio migliore amico prevede che sceglierò colui che ritengo "indispensabile alla mia sopravvivenza". Niente indica che potrò essere influenzata dall'amore o dal desiderio o persino da una semplice compatibilità di carattere. Mi limiterò a condurre una gelida valutazione di ciò che il mio potenziale compagno sarà in grado di offrirmi. Come se alla fine fosse solo questione di capire chi, tra un fornaio e un cacciatore, saprà rendere più lunga la mia vita. È orribile che Gale lo dica, e che Peeta non lo contesti. Soprattutto sapendo che ogni mia emozione è stata presa e sfruttata da Capitol City o dai ribelli. La scelta sarebbe facile, adesso come adesso. Posso sopravvivere benissimo senza l'uno e senza l'altro.

La mattina, non ho né tempo né energie per covare sentimenti feriti. Ancora prima dell'alba, durante una colazione a base di paté di fegato e biscotti ai fichi, ci riuniamo intorno al televisore di Tigris per una delle intrusioni di Beetee. La guerra ha avuto nuovi sviluppi. A quanto pare, ispirati dall'onda nera, alcuni intraprendenti comandanti ribelli hanno avuto l'idea di confiscare le automobili abbandonate e di mandarle per le strade senza nessuno al volante. Le auto non innescano tutti i baccelli, ma di sicuro ne colpiscono la maggior parte. Verso le quattro del mattino, gli insorti hanno cominciato ad aprirsi tre diverse strade – che sono designate semplicemente come linee A, B e C – verso il cuore di Capitol City. E il risultato è che si sono impossessati di un isolato dopo l'altro con pochissime vittime.

— Non può durare — commenta Gale. — In effetti, mi sorprende che sia andata avanti tanto a lungo. Capitol City si adeguerà disattivando alcuni baccelli per poi innescarli manualmente quando i bersagli arrivano a tiro.

— Solo qualche minuto dopo la sua previsione, è proprio ciò che vediamo avverarsi sullo schermo. Una squadra invia lungo un isolato una macchina, la quale fa scattare quattro baccelli. Tutto sembra andare bene. Tre esploratori partono e riescono ad arrivare sani e salvi in fondo alla strada. Ma il gruppo di venti soldati ribelli che li segue viene fatto a pezzi dall'esplosione di una fila di rosai in vaso davanti a un fioraio.

— Scommetto che non essere il regista di tutto questo sta uccidendo Plutarch — dice Peeta.

Beetee restituisce le trasmissioni a Capitol City e una telecronista dalla faccia torva indica gli isolati che i civili dovranno evacuare. Tra il suo aggiornamento e il servizio precedente, sono in grado di segnare le posizioni delle truppe nemiche sulla mia cartina e mostrarle agli altri.

Sento un tafferuglio in strada, mi sposto verso le finestre e sbircio da una fessura delle persiane. Nella luce del primo mattino, assisto a uno spettacolo curioso. I profughi degli isolati ormai occupati si stanno riversando nel centro di Capitol City. Quelli più in preda al panico hanno addosso solo camicie da notte e pantofole, mentre i più attrezzati sono pesantemente infagottati dentro strati di vestiti. Portano di tutto, dai cagnolini ai portagioie ai vasi di piante. Un uomo che indossa una vestaglia leggera tiene in mano soltanto una banana troppo matura. Bambini confusi e assonnati incespicano al seguito dei genitori, quasi tutti troppo sciocccati o troppo perplessi per piangere.

Colgo alcuni dettagli mentre attraversano rapidi il mio campo visivo. Due grandi occhi marroni. Un braccio che stringe la bambola preferita. Un paio di piedi nudi, bluastri per il freddo, che inciampano sul lastricato irregolare del vicolo. Vederli mi ricorda i bambini del 12 che sono morti per sfuggire alle bombe incendiarie. Lascio la finestra.

Tigris si offre di farci da spia per la giornata, visto che è l'unica di noi a non avere una taglia sulla testa. Dopo averci chiusi di sotto, esce per andare in città a raccogliere ogni informazione utile.

Giù in cantina, continuo a camminare avanti e indietro, facendo diventare matti gli altri. Qualcosa mi dice che non approfittare della fiumana di rifugiati è un errore. Quale miglior copertura potremmo avere? D'altra parte, ogni sfollato che vaga per le strade rappresenta un paio d'occhi in più alla ricerca dei cinque ribelli ancora a piede libero. E però cosa ci guadagniamo a restarcene qui? In realtà non facciamo altro che esaurire la nostra piccola scorta di viveri e aspettare... cosa? Che gli insorti prendano Capitol City? Potrebbero volerci settimane, e non sono sicura di quello che farei se ci riuscissero. Di certo, non correrei a dargli il benvenuto. La Coin mi farebbe riportare nel 13 senza darmi nemmeno il tempo di dire "tic tac". Non ho fatto tutta questa strada – e perduto tutti quei compagni – per consegnarmi mani e piedi a quella donna. Sarò io a uccidere Snow. Per di più sono tanti, troppi, gli avvenimenti di questi ultimi giorni che non mi riuscirebbe facile spiegare. E molti, se venissero alla luce, farebbero quasi certamente saltare il mio accordo sull'immunità dei vincitori. A parte me, infatti, ho la sensazione che qualcuno degli altri ne avrà bisogno. Peeta, per esempio. Un Peeta che, comunque la si giri, chiunque può vedere in video mentre lancia Mitchell nel baccello-rete. Già me lo immagino cosa farebbe il tribunale di guerra della Coin con una prova del genere.

Nel tardo pomeriggio cominciamo a preoccuparci per il prolungarsi dell'assenza di Tigris. Si finisce col parlare della possibilità che sia stata arrestata, che ci abbia denunciati di sua volontà o che sia semplicemente rimasta ferita nel mare di profughi. Verso le sei, però, la sentiamo tornare. Rumore di passi strascicati al piano di sopra, poi il pannello si apre.

Il meraviglioso profumo di carne che cuoce nell'olio si diffonde nell'aria. Tigris ci ha preparato un pasticcio di prosciutto e patate. È il primo cibo caldo che vediamo da giorni, e infatti, nell'attesa che lei mi riempia i piatti, corro il serio rischio di sbavare.

Mentre mastico, cerco di prestare attenzione a Tigris che ci spiega come si è procurata quella leccornia, ma il dettaglio più importante che assimilo è che, al momento, l'intimo di pelliccia costituisce una preziosa merce di scambio. Soprattutto per chi ha abbandonato la propria casa mezzo nudo. Molti profughi sono ancora per strada e tentano di trovare riparo per la notte. Gli abitanti dei begli appartamenti del centro non hanno spalancato le porte agli sfollati. Al contrario: quasi tutti hanno sprangato la casa, chiuso le persiane e finto di essere altrove. L'Anfiteatro cittadino è ormai zeppo di profughi, e i Pacificatori vanno di porta in porta, facendo irruzione se ci sono costretti, per assegnare ospiti.

Guardiamo in TV un laconico capo dei Pacificatori che fissa regole specifiche su quante persone per metro quadrato ciascun residente sarà tenuto ad accogliere. L'uomo ricorda agli abitanti di Capitol City che stanotte la temperatura scenderà molto al di sotto dello zero e li avverte che il presidente si aspetta da loro un'ospitalità non solo volenterosa ma entusiasta, in questo momento di crisi. Dopodiché vengono mostrate alcune riprese dall'aria decisamente fasulla, in cui cittadini preoccupati accolgono nelle loro case profughi riconoscenti. Il capo dei Pacificatori dice che il presidente stesso ha ordinato di allestire una parte della sua residenza in modo che domani possa ospitare gli sfollati. Aggiunge poi che anche i negozianti dovranno prepararsi a mettere a disposizione i loro spazi, se richiesto.

— Tigris, potrebbe toccare anche a te — dice Peeta. Mi rendo conto che ha ragione. Che persino lo stretto corridoio occupato da questo negozio potrebbe essere requisito se il numero dei profughi aumenta. A quel punto ci ritroveremmo davvero intrappolati in cantina, rischiando sempre di essere scoperti. Quanto giorni abbiamo? Uno? Forse due?

Il capo dei Pacificatori si ripresenta con altre istruzioni

per la popolazione. Pare che stasera si sia verificato uno spiacevole incidente nel corso del quale la folla ha picchiato a morte un ragazzo che somigliava a Peeta. D'ora in poi, quindi, tutti gli avvistamenti dei ribelli dovranno essere immediatamente riferiti alle autorità, che provvederanno all'identificazione e all'arresto del sospettato. Fanno vedere una foto della vittima. A parte i capelli ricci palesemente ossigenati, somiglia a Peeta quanto me.

— La gente è impazzita — mormora Cressida.

Guardiamo un breve aggiornamento degli insorti e veniamo a sapere che oggi sono stati presi parecchi altri edifici. Annoto le coordinate sulla mia cartina e le studio. — La linea C è a soli quattro isolati da qui — annuncio. Per qualche ragione, questo mi colma d'ansia più dell'idea dei Pacificatori a caccia di alloggi. Divento molto servizievole. — Lavo i piatti.

— Ti do una mano. — Gale raccoglie le stoviglie.

Sento gli occhi di Peeta che ci seguono mentre usciamo dalla stanza. Nell'angusta cucina sul retro del negozio di Tigris, riempio il lavello di acqua bollente e detersivo. — Credi che sia vero? — chiedo. — Che Snow lascerà entrare dei profughi nella villa?

— Credo che sia costretto a farlo, se non altro per le telecamere — risponde Gale.

— Parto domattina — dichiaro.

— Vengo con te — dice Gale. — Cosa facciamo con gli altri?

— Pollux e Cressida potrebbero esserci utili. Sono ottime guide — osservo. Il vero problema non sono Pollux e Cressida. — Ma Peeta è troppo...

— ... imprevedibile — conclude Gale. — Pensi che ci permetterà di lasciarlo indietro?

— Possiamo sempre dire che ci metterebbe in pericolo — rifletto. — Potrebbe anche rimanere qui, se saremo convincenti.

Peeta si dimostra piuttosto ragionevole riguardo alla nostra proposta. Si dichiara subito d'accordo sul fatto che la sua presenza potrebbe costituire un rischio per noi quattro. Sto già pensando che forse andrà tutto bene, che aspetterà la fine della guerra nella cantina di Tigris, quando ci comunica che lui uscirà per conto suo.

— Per fare cosa? — chiede Cressida.

— Non lo so con esattezza. L'unica cosa in cui potrei ancora esservi utile sarebbe creare un diversivo. Avete visto cos'è successo al tizio che mi somigliava — dice.

— E se... perdi il controllo? — obietto.

— Vuoi dire... se mi prende la mattana da ibrido? Be', se la sentirò arrivare, cercherò di tornare qui — mi promette.

— E se Snow ti cattura di nuovo? — chiede Gale. — Non hai neppure un fucile.

— Dovrò semplicemente correre il rischio — dice Peeta. — Come tutti voi. — I due si scambiano una lunga occhiata, poi Gale si fruga nel taschino. Mette la sua pastiglia di morso della notte nella mano di Peeta, che la lascia sul palmo aperto, senza rifiutarla e senza accettarla. — E tu?

— Non ti preoccupare. Beetee mi ha mostrato come far detonare manualmente le mie frecce esplosive. Se dovesse andare male, ho il mio coltello. E avrò Katniss — dice Gale con un sorriso. — Non gli lascerà la soddisfazione di prendermi vivo.

Il pensiero dei Pacificatori che trascinano via Gale fa ripartire il motivo che mi echeggia in testa...

Verrai, verrai
all'albero verrai

— Prendila, Peeta — dico, con voce tesa. Allungo la mano e gli chiudo le dita sulla pillola. — Non ci sarà nessuno ad aiutarti.

Trascorriamo una notte agitata, svegliati l'uno dagli incubi dell'altro, con i piani del giorno dopo che ci ronzano nella mente. Sono sollevata quando arrivano le cinque del mattino e possiamo finalmente dare inizio a ciò che la giornata ha in serbo per noi, di qualunque cosa si tratti. Mangiamo un miscuglio del poco cibo avanzato – pesche in scatola, cracker e lumache – lasciando a Tigris solo una lattina di salmone, misero ringraziamento per tutto quello che ha fatto. In qualche modo, il gesto pare commuoverla. Il suo viso si contorce in una strana espressione, poi lei entra in azione. Passa l'ora successiva a rifarci tutti e cinque dalla testa ai piedi. Prima che indossiamo cappotti e mantelli, ci sistema in modo che gli abiti normali nascondano le nostre uniformi. Copre i nostri scarponi militari con quelle che sembrano pantofole di pelliccia. Usa delle forcine per fissare le nostre parrucche. Toglie gli sgargianti resti di colore che ci eravamo spalmati sul viso in tutta fretta e ci trucca di nuovo. Drappeggia i nostri indumenti esterni in modo da camuffare le armi. Poi ci dà borse e mucchi di cianfrusaglie da portare. Alla fine, siamo la copia esatta dei profughi che sfuggono ai ribelli.

— Mai sottovalutare le capacità di una brillante stilista — dice Peeta. È difficile dirlo, ma credo che Tigris sia proprio arrossita, sotto le sue strisce.

La TV non dà altri aggiornamenti utili, ma il vicolo sembra brulicare di profughi come la mattina precedente. Il nostro piano è intrufolarci in mezzo alla folla in tre gruppi. Prima Cressida e Pollux, che ci faranno da guida pur mantenendosi a distanza di sicurezza da noi.

Poi io e Gale, con l'obiettivo di infiltrarci tra i rifugiati che oggi verranno assegnati alla villa. Infine Peeta, che ci seguirà, pronto a effettuare un'azione di disturbo in caso di bisogno.

Guardando da dietro le persiane, Tigris aspetta il momento giusto, toglie il catenaccio alla porta e fa un cenno con la testa a Cressida e Pollux. — State attenti — dice Cressida, e sono già spariti.

Noi li seguiremo tra un minuto. Tiro fuori la chiave, apro le manette di Peeta e me le ficco in tasca. Lui si strofina i polsi. Li flette. Sento una sorta di disperazione salirmi dentro. Mi sembra di essere di nuovo all'Edizione della Memoria, con Beetee che dà a Johanna e a me quella spoletta di filo.

— Stammi a sentire — dico. — Non fare niente di stupido.

— No. Quella roba è l'ultima risorsa. Assolutamente — replica lui.

Gli circondo il collo con le braccia e sento le sue che esitano prima di stringermi. Hanno perso la solidità di un tempo, ma sono ancora calde e forti. Dentro di me, il ricordo di mille istanti monta come un'onda. Di tutte le volte in cui quelle braccia sono state il mio unico rifugio dal mondo. Istanti forse non pienamente apprezzati, allora, ma così dolci nella mia memoria, e ormai svaniti per sempre. — Bene. — Lo lascio andare.

— È ora — dice Tigris. Le do un bacio sulla guancia, chiudo il mio mantello rosso col cappuccio, mi tiro la sciarpa sul naso e seguo Gale all'esterno, nell'aria glaciale.

Fiocchi di neve gelati e pungenti mi mordono la pelle scoperta. Il sole nascente cerca di aprirsi un varco nel buio, ma senza molto successo. C'è luce appena sufficiente per vedere le forme infagottate più vicine e poco altro.

Condizioni perfette, in realtà, se non fosse che non riesco a individuare Cressida e Pollux. Io e Gale abbassiamo la testa e cominciamo a camminare insieme ai profughi strascicando i piedi. Sento quello che mi sono persa ieri, quando sbirciavo dalle persiane. Pianti, gemiti, respiri affannosi. E, non troppo lontano, un rumore di spari.

— Dove stiamo andando, zio? — chiede un bimbo tremante all'uomo piegato dal peso di una piccola cassaforte.

— Alla residenza del presidente. Ci assegneranno un altro posto in cui vivere — ansima l'uomo.

Svoltiamo nel vicolo e ci riversiamo in uno dei viali principali. — Tenete la destra! — ordina una voce, e vedo i Pacificatori sparsi tra la folla che dirigono la circolazione. Volti impauriti guardano fuori dalle vetrine dei negozi, che sono già invasi dai rifugiati. A questo ritmo, Tigris avrà nuovi ospiti entro l'ora di pranzo. È stato un bene per tutti che ce ne siamo andati così presto.

Adesso c'è più luce, anche se la neve scende più fitta. Intravvedo Cressida e Pollux che ci precedono a una trentina di metri, arrancando insieme alla massa. Allungo il collo e mi guardo intorno per vedere se riesco a localizzare Peeta. Non ce la faccio, ma ho colto lo sguardo di una bambina dall'aria curiosa che indossa un cappotto giallo limone. Do una gomitata a Gale e rallento appena il passo, perché tra noi e lei si formi un muro di folla.

— Può darsi che dobbiamo separarci — dico sottovoce. — C'è una ragazzina...

Spari ripetuti aprono squarci tra la gente accalcata e parecchie persone vicino a me si accasciano a terra. Le urla lacerano l'aria quando una seconda scarica falcia un altro gruppo alle mie spalle. Io e Gale ci lasciamo cadere sulla strada, poi percorriamo di corsa i dieci metri che ci dividono dalle vetrine e ci ripariamo dietro un espositore di stivali coi tacchi a spillo che si trova all'esterno di un negozio di scarpe.

Una fila di calzature ornate di piume blocca la visuale di Gale. — Chi è? Riesci a vederlo? — mi chiede. Quello che riesco a vedere, tra stivali di pelle color lavanda alternati ad altri verde menta, è una via piena di cadaveri. La bimba che prima mi fissava, inginocchiata accanto a una donna immobile, grida e cerca di scuoterla. Un'altra raffica di pallottole attraversa il suo cappotto giallo, macchiandolo di rosso e facendo cadere lei riversa sulla schiena. Per un attimo, guardando quella minuscola forma sgualcita, perdo la capacità di parlare. Gale mi dà un colpetto col gomito. — Katniss!

— Sparano dal tetto sopra di noi — dico. Osservo le scariche successive, vedo le uniformi bianche cadere in mezzo alla strada coperta di neve. — Cercano di far fuori i Pacificatori, ma come tiratori lasciano parecchio a desiderare. Devono essere i ribelli. — Non riesco a gioire, anche se pare che i miei alleati abbiano sfondato le linee nemiche. Sono ipnotizzata da quel cappotto giallo limone.

— Se cominciamo a tirare, è finita — riflette Gale. — Tutti sapranno che siamo noi.

È vero. Siamo armati soltanto dei nostri favolosi archi. Scoccare una freccia sarebbe come far sapere a entrambe le fazioni che siamo qui.

— No — dichiaro in tono deciso. — Dobbiamo arrivare a Snow.

— Allora è meglio che cominciamo a muoverci, prima che salti in aria l'intero isolato — dice Gale. Proseguiamo lungo la strada rasentando il muro. Solo che il muro è fatto soprattutto di vetrine. Un disegno di palmi sudati e volti stupiti preme contro il vetro. Mi tiro la sciarpa più in alto sugli zigomi, mentre sfrecciamo tra gli espositori collocati all'esterno. Dietro uno scaffale pieno di foto incorniciate di Snow, ci imbattiamo in un pacificatore ferito, appoggiato contro un muro di mattoni. Ci chiede aiuto. Gale gli sferra una ginocchiata all'altezza dell'orecchio e gli prende il fucile. All'incrocio, spara a un altro pacificatore, e abbiamo armi da fuoco tutti e due.

— E adesso chi dovremmo essere? — chiedo.

— Due disperati di Capitol City — risponde Gale. — I Pacificatori crederanno che siamo dei loro, e si spera che i ribelli abbiano obiettivi più interessanti.

Attraversiamo l'incrocio di corsa e intanto rimugino su quanto sia saggio interpretare quest'ultimo ruolo. Ma quando raggiungiamo l'isolato successivo, non ha più importanza chi siamo noi. O chiunque altro. Perché le facce non le guarda più nessuno. I ribelli sono qui. Si riversano sul viale, si riparano nei vani delle porte o dietro i veicoli e, tra raffiche di fucile e voci roche che urlano ordini, si preparano ad affrontare un esercito di Pacificatori in marcia verso di noi. Prigionieri del fuoco incrociato, sono i profughi disarmati e disorientati, e molti di loro sono feriti.

Un baccello, attivato proprio davanti a noi, rilascia un getto di vapore che ustiona chiunque si trovi sul suo cammino e lascia cadaveri rosa come intestini scoperti. Poco dopo, svanisce anche quel po' di senso logico che ancora resisteva. Quando le ultime volute di vapore si intrecciano alla neve, la visibilità arriva fino all'estremità della canna del mio fucile. Pacificatore, ribelle, residente, e chi lo sa? Qualunque cosa si muova è un bersaglio. Si spara d'istinto, e io non faccio eccezione. Il cuore mi martella nel petto e l'adrenalina mi brucia dentro, sono tutti miei nemici. Salvo Gale. Il mio partner di caccia, l'unico che mi copre le spalle. Non possiamo fare altro che avanzare, uccidendo chiunque intralci il nostro cammino. Gente che urla, gente che sanguina, morti ovunque. Mentre arriviamo all'angolo seguente, l'intero isolato davanti a noi si accende di un bagliore viola intenso. Facciamo marcia indietro, ci accucciamo nel vano di una scala e strizziamo gli occhi per guardare nella luce. Sta succedendo qualcosa a quelli che ne sono illuminati. Vengono assaliti da... cosa? Un suono? Un'onda? Un laser? Si lasciano cadere le armi di mano, si afferrano il volto con le dita, mentre il loro sangue sprizza da ogni apertura visibile: occhi, naso, bocca, orecchie. In meno di un minuto sono tutti morti e il bagliore scompare. Digrigno i denti e corro, saltando sui corpi, i piedi che scivolano nel sangue già coagulato. Il vento sferza la neve formando mulinelli accecanti, ma non copre il rumore di altri scarponi che si dirigono verso di noi.

— Giù! — sibilo a Gale. Ci lasciamo cadere dove ci troviamo. Il mio viso atterra in una pozza ancora tiepida del sangue di qualcuno, ma io fingo di essere morta e resto immobile mentre gli scarponi ci camminano sopra. Alcuni evitano i corpi. Altri mi schiacciano la mano, la schiena, calciano la mia testa nel passare. Dopo che si sono allontanati, apro gli occhi e annuisco in direzione di Gale.

Nell'isolato successivo, incontriamo altri profughi terrorizzati ma meno soldati. Proprio quando ci sembra che la fortuna sia finalmente dalla nostra parte, si sente uno scricchiolio, simile a quello di un uovo picchiato sul bordo di una scodella, ma mille volte amplificato. Ci fermiamo e ci guardiamo intorno, in cerca del baccello. Niente. In quel momento, sento le punte dei miei stivali argentati che cominciano a inclinarsi, sia pur leggermente. — Corri! — urlo a Gale. Non c'è tempo di spiegare, ma nel giro di qualche secondo la natura del baccello si fa evidente a tutti. Lungo il centro dell'isolato si è aperta una fenditura. I due lati della strada piastrellata si stanno ripiegando all'ingiù come ribaltine di un mobile, facendo precipitare lentamente chiunque ci si trovi sopra verso l'interno di ciò che sta sotto, qualunque cosa sia.

Sono indecisa se filare dritto all'incrocio seguente o cercare di arrivare alle porte che costeggiano la strada e penetrare in un edificio. Il risultato è che finisco per muovermi leggermente in diagonale. Mentre il piano continua a inclinarsi, scopro che i miei piedi faticano sempre di più a far presa sui lastroni scivolosi. È come correre lungo il fianco di una collina ghiacciata che diventa più ripida a ogni passo. Tutte e due le mie mete – l'incrocio e gli edifici – sono a qualche metro di distanza, quando sento cedere la ribalta. Non posso fare altro che impiegare gli ultimi secondi di contatto con il lastricato per spingermi verso l'incrocio. Mentre le mie mani si aggrappano al bordo, mi rendo conto che le ribalte si sono abbassate completamente. I miei piedi penzolano nel vuoto, non ci sono punti d'appoggio da nessuna parte. Sento un fetore nauseabondo provenire da una quindicina di metri più in basso, simile al tanfo di cadaveri decomposti nel calore estivo. Alcune forme nere si aggirano carponi nelle tenebre, riducendo al silenzio chiunque sia sopravvissuto alla caduta.

Un grido strozzato mi esce dalla gola. Non verrà nessuno ad aiutarmi. Sto già perdendo la presa sulla sporgenza ghiacciata, quando mi accorgo di essere a poco meno di due metri dallo spigolo del baccello. Poco alla volta, sposto le mani lungo la sporgenza, tentando di isolarmi dai terrificanti rumori che vengono dal basso. Nel momento in cui mi ritrovo sospesa allo spigolo, faccio dondolare il piede destro e lo butto oltre il bordo. Lo stivale si impiglia in qualcosa e io mi sollevo con cautela sino al piano stradale. Tremando e ansimando, striscio fuori e metto un braccio intorno a un lampione perché mi faccia da ancoraggio, anche se il terreno è perfettamente piano.

— Gale? — grido verso l'abisso, senza curarmi di poter essere riconosciuta. — Gale?

— Quaggiù! — Guardo sconcertata alla mia sinistra. La ribalta sorreggeva tutto, giungendo alla base stessa degli edifici. Circa dodici persone sono riuscite ad arrivare fino lì e adesso sono appese a qualunque cosa offra un appiglio. Ai pomoli delle porte, ai batacchi, alle buche della posta. Tre portoni più giù rispetto a me, Gale è aggrappato all'inferriata ornamentale che si trova all'ingresso di un appartamento. Potrebbe entrare facilmente, se fosse aperto. Ma nonostante i ripetuti calci alla porta, nessuno viene in suo aiuto.

— Riparati! — Sollevo il fucile. Lui gira la testa e io crivello di buchi la serratura finché la porta non vola verso l'interno. Gale si dà una spinta e varca la soglia, atterrando con un balzo sul pavimento. Per un attimo provo l'esultanza del suo salvataggio. Poi mani guantate di bianco calano su di lui.

Gale incrocia i miei occhi e, muovendo solo le labbra, mi dice qualcosa che non capisco. Non so cosa fare. Non posso lasciarlo, ma non posso nemmeno raggiungerlo. Le sue labbra tornano a muoversi. Scuoto la testa per segnalare la mia confusione. Tra poco si accorgeranno di chi hanno catturato. Adesso i Pacificatori lo trascinano dentro. — Vai! — lo sento urlare.

Mi giro e mi allontano di corsa dal baccello. Completamente sola, ormai. Gale prigioniero. Cressida e Pollux potrebbero essere morti già dieci volte. E Peeta? Non lo vedo da quando abbiamo lasciato il negozio di Tigris. Mi aggrappo all'idea che possa essere tornato indietro. Che abbia sentito arrivare una crisi e si sia rifugiato in cantina mentre aveva ancora il controllo di sé. Che abbia capito che non serviva un diversivo, con Capitol City che ne ha forniti così tanti. Non serviva fare da esca per poi essere costretto a prendere il morso della notte... il morso della notte! Gale non ce l'ha. E, quanto a tutti quei discorsi di far esplodere a mano le sue frecce, non ne avrà mai la possibilità. La prima cosa che faranno i Pacificatori sarà di strappargli le armi.

Crollo nel vano di una porta, con le lacrime che mi pungono gli occhi. Sparami. Ecco cosa dicevano le sue labbra. Io avrei dovuto sparargli! Era il mio compito. Era la tacita promessa che tutti noi ci eravamo fatti. E io non ho fatto niente, e adesso Capitol City lo ucciderà o lo torturerà o lo depisterà o... Dentro di me cominciano ad aprirsi degli squarci che minacciano di mandarmi in pezzi. Ho una sola speranza. Che Capitol City si arrenda, deponga le armi e consegni i suoi prigionieri prima che facciano del male a Gale. Ma non mi aspetto che succeda, finché Snow è vivo.

Due Pacificatori mi passano davanti di corsa, lanciando a malapena un'occhiata alla piagnucolante ragazza di Capitol City rannicchiata nel vano di una porta. Ricaccio le lacrime, mi cancello dal viso quelle già scese prima che si congelino, e riprendo il controllo di me stessa. D'accordo, sono sempre un'anonima profuga. O forse i Pacificatori che hanno preso Gale mi hanno intravista quando sono scappata? Mi tolgo il mantello e lo rovescio, esponendo la fodera nera invece dell'esterno rosso. Sistemo il cappuccio in modo che mi nasconda il viso. Con il fucile stretto al petto, osservo l'isolato. C'è soltanto un gruppetto di ritardatari dall'aria sconvolta. Seguo a distanza ravvicinata un paio di vecchi che non fanno caso a me. Nessuno si aspetterà di trovarmi in loro compagnia. Quando arriviamo in fondo all'incrocio successivo, i due si fermano e per poco non li tampono. È l'Anfiteatro cittadino. Sull'altro lato dell'ampia superficie circondata da edifici grandiosi c'è la residenza presidenziale.

L'Anfiteatro è pieno di persone che vagano, gemono, o se ne stanno semplicemente sedute lasciando che la neve gli si ammucchi intorno. Penetro subito tra la folla. Comincio a zigzagare da una parte all'altra in direzione della villa, inciampando su tesori abbandonati e membra ricoperte di neve. Più o meno a metà strada, mi accorgo del recinto di cemento. È alto circa un metro e venti e si estende come un grosso rettangolo di fronte alla villa. Lo si direbbe vuoto, ma è zeppo di rifugiati. Che sia questo il gruppo selezionato per essere ospitato da Snow? Mentre mi avvicino, però, noto qualcos'altro. Dentro il recinto, sono tutti bambini. Compresi tra i primi passi e l'adolescenza. Impauriti e congelati. Che si stringono l'uno all'altro o si dondolano per terra con espressione confusa. Non li conducono dentro casa. Sono rinchiusi lì, sorvegliati dai Pacificatori su tutti i lati. Capisco subito che non è per la loro sicurezza. Se Capitol City volesse proteggerli, sarebbero in un rifugio sotterraneo da qualche parte. Tutto questo serve a difendere Snow. I bambini sono il suo scudo umano.

Si sente del trambusto e la folla si butta verso sinistra. Vengo trascinata da corpi più forti, spostata di lato, portata fuori rotta. Sento urlare — I ribelli! I ribelli! — e capisco che devono essersi aperti un varco. Lo slancio mi sbatte contro l'asta di una bandiera e allora mi ci aggrappo. Servendomi della fune che pende dalla cima, mi sollevo per sottrarmi alla calca. Sì, vedo l'esercito degli insorti che si riversa nell'Anfiteatro e respinge i profughi sui viali. Scruto la zona in cerca dei baccelli che di certo esploderanno. Ma non succede. Succede altro.

Un hovercraft contrassegnato dal sigillo di Capitol City si materializza proprio sopra i bambini chiusi nel recinto. Su di loro piovono moltissimi paracadute argentati. Persino in mezzo a questo caos, i bambini sanno cosa contengono quei paracadute. Cibo. Medicine. Doni. Li raccolgono, entusiasti, lottando per districare i fili con le dita gelate. L'hovercraft scompare, trascorrono cinque secondi, e a quel punto circa venti paracadute esplodono nello stesso istante.

Un gemito si leva dalla folla. La neve è rossa e cosparsa di brandelli umani troppo piccoli. Molti bambini muoiono subito, altri giacciono agonizzanti al suolo. Alcuni si aggirano, barcollanti e muti, fissando i paracadute argentati che stringono ancora tra le mani come se potessero nascondere dentro qualcosa di prezioso. Capisco che i Pacificatori non sapevano cosa sarebbe successo dal modo in cui strappano via i recinti per aprire una strada ai bambini. Un altro stuolo di uniformi bianche irrompe dal passaggio. Ma questi non sono Pacificatori. Sono dottori. I dottori dei ribelli. Riconoscerei le loro uniformi ovunque. Sciamano tra i bambini, brandendo i loro kit di pronto soccorso.

Prima intravedo la treccia bionda che le scende lungo la schiena. Poi, quando si strappa di dosso il cappotto per coprire un bimbo che si lamenta, noto la coda da paperella formata dal lembo di camicetta che le è uscito dalla cintura. Ho la stessa reazione che ebbi il giorno in cui Effie Trinket chiamò il suo nome durante la mietitura. Devo essere svenuta per un po', perché mi ritrovo alla base dell'asta della bandiera senza sapermi spiegare quegli ultimi secondi. Comincio a farmi largo tra la folla, proprio come feci allora. Cerco di gridare il suo nome sopra il frastuono. Sono quasi arrivata lì, ho quasi raggiunto il recinto, quando credo che mi senta. Perché per un attimo mi scorge, le sue labbra formano il mio nome.

Ed è allora che i paracadute rimasti esplodono.

CAPITOLO 25

Vero o falso? Vado a fuoco. Le sfere fiammeggianti esplose dai paracadute sono schizzate oltre il recinto, hanno attraversato l'aria bianca di neve e sono atterrate tra la folla. Mi stavo voltando quando una mi ha colpito, ha passato la sua lingua sulla parte posteriore del mio corpo e mi ha trasformata in qualcosa di nuovo. Una creatura inestinguibile quanto il sole.

Un ibrido di fuoco conosce un'unica sensazione: l'agonia. Niente più vista, suoni o percezioni, tranne l'implacabile incendio della carne. Forse ci sono intervalli di oblio, ma che importanza hanno se non posso rifugiarmici?

Sono la ghiandaia di Cinna che vola frenetica per evitare l'inevitabile. Le piume di fuoco che mi spuntano dal corpo. Battere le ali non fa che attizzare l'incendio. Mi consumo, ma invano.

Alla fine, le mie ali cominciano a indebolirsi, io perdo quota e la forza di gravità mi attira in un mare spumeggiante dello stesso colore degli occhi di Finnick. Galleggio sulla schiena che continua a bruciare sott'acqua, ma l'agonia si placa sino a diventare dolore. Nel momento in cui sono alla deriva e incapace di tenere la rotta, ecco che arrivano. I morti.

Quelli che ho amato volano come uccelli nel cielo sereno sopra di me. Planando, zigzagando, invitandomi a raggiungerli. Io vorrei tanto seguirli, ma l'acqua di mare mi intride le ali, impedendomi di sollevarle. Quelli che ho odiato si sono rifugiati tra i flutti, orribili esseri squamosi che dilaniano la mia carne salata con denti che sembrano aghi. Mordono, ancora e ancora. Mi trascinano sotto la superficie.

L'uccellino dalle piume bianche screziate di rosa scende in picchiata, mi affonda gli artigli nel petto e tenta di tenermi a galla. No, Katniss! No! Non puoi andartene!

Ma quelli che ho odiato stanno avendo la meglio e, se si aggrappa a me, anche lei sarà perduta. Lasciami andare, Prim! E alla fine fa ciò che le dico.

Nel profondo dell'abisso, tutto mi abbandona. C'è solo il rumore del mio respiro, l'enorme fatica di aspirare l'acqua e spingerla fuori dai polmoni. Vorrei smettere, cerco di trattenere il fiato, ma il mare entra ed esce implacabile, contro la mia volontà.

Lasciami morire. Lasciami seguire gli altri, imploro la forza che mi trattiene, qualunque essa sia. Non ottengo risposta.

Intrappolata per giorni, anni, forse secoli. Morta, ma senza poter morire. Viva, ma praticamente morta. Così sola che qualsiasi persona, qualsiasi cosa, per quanto ripugnante, mi sarebbe gradita. Ma il visitatore che infine bussa alla mia porta è dolce. Morfamina. Mi scorre nelle vene, allevia il dolore, alleggerisce il mio corpo, permettendogli di risalire verso la superficie e posarsi di nuovo sulla schiuma.

Schiuma. Sto davvero galleggiando sulla schiuma. La sento sotto la punta delle dita cullare parti del mio corpo nudo. C'è molto dolore, ma anche qualcosa che somiglia alla realtà. La carta vetrata nella mia gola. L'odore della pomata per le scottature della prima arena. Il suono della voce di mia madre. Queste cose mi terrorizzano, e mi sforzo di tornare nelle profondità del mare per capirle. Ma ormai non posso tirarmi indietro. Poco a poco, sono costretta ad accettare chi sono. Una ragazza gravemente ustionata senza più ali. Senza più fuoco. Né sorella.

Nel bianco accecante dell'ospedale di Capitol City, i dottori operano su di me la loro magia. Avvolgono la mia nudità in nuove lenzuola di pelle. Inducono le cellule a credere di essere mie. Mi manipolano le membra, flettendo e allungando gli arti per accertarsi che mi calzino a pennello. Continuo a sentir dire che sono fortunata. Gli occhi sono stati risparmiati. Gran parte del viso è stata risparmiata. I polmoni rispondono alla terapia. Tornerò praticamente nuova.

Quando la mia pelle delicata si ispessisce abbastanza da sopportare la pressione delle lenzuola, arrivano altri visitatori. La morfamina dà il benvenuto ai morti come ai vivi. Haymitch, giallastro e accigliato. Cinna, che cuce un nuovo vestito da sposa. Delly, che non la smette di cianciare sulla gentilezza delle persone. Mio padre canta tutte e quattro le strofe dell'"Albero degli impiccati" e mi ricorda che la mamma – che dorme su una sedia tra un turno e l'altro – non deve saperlo.

Un bel giorno mi rendo conto delle aspettative e so che non mi sarà permesso di vivere nel mondo dei sogni. Devo nutrirmi per bocca. Mettere in moto i muscoli. Andare in bagno da sola. Decisiva è una breve apparizione della presidente Coin.

— Non preoccuparti — dice. — Lui, l'ho tenuto in serbo per te.

Cresce la perplessità dei dottori sul perché io non sia in grado di parlare. Vengono eseguiti molti test, ma le lesioni subite dalle mie corde vocali non bastano a spiegare la cosa.

Alla fine, il dottor Aurelius, uno strizzacervelli, se ne esce con l'ipotesi che io sia diventata una senza-voce per ragioni psicologiche, più che fisiche. Che il mio silenzio sia dovuto a un trauma emotivo. Benché gli vengano sottoposte cento possibili cure, lui dice ai colleghi di lasciarmi in pace. Perciò non mi informo su niente e su nessuno, tanto sono gli altri a fornirmi informazioni a ciclo continuo.

Sulla guerra: Capitol City è caduta il giorno stesso in cui sono esplosi i paracadute, la presidente Coin è a capo di Panem, e le truppe sono state inviate a reprimere le poche sacche rimaste di resistenza filogovernativa.

Sul presidente Snow: è tenuto prigioniero, in attesa del processo e di una più che sicura esecuzione.

Sulla mia squadra speciale: Cressida e Pollux sono stati mandati nei distretti per realizzare servizi sui disastri della guerra; Gale, che si era beccato due pallottole durante un tentativo di fuga, sta annientando i Pacificatori nel 2; Peeta, che nonostante tutto era riuscito ad arrivare all'Anfiteatro cittadino, si trova ancora nel reparto ustionati.

Sulla mia famiglia: mia madre affoga il suo dolore nel lavoro.

Non avendo io un lavoro, è il dolore ad affogare me. Tengo duro solo grazie alla promessa della Coin. Che sarò io a uccidere Snow. E quando anche quello sarà fatto, non rimarrà più niente.

Alla fine, mi dimettono dall'ospedale e mi danno una stanza da dividere con mia madre nella residenza presidenziale. Lei non c'è quasi mai, perché mangia e dorme al lavoro. Tocca a Haymitch informarsi sulle mie condizioni, assicurarsi che mangi e prenda le mie medicine. Non è un compito facile. Riprendo le vecchie abitudini del Distretto 13. Vago per la casa senza permesso, entrando nelle stanze da letto e negli studi, nelle sale da ballo e nei bagni. Trovo strani posticini in cui nascondermi. Un armadio di pellicce. Una vetrinetta in biblioteca. Una vasca da bagno dimenticata da tempo in un locale pieno di mobili abbandonati. I miei rifugi sono in penombra e tranquilli e impossibili da trovare. Mi raggomitolo, mi faccio più piccola, cerco di scomparire del tutto.

Avvolta dal silenzio, continuo a farmi scorrere intorno al polso il braccialetto medico con la scritta MENTALMENTE CONFUSA.

Mi chiamo Katniss Everdeen. Ho diciassette anni. Sono nata nel Distretto 12. Il Distretto 12 non esiste più. Sono la Ghiandaia Imitatrice. Ho rovesciato Capitol City. Il presidente Snow mi odia. Ha ucciso mia sorella. Adesso io ucciderò lui. E finalmente gli Hunger Games saranno finiti per sempre...

A intervalli regolari, mi ritrovo di nuovo in camera mia, senza sapere se vi sono stata spinta dal bisogno di morfamina o se mi ha scovato Haymitch. Mangio, prendo le medicine, e mi viene chiesto di fare il bagno. Non è l'acqua a darmi fastidio, ma lo specchio che riflette il mio corpo nudo da ibrido di fuoco. Gli innesti di pelle conservano ancora una sfumatura rosa da neonato. L'epidermide lesa ma giudicata recuperabile si presenta rossa, bollente, ed è come se in certi punti si fosse sciolta.

Toppe di ciò che ero scintillano bianche e pallide. La mia pelle somiglia a una curiosa trapunta patchwork. Qua e là i capelli sono bruciati completamente, e il resto è stato tagliato a ciocche di lunghezza bizzarra. Katniss Everdeen, la ragazza in fiamme. Non me ne importerebbe poi tanto, se non fosse che la vista del mio corpo mi riporta alla mente il dolore. E la ragione del mio dolore. E quello che è successo appena prima che il dolore iniziasse. E il fatto che sono rimasta a guardare la mia sorellina mentre si trasformava in una torcia umana.

Chiudere gli occhi non aiuta. Le fiamme bruciano più luminose nel buio.

Di tanto in tanto, si fa vedere il dottor Aurelius. Mi piace perché non dice stupidaggini del tipo che sono assolutamente salva, o che, anche se non me ne rendo conto, un giorno sarò di nuovo felice, o ancora che per Panem le cose andranno meglio, d'ora in poi. Chiede solo se ho voglia di parlare, e quando io non rispondo, lui si addormenta sulla poltrona. Di fatto, credo che le sue visite siano in gran parte motivate dalla necessità di un sonnellino. E quella sistemazione va benissimo a tutti e due.

Il momento si avvicina, anche se non so dire l'ora e il minuto esatto. Il presidente Snow è stato processato e riconosciuto colpevole, e condannato all'esecuzione capitale. Me lo racconta Haymitch, ne sento parlare quando scivolo accanto alle guardie nei corridoi. La divisa da Ghiandaia Imitatrice arriva in camera mia, insieme all'arco, che non sembra per niente rovinato, ma è privo di faretra, o perché le frecce sono rimaste danneggiate, oppure, ed è più probabile, perché non devo avere armi. Mi chiedo distrattamente se sia il caso che mi prepari all'evento, in qualche modo, ma non mi viene in mente niente.

Un pomeriggio tardi, dopo una lunga permanenza sul sedile imbottito di una finestra dietro un paravento dipinto, riemergo e giro a sinistra invece che a destra. Mi ritrovo in un'ala sconosciuta della casa e perdo subito l'orientamento. A differenza dell'area in cui sono alloggiata, sembra che in giro non ci sia nessuno a cui chiedere. Mi piace, però. Vorrei aver trovato prima questo posto. È così silenzioso, con i folti tappeti e gli arazzi pesanti che assorbono il rumore. L'illuminazione è morbida. I colori smorzati. È tranquillo. Finché non sento l'odore delle rose. Mi tuffo dietro alcune tende, troppo tremante per correre, e aspetto gli ibridi. Alla fine, capisco che gli ibridi non arriveranno. Di cos'è che sento l'odore, allora? Di rose autentiche? Può essere che mi trovi vicino al giardino in cui crescono quelle cose malefiche?

Mentre avanzo lentamente nel salone, il profumo si fa opprimente. Non è forte come quello degli ibridi, forse, ma è più netto, perché non deve sovrastare la puzza di liquami ed esplosivi. Giro un angolo e mi ritrovo a fissare due guardie dall'espressione sorpresa. Non sono Pacificatori, naturalmente. I Pacificatori non ci sono più. Ma non sono nemmeno gli ordinati soldati del 13, con la loro uniforme grigia. Questi due, un uomo e una donna, portano i vestiti sbrindellati e raccogliticci dei veri ribelli. Smunti e ancora fasciati, adesso montano la guardia all'accesso che conduce alle rose. Quando mi muovo per entrare, i loro fucili formano una X davanti a me.

— Non può passare, signorina — dice l'uomo.

— Soldato — lo corregge la donna. — Non puoi passare, soldato Everdeen. Ordine della presidente.

Mi limito a restarmene lì, aspettando pazientemente che abbassino i fucili, che capiscano, senza che glielo dica, che dietro quelle porte c'è qualcosa di cui ho bisogno. Solo una rosa. Un unico fiore. Da appuntare al bavero di Snow prima che lo uccida. La mia presenza sembra preoccupare le guardie. Stanno discutendo se chiamare Haymitch, quando una donna parla dietro di me. — Lasciatela entrare.

Conosco la voce, ma non riesco a collocarla subito. Non è del Giacimento, non è del 13, e decisamente non di Capitol City. Giro la testa e mi ritrovo faccia a faccia con la Paylor, comandante del Distretto 8. Ha un'aria ancor più distrutta di quella che aveva davanti all'ospedale, ma chi non ce l'ha?

— La autorizzo io — dice la Paylor. — Ha diritto a qualsiasi cosa stia dietro quella porta. — Questi sono soldati suoi, non della Coin. Abbassano le armi senza fare domande e mi lasciano passare.

In fondo a un breve corridoio, faccio scivolare di lato i due battenti della porta e muovo un passo all'interno. Ormai il profumo è così intenso da perdere forza, come se il mio naso non potesse assorbirne di più. L'aria umida e tiepida è gradevole sulla mia pelle bollente. E le rose, poi, sono magnifiche. File e file di fiori sontuosi color rosa carne, arancione carico, e persino azzurro chiaro. Mi aggiro da una corsia all'altra di piante potate con cura, guardando ma non toccando, perché ho imparato a mie spese quanto letali possano essere quelle meraviglie. Poi lo trovo, che incorona la cima di un arbusto sottile, e lo riconosco. Uno splendido bocciolo bianco che sta cominciando ad aprirsi. Mi tiro la manica sinistra sulla mano, in modo che la mia pelle non debba davvero toccarlo, e raccolgo un paio di cesoie. Le ho appena posizionate sullo stelo quando sento una voce maschile.

— Quello è grazioso.

La mia mano sobbalza e le cesoie si chiudono di scatto, recidendo il gambo.

— I colori sono belli, naturalmente, ma niente esprime la perfezione quanto il bianco.

Non lo vedo ancora, ma la sua voce sembra esalare da un cespuglio di rose rosse lì vicino. Stringendo con delicatezza il gambo del bocciolo col tessuto della manica, giro l'angolo adagio e lo trovo seduto su uno sgabello contro la parete. È ben lisciato ed elegantemente vestito, come sempre, ma zavorrato da manette, ceppi e dispositivi di localizzazione. Nella luce vivida, la sua pelle è pallida, di un verde malaticcio. Tiene in mano un fazzoletto bianco, macchiato di sangue fresco. Anche ridotto così, ha sempre quegli occhi da serpente, freddi e lucenti. — Speravo che avrebbe trovato la strada per i miei appartamenti.

I suoi appartamenti. Mi sono introdotta in casa sua nello stesso modo in cui lui è strisciato nella mia, l'anno scorso, sibilando minacce dalla bocca che sapeva di rose e di sangue. Questa serra è una delle sue stanze, forse quella che preferisce, e magari, in tempi più felici, vi curava personalmente le piante. Ma adesso è parte del suo carcere. Ecco perché le guardie mi hanno bloccata. Ed ecco perché la Paylor mi ha permesso di entrare.

Pensavo fosse confinato nelle segrete più profonde di Capitol City, piuttosto che immerso comodamente nel lusso più smaccato. Eppure la Coin lo ha lasciato qui. Per stabilire un precedente, immagino, così che in futuro, se mai dovesse cadere in disgrazia anche lei, risulti chiaro che i presidenti, persino i peggiori di loro, hanno diritto a un trattamento di favore. In fondo, chi può dire quanto durerà il suo potere?

— Ci sono così tante cose di cui dovremmo parlare, ma ho la sensazione che la sua sarà una visita breve. Perciò, partiamo dalle cose più importanti. — Comincia a tossire e, quando si toglie il fazzoletto dalla bocca, noto che è più rosso. — Volevo dirle che sono molto dispiaciuto per sua sorella.

Persino nello stato di apatia e di narcosi in cui mi trovo, quelle parole mi provocano una fitta di dolore che mi attraversa da capo a piedi, ricordandomi che non c'è limite alla sua crudeltà. E che fino all'ultimo cercherà di distruggermi.

— Uno spreco del tutto inutile. Chiunque poteva capire che a quel punto la partita era chiusa. In effetti, stavo proprio per dichiarare ufficialmente la resa quando loro hanno sganciato quei paracadute. — Tiene gli occhi incollati su di me, senza battere le palpebre, per non perdersi neppure un attimo della mia reazione. Ma quello che ha detto non ha alcun senso. Quando *loro* hanno sganciato i paracadute? — Be', non crederà sul serio che sia stato io a dare l'ordine, vero? Lasci stare il fatto più ovvio, cioè che se avessi avuto a disposizione un hovercraft funzionante, lo avrei usato per prendere il largo. Ma a parte questo, a cosa poteva servire? Sappiamo tutti e due che non ho alcuna remora a uccidere dei bambini, ma io odio gli sprechi. Tolgo la vita per motivi molto specifici. E di motivi per distruggere un recinto pieno di bambini di Capitol City non ne avevo nessuno. Proprio nessuno.

Mi chiedo se l'attacco di tosse che segue sia una messa in scena per darmi il tempo di assimilare le sue parole. Sta mentendo. È ovvio che sta mentendo. Ma in quello che dice c'è anche qualcosa che lotta per liberarsi dalla menzogna.

— Tuttavia, devo riconoscere che si è trattato di una mossa magistrale, da parte della Coin. L'idea che io stessi bombardando i nostri bambini indifesi ha cancellato all'istante quel poco di lealtà che la mia gente poteva ancora avere verso di me. Dopo quell'episodio, non c'è stata più una resistenza vera e propria. Sapeva che hanno trasmesso tutto in diretta? Si vede la mano di Plutarch, in questo. E nei paracadute. Be', d'altra parte è proprio il modo di pensare che deve avere un capo-stratega, non è vero? — Snow si tampona gli angoli della bocca. — Sono sicuro che non ce l'avesse con sua sorella, ma certe cose accadono.

Non sono più insieme a Snow, ormai. Sono di nuovo nel 13, agli Armamenti speciali con Gale e Beetee. Sto guardando i disegni basati sulle trappole di Gale. Che speculano sull'umana pietà. La prima bomba uccide le vittime. La seconda i soccorritori. Ricordo le parole di Gale.

Beetee e io abbiamo seguito lo stesso regolamento che ha usato il presidente Snow quando ha depistato Peeta.

— La mia rovina è stata la lentezza con cui ho compreso il piano della Coin — confessa Snow. — Lasciare che Capitol City e i distretti si distruggessero tra loro per poi farsi avanti e impadronirsi del potere, con il 13 appena sfiorato dagli eventi. Stia pur certa che aveva intenzione di prendere il mio posto sin dall'inizio. Non dovrei esserne sorpreso. Dopotutto, fu il 13 a dare inizio alla ribellione che portò ai Giorni Bui. E in seguito abbandonò gli altri distretti quando le cose gli si rivoltarono contro. Ma io non prestavo attenzione alla Coin. Tenevo d'occhio lei, Ghiandaia Imitatrice. E lei teneva d'occhio me. Temo che siamo stati presi in giro entrambi.

Non accetto che possa avere ragione. Ad alcune cose non riuscirei nemmeno a sopravvivere. Pronuncio le prime parole dopo la morte di mia sorella. — Non le credo.

Snow scuote la testa, simulando disappunto. — Ah, mia cara signorina Everdeen. Pensavo che fossimo d'accordo di non mentirci l'un l'altro.

CAPITOLO 26

Fuori, nel salone, ritrovo la Paylor nello stesso punto in cui l'avevo lasciata. — Hai trovato quello che cercavi?

Sollevo il bocciolo bianco in risposta alla sua domanda e le passo davanti, incespicando. Devo essere riuscita a tornare nella mia stanza, perché, prima ancora di accorgermene, sto usando l'acqua del rubinetto del bagno per riempire un bicchiere e metterci dentro la rosa. Mi lascio cadere in ginocchio sulle mattonelle fredde e strizzo gli occhi per guardare il fiore, così candido che è difficile fissarlo sotto quella cruda luce fluorescente. Il mio dito afferra il braccialetto dall'interno e lo torce come un laccio emostatico, per farmi male al polso. Spero che il dolore mi aiuterà a rimanere aggrappata alla realtà, così com'è stato per Peeta. Devo tenere duro. Devo sapere la verità su ciò che è successo.

Ci sono due possibilità, anche se i dettagli collegati all'una e all'altra possono variare. La prima, cui ho creduto, è che Capitol City abbia mandato quell'hovercraft, fatto lanciare i paracadute e sacrificato la vita dei suoi stessi figli, sapendo che i ribelli appena arrivati sarebbero corsi in loro aiuto. Esistono prove a sostegno di questa versione. Il sigillo di Capitol City sull'hovercraft, l'assenza di una qualsiasi reazione della contraerea contro quel presunto nemico, e la lunga tradizione governativa di servirsi dei bambini come di pedine nella battaglia contro i distretti. E poi c'è quello che dice Snow. Che un hovercraft di Capitol City manovrato dai ribelli ha bombardato i bambini per porre velocemente fine alla guerra. Ma in tal caso, perché i soldati di Capitol City non hanno fatto fuoco sul nemico? Erano rimasti disorientati dall'elemento sorpresa? Non avevano più armi per difendersi? I bambini sono preziosi per il 13, o così mi è sempre sembrato. Be', non io, magari. Se non ero più utile, potevo essere sacrificata. A parte il fatto che è passato parecchio tempo da quando mi consideravano una bambina, in questa guerra. E perché mai gli insorti avrebbero dovuto fare una cosa simile, sapendo che con ogni probabilità i loro stessi dottori sarebbero intervenuti e che la seconda esplosione li avrebbe uccisi? Non l'avrebbero fatto. Non avrebbero potuto. Snow sta mentendo. Mi sta manipolando, come sempre. Spera che mi rivolti contro i ribelli e li distrugga, forse. Sì. Naturalmente.

Allora cos'è che mi assilla? Quelle bombe a detonazione alternata, tanto per cominciare. Che anche Capitol City avesse quell'arma è una possibilità, ma che l'avessero i ribelli è una certezza. Era la creatura di Gale e Beetee. E poi c'è il fatto che Snow non ha minimamente tentato di fuggire, quando so che lui è il sopravvissuto per eccellenza. È difficile credere che non avesse un nascondiglio da qualche parte, un rifugio ben fornito di provviste dove avrebbe potuto trascorrere il resto della sua meschina vita da serpente. E infine c'è la sua valutazione della Coin. Che abbia fatto tutto quello che ha detto Snow è inconfutabile: ha lasciato che Capitol City e i distretti si sfiancassero a vicenda e poi si è fatta un giretto fin qui per venire a impadronirsi del potere. Anche se quello era il suo piano, però, non significa che li abbia fatti lanciare lei, quei paracadute.

Aveva la vittoria già in pugno. Aveva tutto in pugno. Tranne me.

Richiamo alla mente la reazione di Boggs quando ho ammesso di non aver pensato granché al successore di Snow. *Se la tua prima risposta non è "Coin", allora rappresenti una minaccia. Tu sei il volto della ribellione. Puoi esercitare un'influenza maggiore di chiunque altro. Vista dall'esterno, il massimo che tu abbia mai fatto è stato sopportarla.*

A un tratto, penso a Prim, che non aveva ancora quattordici anni, non era ancora abbastanza grande per vedersi riconoscere il titolo di soldato, ma per qualche ragione lavorava in prima linea. Com'è potuta accadere una cosa simile? Non dubito che mia sorella desiderasse con tutte le sue forze di essere lì. E che fosse più competente di tante persone più vecchie di lei è un dato di fatto. Ciononostante, l'invio di una tredicenne in combattimento avrebbe dovuto essere autorizzato da qualcuno molto in alto. È stata la Coin, nella speranza che la perdita di Prim mi avrebbe fatto ammattire una volta per tutte? O almeno fatta passare dalla sua parte con più convinzione? Non sarei neppure stata costretta a constatare la cosa personalmente. Un nutrito numero di telecamere avrebbe ripreso l'Anfiteatro cittadino. E catturato il momento per sempre.

No, adesso sono assurda, sto scivolando nella paranoia.

Erano in troppi a sapere della missione. La voce si sarebbe diffusa. O forse no? Chi altri doveva esserne a conoscenza, a parte la Coin, Plutarch e una ridotta combriccola di adepti fedeli o facilmente sacrificabili?

Ho un gran bisogno di aiuto per capire, solo che tutti quelli di cui mi fido sono morti. Cinna. Boggs. Finnick. Prim. C'è Peeta, ma non potrebbe fare altro che ipotesi, e comunque chissà in che condizioni è la sua mente. E così resta solo Gale. È lontano, ma se anche fosse accanto a me, riuscirei a confidarmi con lui? Cosa potrei dire, come potrei esprimere i miei pensieri senza lasciar intendere che sia stata la sua bomba a uccidere Prim? L'inammissibilità di questa idea, più di qualsiasi altra, è la ragione per cui Snow deve per forza mentire.

In definitiva, c'è solo una persona a cui rivolgermi che può sapere cos'è successo e forse essere ancora dalla mia parte. Il semplice fatto di affrontare l'argomento sarà un rischio. Ma, anche se credo che Haymitch sarebbe capace di giocare con la mia vita nell'arena, non penso che mi denuncerebbe alla Coin. Qualunque problema possiamo avere, preferiamo risolvere tra noi le nostre divergenze.

A fatica, mi alzo dalle piastrelle, esco e attraverso l'atrio per raggiungere la sua stanza. Quando il mio bussare non riceve risposta, spingo la porta ed entro. Puah! È sorprendente la velocità con cui riesce a insozzare un ambiente. Piatti di cibo mangiato a metà, bottiglie di alcolici ridotte in frantumi e pezzi di mobili sfasciati in un qualche raptus distruttivo da ubriaco sono disseminati per tutto l'alloggio. Lui, non lavato e in disordine, è steso sul letto in mezzo a un groviglio di lenzuola, svenuto.

— Haymitch — dico, scuotendogli una gamba. Non basta, naturalmente. Ma ci provo lo stesso alcune volte prima di svuotargli una caraffa d'acqua sulla faccia. Rinviene con un rantolo, menando fendenti alla cieca con il coltello. A quanto pare, la fine del regno di Snow non equivale alla fine del suo terrore.

— Ah. Sei tu — dice. Da come parla, capisco che è ancora sbronzo.

— Haymitch... — inizio.

— Ma senti un po'! La Ghiandaia Imitatrice ha ritrovato la voce. — Ride. — Be', Plutarch ne sarà felice. — Beve una sorsata da una bottiglia. — Perché sono bagnato fradicio? — In modo poco convincente, lascio cadere la caraffa su una pila di vestiti sporchi.

— Ho bisogno del tuo aiuto — dico.

Haymitch rutta, riempiendo l'aria dei vapori di liquore. — Cosa c'è, dolcezza? Ancora problemi coi ragazzi? — Non so perché, ma queste parole mi feriscono come di rado Haymitch riesce a fare. Me lo si deve leggere in faccia perché, persino nella sua ubriachezza, tenta di ritirarle. — D'accordo, non è divertente. — Io sono già alla porta. — Non è divertente! Torna indietro! — Dal tonfo del suo corpo sul pavimento, presumo che abbia cercato di seguirmi. Fatica sprecata.

Mi aggiro zigzagando per la casa e scompaio in un guardaroba pieno di capi di seta. Li strappo dalle grucce sino a farne una pila e mi ci rintano dentro. In fondo alla fodera della tasca trovo una compressa dispersa di morfamina e la ingoio a secco, per prevenire l'isteria che sento crescere dentro. Non basta a rimettere a posto le cose, però. In lontananza, sento Haymitch che mi chiama, ma nelle sue condizioni non mi troverà. Non in questo nuovo posto. Avvolta nella seta, sembro un bruco che nel suo bozzolo attende la metamorfosi. Ho sempre creduto che fosse uno stato di quiete. E all'inizio lo è. Ma mentre intraprendo il mio viaggio nella notte, mi sento sempre più intrappolata, soffocata da quegli scivolosi legacci, incapace di uscire alla luce prima di essermi trasformata in qualcosa di bello. Mi contorco, tentando di spogliarmi del mio corpo sciupato e di scoprire il segreto che farà crescere nuove ali perfette. Ma per quanto mi sforzi, rimango l'essere mostruoso che l'esplosione delle bombe ha modellato a fuoco nella sua attuale forma.

L'incontro con Snow riapre la porta al mio vecchio repertorio di incubi. È come essere punta di nuovo dagli aghi inseguitori. Un'ondata di immagini terrificanti, con una breve pausa che scambio per veglia, finché un'altra ondata non torna a colpirmi. Quando alla fine le guardie mi trovano, sono seduta sul fondo del guardaroba, avviluppata nella seta, e urlo con quanto fiato ho in gola. All'inizio lotto contro di loro, ma poi mi convincono che stanno cercando di aiutarmi, mi tolgono di dosso quegli indumenti che ormai mi soffocano e mi scortano in camera mia. Mentre andiamo, passiamo davanti a una finestra e vedo un'alba grigia e nevosa dispiegarsi su Capitol City.

Un Haymitch afflitto dai postumi della sbornia mi attende con una manciata di pillole e un vassoio di cibo che né io né lui abbiamo voglia di mangiare. Fa un fiacco tentativo di indurmi a parlare ancora, ma, vedendo che è inutile, mi spedisce a fare il bagno che qualcuno ha preparato. La vasca è profonda, con tre gradini da scendere. Mi calo nell'acqua calda e mi siedo, con la schiuma che mi arriva al collo, sperando che le medicine facciano presto effetto. I miei occhi si fissano sulla rosa che durante la notte ha spiegato i suoi petali, riempiendo l'aria carica di vapore del suo intenso profumo. Mi tiro su e allungo la mano per prendere un asciugamano con cui coprire il fiore, quando sento bussare timidamente e la porta del bagno si apre, mostrando tre volti conosciuti. Cercano di sorridermi, ma persino Venia non riesce a nascondere il suo turbamento di fronte al mio devastato corpo da ibrido.

— Sorpresa! — squittisce Octavia, e poi scoppia in lacrime. Mi sto scervellando sul perché della loro ricomparsa, quando realizzo che il giorno dell'esecuzione dev'essere oggi. Sono venuti a prepararmi per le telecamere. A riportarmi a Livello di Bellezza Zero. Non c'è da stupirsi se Octavia sta piangendo. È un compito impossibile.

Riescono a malapena a sfiorare quel mosaico che è la mia pelle per paura di farmi male, perciò mi sciacquo e mi asciugo da sola. Racconto loro che ormai non faccio nemmeno più caso al dolore, ma Flavius sobbalza ancora mentre mi avvolge in un accappatoio. Nella stanza da letto trovo un'altra sorpresa. Seduta ben eretta, curatissima, dalla parrucca color oro metallizzato alle scarpe di vernice coi tacchi alti, stringe in mano un blocco per appunti. È cambiata pochissimo, se si esclude l'espressione assente dei suoi occhi.

— Effie — dico.

— Ciao, Katniss. — Si alza e mi bacia sulla guancia come se non fosse successo niente dall'ultima volta che ci siamo incontrate, la sera prima dell'Edizione della Memoria. — Be', sembra che ci aspetti un'altra grande, grande, grande giornata. Perché non cominci la tua preparazione? Io passo a trovarti dopo e vediamo come siamo organizzate.

— D'accordo — rispondo alla sua schiena.

— Dicono che Plutarch e Haymitch abbiano avuto grosse difficoltà a tenerla in vita — commenta Venia sotto-voce. — È stata incarcerata dopo la tua fuga e ora questo incarico la fa stare un po' meglio.

È davvero difficile da credere. Effie Trinket, una ribel-le. Ma non voglio che la Coin la uccida, perciò prendo mentalmente nota di presentarla così, se qualcuno me lo chiede. — Immagino che dopotutto sia una fortuna se Plutarch vi ha rapito.

— Siamo l'unico staff di preparatori ancora in vita. Tutti gli altri stilisti dell'Edizione della Memoria sono morti — dice Venia. Non specifica chi li abbia ucci-si. Sto cominciando a chiedermi se abbia importanza. Prende cautamente una delle mie mani deturpate dalle cicatrici e la mostra agli altri perché la controllino. — Cosa pensate sia meglio per le unghie? Il rosso o maga-ri un nero lucido?

Flavius esegue un miracolo di bellezza sui miei capel-li, riuscendo a pareggiare la parte davanti facendo anche in modo che le ciocche più lunghe nascondano i punti pelati dietro. Il mio viso, risparmiato dalle fiamme, non presenta niente di più delle consuete sfide. Una volta indossata la tenuta da Ghiandaia Imitatrice di Cinna, le sole cicatrici visibili sono sul collo, gli avambracci e le mani. Octavia mi fissa sopra il cuore la spilla con la ghiandaia, poi facciamo un passo indietro per guardare nello specchio. Non posso credere a quanto mi hanno fatta sembrare normale all'esterno quando dentro di me non c'è che il deserto.

Si sente bussare alla porta ed entra Gale. — Mi dai un minuto? — chiede. Osservo i miei preparatori allo spec-chio. Incerti su dove andare, si urtano l'un l'altro alcu-ne volte e poi si chiudono nel bagno. Gale sbuca dietro di me e tutti e due studiamo le nostre immagini riflesse. Cerco qualcosa cui aggrapparmi, una traccia della ragazza e del ragazzo che cinque anni fa si incontrarono per caso nei boschi e divennero inseparabili. Mi chiedo cosa sarebbe successo se gli Hunger Games non avessero ghermito la ragazza. Se si sarebbe innamorata del ragazzo, se lo avrebbe sposato, addirittura. E se prima o poi, con le sorelle e i fratelli diventati grandi, sarebbe fuggita nei boschi con lui, lasciandosi il 12 alle spalle per sempre. Sarebbero stati felici, in quei luoghi selvaggi, o una cupa tristezza si sarebbe poco a poco insinuata tra loro anche senza il contributo di Capitol City?

— Ti ho portato questa. — Gale solleva una faretra. Quando la prendo, mi accorgo che contiene un'unica, normalissima freccia. — Dovrebbe essere una cosa simbolica. Tu che tiri l'ultimo colpo della guerra.

— E se sbaglio? — dico. — La Coin raccoglierà la freccia e me la riporterà? O si limiterà a sparare lei stessa alla testa di Snow?

— Non sbaglierai. — Gale mi sistema la faretra sulla spalla.

Restiamo lì, l'uno di fronte all'altra, incrociando i nostri sguardi. — Non sei venuto a trovarmi, in ospedale. — Lui non risponde, e alla fine glielo chiedo e basta. — Era tua la bomba?

— Non lo so. E non lo sa neanche Beetee — dice lui. — Ha importanza? Tanto tu continuerai a crederlo.

Aspetta che lo neghi. Vorrei farlo, ma ha ragione. Anche in questo momento, vedo il lampo che le dà fuoco, sento il calore delle fiamme. E non sarò mai capace di separare quell'istante da Gale. Il mio silenzio è la risposta.

— Prendermi cura della tua famiglia. Quella era la mia unica qualità — dice. — Tira diritto, d'accordo? — Mi sfiora la guancia ed esce. Vorrei richiamarlo e dirgli che mi sbagliavo, che troverò un modo per fare pace con tutto questo. Per ricordare in quali circostanze ha creato la bomba. Che terrò conto, nel giudicare, degli imperdonabili crimini che io stessa ho commesso. Scoprirò la verità su chi ha lanciato i paracadute. Proverò che non sono stati i ribelli. Lo perdonerò. Ma visto che non mi riesce, dovrò semplicemente affrontare il dolore.

Arriva Effie per accompagnarmi a una specie di riunione. Raccolgo il mio arco e all'ultimo istante mi torna in mente la rosa, che splende nel suo bicchiere d'acqua. Quando apro la porta del bagno, trovo i miei preparatori seduti sul bordo della vasca, curvi e abbattuti. Ricordo che non sono l'unica a essere stata spogliata del suo mondo. — Forza — dico loro. — Abbiamo un pubblico che ci attende.

Mi aspetto una riunione di produzione durante la quale Plutarch mi spiegherà dove mettermi e mi darà il segnale per uccidere Snow. E invece mi ritrovo in una stanza in cui sei persone sono sedute intorno a un tavolo. Peeta, Johanna, Beetee, Haymitch, Annie ed Enobaria. Indossano tutti l'uniforme grigia del 13. Nessuno di loro ha un gran bell'aspetto. — E questo cosa sarebbe? — dico.

— Non ne siamo sicuri — risponde Haymitch — ma sembra un raduno dei vincitori superstiti.

— Siamo tutti qui? — chiedo.

— È il prezzo della celebrità — dice Beetee. — Siamo stati un bersaglio per entrambe le fazioni. Capitol City ha ucciso i vincitori che sospettava fossero ribelli. I ribelli hanno ucciso quelli che ritenevano alleati di Capitol City.

Johanna guarda Enobaria in malo modo. — Quindi, lei cosa ci fa qui?

— Lei è protetta da quello che chiamiamo il Patto della Ghiandaia Imitatrice — dice la Coin mentre entra dietro di me. — Patto nel quale Katniss Everdeen accettava di sostenere i ribelli in cambio dell'immunità per i vincitori catturati. Katniss ha sostenuto la sua parte nell'accordo, e lo stesso faremo noi.

Enobaria sorride a Johanna, che le dice: — Non fare quella faccia compiaciuta. — Ti uccideremo comunque.

— Prego, siediti, Katniss — invita la Coin, chiudendo la porta. Prendo posto tra Annie e Beetee, posando con attenzione la rosa di Snow sul tavolo. Come al solito, la Coin va dritta al punto. — Vi ho chiesto di venire qui per appianare una controversia. Oggi giustizieremo Snow. Nelle scorse settimane, centinaia di suoi complici nell'oppressione di Panem sono stati processati e ora aspettano la morte. Ciononostante, la sofferenza dei distretti è stata tale che alle vittime questi provvedimenti non sembrano abbastanza. In effetti, molti stanno chiedendo l'annientamento dell'intera popolazione di Capitol City. Tuttavia, se vogliamo garantire la sopravvivenza della nazione, non possiamo permetterci un passo di questo genere.

Attraverso l'acqua che c'è nel bicchiere vedo l'immagine distorta di una delle mani di Peeta. I segni delle ustioni. Siamo entrambi ibridi di fuoco, ormai. I miei occhi risalgono fino al punto in cui le fiamme gli hanno lambito la fronte, bruciacchiandogli le sopracciglia ed evitando per un pelo gli occhi.

Quegli stessi occhi azzurri che un tempo, a scuola, incrociavano i miei e subito guizzavano via. Proprio come adesso.

— È stata quindi suggerita un'alternativa. Ma dal momento che i miei colleghi e io non riusciamo a raggiungere un valido accordo, abbiamo stabilito di lasciare che siano i vincitori a decidere. Il programma si considererà approvato se avrà una maggioranza di almeno quattro voti. Nessuno potrà astenersi dal votare — dice la Coin. — La proposta è questa: invece di eliminare tutta la popolazione di Capitol City, organizziamo un'ultima, simbolica edizione degli Hunger Games, utilizzando i bambini imparentati direttamente con gli uomini di maggior potere.

Ci giriamo tutti e sei nella sua direzione. — Cosa? — dice Johanna.

— Teniamo un'altra edizione degli Hunger Games coi bambini di Capitol City — spiega la Coin.

— Sta scherzando? — chiede Peeta.

— No. Vi dico inoltre che se alla fine i Giochi si terranno davvero, verrà reso noto che la cosa è stata fatta con la vostra approvazione, mentre i singoli voti saranno mantenuti segreti per la vostra stessa sicurezza — chiarisce la Coin.

— L'ha avuta Plutarch, quest'idea? — chiede Haymitch.

— L'ho avuta io — risponde la Coin. — Mi è parso che compensasse il bisogno di vendetta con il minor numero di vittime. Potete votare.

— No! — esclama Peeta. — Io voto no, naturalmente! Non possiamo avere altri Hunger Games!

— E perché no? — ribatte Johanna. — A me sembra molto giusto. Snow ha persino una nipote. Io voto sì.

— Anch'io — dice Enobaria, quasi indifferente. — Ripaghiamoli della loro stessa moneta.

— È per questo che ci siamo ribellati? Ve ne rendete conto? — Peeta guarda tutti noi. — Annie?

— Io voto no, come Peeta — dice. — Finnick farebbe lo stesso, se fosse qui.

— Ma non c'è, perché gli ibridi di Snow l'hanno ucciso — le ricorda Johanna.

— No — dice Beetee. — Creerebbe un brutto precedente. Dobbiamo smetterla di considerarci l'uno nemico dell'altro. A questo punto, per la nostra sopravvivenza, è fondamentale che siamo uniti. No.

— Ci restano Katniss e Haymitch — dice la Coin.

È andata così anche allora? Più o meno settantacinque anni fa? Alcuni individui si sono seduti intorno a un
tavolo e hanno votato per l'inizio degli Hunger Games?
C'è stato dissenso? Qualcuno si è schierato a favore della pietà, vanificata dalle richieste di morte per i bambini
dei distretti? Il profumo della rosa di Snow forma volute
che salgono fino al mio naso e mi scendono nella gola,
serrandola nella morsa della disperazione. Tutte le persone che ho amato sono morte, e noi siamo qui a discutere dei prossimi Hunger Games nel tentativo di evitare
un inutile spreco di vite. Nulla è cambiato. Nulla cam-
bierà più, ormai.

Soppeso con cura le mie opzioni, rifletto a fondo su
tutto. Tenendo gli occhi fissi sulla rosa, dico: — Io voto
sì... per Prim.

— Haymitch, tocca a te — dice la Coin.

Un Peeta furibondo martella Haymitch parlandogli
dell'atrocità di cui potrebbe divenire complice, ma io sento che Haymitch sta osservando me. È il momento, allora, quello in cui scopriamo quanto siamo simili e fino
a che punto lui mi capisca.

— Io sto con la Ghiandaia Imitatrice — dichiara.

— Eccellente. Questo decide la votazione — dice la
Coin. — E adesso dobbiamo davvero prendere posto per
l'esecuzione.

Mentre mi passa davanti, sollevo il bicchiere con la
rosa. — Può fare in modo che Snow se la metta? Proprio
sul cuore?

La Coin sorride. — Certo. E mi assicurerò che sappia dei Giochi.

— Grazie — dico.

Vengo circondata dalle persone che invadono la stanza. L'ultimo tocco di cipria, le istruzioni di Plutarch mentre mi guidano verso la porta principale della villa. L'Anfiteatro cittadino trabocca, riversando gente lungo le strade laterali. Gli altri si accomodano all'esterno. Guardie. Ufficiali. Capi ribelli. Vincitori. Sento le acclamazioni, segnale che la Coin è comparsa sulla balconata. A quel punto, Effie mi dà un colpetto sulla spalla, e io esco nella fredda luce invernale. Cammino fino alla mia postazione, accompagnata dal ruggito assordante della folla. Come mi hanno detto di fare, mi volto, affinché il pubblico mi veda di profilo, e resto in attesa. Quando accompagnano Snow fuori dalla porta a passo di marcia, gli spettatori impazziscono. Gli assicurano le mani dietro un palo, benché questo sia superfluo. Non andrà da nessuna parte. Non ha un posto dove scappare. Questo non è il palco spazioso di fronte al Centro di Addestramento, ma la stretta terrazza davanti alla residenza presidenziale. Non stupisce che nessuno si sia preso il disturbo di farmi esercitare. Snow è a meno di dieci metri da me.

Sento l'arco fare le fusa nella mia mano. Allungo l'altra verso la schiena e afferro la freccia. La posiziono, miro alla rosa, ma guardo il suo viso. Tossisce e un filo di sangue gli cola lungo il mento. La sua lingua guizza sulle labbra gonfie. Cerco nei suoi occhi anche il più piccolo segno di qualcosa: paura, rimorso, rabbia. Ma trovo solo lo stesso sguardo divertito che ha posto fine alla nostra ultima conversazione. È come se stesse pronunciando di nuovo quelle parole. "Ah, mia cara signorina

Everdeen. Pensavo che fossimo d'accordo di non mentirci l'un l'altro."

Ha ragione. Eravamo d'accordo.

La punta della mia freccia si sposta verso l'alto. Lascio andare la corda. E la presidente Coin crolla oltre il fianco della balconata e piomba al suolo. Morta.

CAPITOLO 27

Nell'intontimento che segue, sono cosciente di un unico suono. Snow che ride. Un orribile risolino gorgogliante, accompagnato da uno sbocco di sangue schiumoso quando inizia la tosse. Lo vedo piegarsi in avanti, sputando a più non posso, fino al momento in cui le guardie lo nascondono ai miei occhi.

Mentre le uniformi grigie cominciano a convergere nella mia direzione, penso a ciò che ha in serbo il mio breve futuro come assassina del nuovo presidente di Panem. L'interrogatorio, la probabile tortura, la sicura esecuzione pubblica. E l'ennesimo addio alle poche persone ancora care al mio cuore. La prospettiva di affrontare mia madre, che d'ora in poi sarà del tutto sola al mondo, risolve il problema.

— Buonanotte — sussurro all'arco che ho in mano, e sento che si immobilizza. Alzo il braccio sinistro e piego il collo per strappare via con un morso la pillola che ho nella manica. Ma i miei denti si piantano nella carne. Confusa, tiro indietro la testa di scatto e mi ritrovo a fissare gli occhi di Peeta, che stavolta sostengono il mio sguardo. Il sangue cola dal segno che i denti hanno lasciato sulla sua mano, chiusa sul mio morso della notte.

— Lasciami andare! — gli ringhio contro, cercando di sottrarre il braccio alla sua stretta.

— Non posso — dice. Quando mi allontanano da lui, sento la tasca dalla manica che si lacera, vedo la pillola viola scuro cadere a terra e guardo l'ultimo dono di Cinna che viene calpestato dagli scarponi delle guardie. Mi trasformo in un animale selvatico e scalcio, graffio, mordo, faccio tutto quello che posso per liberarmi da quella rete di mani, intanto che la folla mi si stringe intorno. Le guardie mi sollevano sopra la mischia, e lì continuo a dibattermi mentre mi trasportano di peso oltre la calca. Comincio a urlare cercando Gale. Non riesco a trovarlo in mezzo alla ressa, ma lui saprà cosa voglio. Un bel tiro preciso che ponga fine a tutto questo. Solo che non arriva nessuna freccia, nessuna pallottola. È possibile che non mi veda? No. Sopra di noi, sugli schermi giganti collocati intorno all'Anfiteatro, chiunque può guardare ciò che sta succedendo in ogni dettaglio. Lui vede, sa, ma non fa nulla. Proprio come me quando è stato catturato. Una ben misera scusa, tra due che sono cacciatori e amici. Tra di noi.

Sono sola.

Dentro la villa, mi ammanettano e mi bendano gli occhi. Un po' mi trascinano e un po' mi trasportano da un lungo corridoio all'altro, da un ascensore che sale a uno che scende, e infine mi depositano su un pavimento di moquette. Mi tolgono le manette e una porta si chiude con un tonfo dietro di me. Quando sollevo la benda, scopro di essere nella mia vecchia stanza al Centro di Addestramento, quella che occupavo in quegli ultimi giorni preziosi prima degli Hunger Games e dell'Edizione della

Memoria. Il letto è stato disfatto sino al materasso, l'armadio è spalancato e mostra l'interno vuoto, ma io riconoscerei questa camera ovunque.

Alzarmi in piedi e sfilarmi la tenuta da Ghiandaia Imitatrice è dura. Sono coperta di lividi e potrei avere un dito o due fratturati, ma è la mia pelle ad aver pagato il prezzo più caro per la lotta con le guardie. Quella robaccia rosa innestata da poco si è stracciata come carta velina e il sangue filtra attraverso le cellule riprodotte in laboratorio. Dottori, però, non se ne vedono, e visto che sono troppo grave perché ci si preoccupi di me, mi trascino sul materasso, aspettandomi di morire dissanguata.

E invece no, purtroppo. Entro sera, il sangue si è coagulato, lasciandomi rigida e indolenzita e appiccicosa ma viva. Zoppico fino alla doccia e programmo la cura più leggera che ricordo, senza sapone o prodotti per i capelli, poi mi accuccio sotto il getto caldo coi gomiti sulle ginocchia e il viso tra le mani.

Mi chiamo Katniss Everdeen. Perché non sono morta? Dovrei esserlo. Sarebbe la cosa migliore per tutti, se fossi morta...

Quando esco sul tappetino, l'aria calda mi secca la pelle rovinata. Non ho niente di pulito da mettermi. Nemmeno un asciugamano da avvolgermi intorno al corpo. Quando torno nella stanza, scopro che la mia divisa da Ghiandaia Imitatrice è sparita. Al suo posto, c'è un accappatoio di carta. Dalla misteriosa cucina, mi hanno inviato un pasto e un contenitore di farmaci come dessert. Mangio qualcosa, prendo qualche pillola e mi friziono il balsamo sulla pelle. Adesso devo concentrarmi sul tipo di suicidio che metterò in pratica.

Torno a raggomitolarmi sul materasso macchiato di sangue, senza avere freddo ma sentendomi nuda, con solo la carta a coprire la mia carne dolorante. Non posso gettarmi dalla finestra: il vetro dev'essere spesso almeno trenta centimetri. So fare un ottimo cappio, ma non ho niente a cui impiccarmi. Potrei accumulare le pillole e poi uccidermi con una dose letale, solo che sono sicura di essere controllata ventiquattr'ore su ventiquattro. È probabile che io sia in diretta TV, in questo stesso istante, mentre i commentatori tentano di sviscerare cosa possa avermi spinto a uccidere la Coin. La sorveglianza rende praticamente impossibile qualsiasi tentativo di suicidio. Togliermi la vita è prerogativa di Capitol City. Di nuovo.

Quello che posso fare è arrendermi totalmente. Decido di restarmene sdraiata a letto senza mangiare, senza bere e senza prendere le mie medicine. E sarei anche capace di farlo. Morire e basta. Se non fosse per le crisi di astinenza da morfamina. Che non sono graduali, come nell'ospedale del 13, ma vera e propria scimmia. Dovevo assumerne delle belle dosi, perché, quando vengo colta da quel bisogno disperato di averne, accompagnato da tremiti e dolori lancinanti e freddo insopportabile, la mia risolutezza si frantuma come un guscio d'uovo. In ginocchio, setaccio la moquette con le unghie per ritrovare le preziose pillole che ho gettato via in un momento in cui ero più decisa. Modifico i miei piani, passando dal suicidio a una lenta morte per morfamina. Diventerò un sacco d'ossa con la pelle giallastra e gli occhi enormi. Ho messo in atto il mio programma da un paio di giorni, e sto facendo progressi, quando accade qualcosa di inaspettato.

Comincio a cantare. Alla finestra, sotto la doccia, nel sonno. Ore e ore di ballate, canzoni d'amore, canti di montagna. Tutte le melodie che mio padre mi ha insegnato prima di morire, perché da quel momento in poi nella mia vita c'è stata ben poca musica. La cosa incredibile è la chiarezza con cui me le ricordo. Le arie, le parole. La mia voce, che all'inizio è roca e si spezza sulle note più alte, diventa calda e magnifica. Una voce che farebbe ammutolire le ghiandaie imitatrici e poi le renderebbe così desiderose di unirsi al canto da inciampare l'una nell'altra. Passano i giorni, le settimane. Osservo la neve cadere sul davanzale della mia finestra. E in tutto quel tempo, la mia voce è la sola che sento.

Cosa staranno facendo? Qual è l'impedimento, là fuori? Quanto può essere difficile organizzare l'esecuzione di una giovane omicida? Io continuo imperterrita ad annientare me stessa. Il mio corpo è più magro di quanto non sia mai stato, e la lotta tra me e la fame è così violenta che a volte la mia parte animale cede alla tentazione di un po' di pane imburrato o di carne arrosto. Ciononostante, sto vincendo. Passano alcuni giorni in cui non sto affatto bene e credo di essere finalmente sul punto di lasciare questa vita, ma poi mi rendo conto che le pastiglie di morfamina stanno diminuendo. Cercano di disintossicarmi poco a poco da quella roba. Perché? Sbarazzarsi di fronte alla folla di una Ghiandaia Imitatrice drogata dovrebbe essere più semplice. Poi vengo colta da un pensiero terrificante: e se non avessero intenzione di uccidermi? E se avessero altri piani per me? Tipo rimettermi in sesto, addestrarmi e usarmi in un modo diverso?

Non starò al loro gioco. Se non posso ammazzarmi in questa stanza, quando ne uscirò, coglierò la prima occasione che mi si presenta per finire il lavoro. Possono farmi ingrassare. Possono lustrarmi da capo a piedi, vestirmi elegante e rendermi di nuovo bella. Possono progettare armi da sogno che si animano tra le mie mani.

ma non riusciranno a farmi un altro lavaggio del cervello per convincermi della necessità di servirmene. Non provo più alcun obbligo di lealtà nei confronti di quei mostri chiamati esseri umani, detesto essere io stessa una di loro. Credo che Peeta avesse visto giusto riguardo al distruggerci l'un l'altro e permettere che specie migliori prendano il nostro posto. Perché c'è qualcosa di profondamente sbagliato in una creatura che sacrifica la vita dei propri figli per appianare le divergenze. La si può raccontare come si vuole. Snow riteneva che gli Hunger Games fossero un efficace strumento di controllo. La Coin credeva che i paracadute avrebbero accelerato la fine della guerra. Ma, alla fine dei conti, chi se ne avvantaggia? Nessuno. Perché a nessuno giova vivere in un mondo in cui accadono cose del genere, questa è la verità.

Dopo aver trascorso due giorni distesa sul materasso senza fare il minimo tentativo di mangiare, bere e persino prendere una pastiglia di morfamina, la porta della mia stanza si apre. Qualcuno viene a fare il giro del letto ed entra nel mio campo visivo. Haymitch. — Il tuo processo si è concluso — dice. — Forza. Io e te torniamo a casa.

A casa? Ma di che parla? La mia casa non c'è più. E anche se potessi davvero andare in quel luogo immaginario, sono troppo debole per muovermi. Compaiono degli sconosciuti. Mi reidratano e mi alimentano. Mi fanno il bagno e mi vestono. Uno mi solleva come una bambola di pezza e mi porta sul tetto, a bordo di un hovercraft, e mi allaccia la cintura di un sedile. Haymitch e Plutarch sono seduti di fronte a me. Nel giro di qualche istante, siamo in volo.

Non ho mai visto Plutarch tanto allegro. È decisamente raggiante. — Devi avere un milione di domande! — E quando io non reagisco, lui risponde comunque ai miei quesiti inespressi.

Dopo che ho ucciso la Coin, è scoppiato un pandemonio. Quando si è placato, hanno scoperto il cadavere di Snow, ancora attaccato al palo. Sul fatto che sia morto soffocato mentre rideva o sia rimasto schiacciato dalla folla, i pareri sono discordi. A nessuno importa davvero. Sono state indette delle elezioni di emergenza e la Paylor ha ottenuto la carica di presidente. Plutarch è stato nominato ministro delle comunicazioni, ovverosia responsabile delle programmazioni via etere. Il primo grande evento trasmesso in tv è stato il mio processo, nel quale lui è stato anche testimone di rilievo. Per la difesa, naturalmente. Anche se la maggior parte del merito per la mia assoluzione va al dottor Aurelius, che a quanto pare si è guadagnato i suoi pisolini dipingendomi come una pazza irrecuperabile, traumatizzata dal bombardamento. L'unica condizione per il mio rilascio è che continui a farmi curare da lui. Il che dovrà per forza avvenire per telefono, perché il dottor Aurelius non vivrebbe mai in un posto desolato come il 12, e io sarò confinata lì sino a nuovo ordine. La verità è che nessuno sa cosa farsene di me adesso che la guerra è finita, benché Plutarch sia certo che potrebbero facilmente trovarmi un incarico nel caso in cui ne iniziasse un'altra. E qui, Plutarch si fa una bella risata. Il fatto che nessun altro apprezzi mai le sue battute sembra non disturbarlo affatto.

— Ti stai preparando per una nuova guerra, Plutarch? — chiedo.

— Oh, non adesso. Adesso ci troviamo in quello stupendo periodo in cui tutti concordano che i nostri ultimi orrori non dovranno mai ripetersi — dice lui. — Ma di solito il pensiero collettivo ha vita breve. Siamo creature stupide e incostanti, con la memoria corta e un grandissimo talento per l'autodistruzione. Anche se... chissà, magari questa sarà la volta buona, Katniss.

— In che senso? — chiedo.

— La volta che invece dura. Forse stiamo assistendo all'evoluzione della razza umana. Pensaci. — E a quel punto mi chiede se mi piacerebbe esibirmi nel nuovo programma musicale che lancerà tra qualche settimana. Andrebbe bene qualcosa di allegro. Manderà la troupe a casa mia.

Facciamo un breve scalo nel Distretto 3 per far scendere Plutarch. Deve incontrare Beetee per aggiornare la tecnologia del sistema radiotelevisivo. Le sue parole di addio per me sono: — Non sparire.

Quando torniamo tra le nuvole, guardo Haymitch. — E tu perché stai tornando nel 12?

— Pare che non riescano a trovare un posto neanche per me, a Capitol City — dice.

All'inizio, non faccio domande. Ma i dubbi cominciano a insinuarsi nella mia testa. Haymitch non ha assassinato nessuno. Potrebbe andare ovunque. Se torna nel 12, è perché gli è stato ordinato. — Devi occuparti di me, non è vero? Come mio mentore? — Lui scrolla le spalle. Poi capisco cosa significa. — Mia madre non verrà.

— No — dice. Estrae una busta dalla tasca della giacca e me la tende. Studio la grafia delicata e perfetta. — Sta dando una mano ad aprire un ospedale nel Distretto 4. Vuole che tu la chiami appena arrivi. — Le mie dita seguono i graziosi svolazzi delle lettere. — Tu sai perché non può tornare. — Sì, lo so. Perché tra mio padre, Prim e le ceneri, il dolore racchiuso in quel luogo è troppo da sopportare. Ma non per me, a quanto sembra. — Vuoi sapere chi altro ci sarà?

— No — dico. — Voglio che sia una sorpresa.

Da bravo mentore, Haymitch mi fa mangiare un panino e poi finge di credere che dormo per il resto del viaggio. Si tiene occupato passando da uno scompartimento all'altro dell'hovercraft, trovando il liquore e mettendoselo in borsa. È notte quando atterriamo sul prato del Villaggio dei Vincitori. Metà delle case, compresa la mia e quella di Haymitch, hanno delle luci alle finestre. Quella di Peeta no. Qualcuno ha acceso un fuoco nella mia cucina. Mi siedo sulla sedia a dondolo lì davanti, stringendo la lettera di mia madre.

— Be', ci vediamo domani — dice Haymitch.

Mentre il tintinnio della sua borsa piena di bottiglie di liquore si smorza in lontananza, bisbiglio: — Ne dubito.

Sono incapace di spostarmi dalla sedia. Il resto della casa sembra freddo e vuoto e buio. Mi copro il corpo con un vecchio scialle e guardo le fiamme. Immagino di aver dormito, perché, ancor prima di rendermene conto, è mattina, e Sae la Zozza sta sbatacchiando qualcosa davanti alla stufa. Mi prepara delle uova e del pane tostato e si siede lì finché non li ho finiti. Non parliamo granché. La sua nipotina, quella che vive in un mondo tutto suo, prende un gomitolo di lana azzurro vivo dal cestino del lavoro a maglia di mia madre. Sae la Zozza le ordina di rimetterlo a posto, ma io dico che può tenerselo. Non c'è più nessuno in questa casa che sappia lavorare a maglia.

Dopo colazione, Sae la Zozza lava i piatti e se ne va, ma torna all'ora di cena per farmi mangiare ancora. Non so se agisca solo da buona vicina o se sia sul libro paga del governo, ma continua a presentarsi due volte al giorno. Lei cucina, io mangio. Cerco di immaginare la mia prossima mossa. Non c'è più niente che mi impedisca di togliermi la vita, ormai. Ma è come se aspettassi qualcosa.

Di tanto in tanto, il telefono squilla, e continua a squillare per un bel po', ma io non rispondo. Haymitch non passa mai a trovarmi. Forse ha cambiato idea e se ne è andato, anche se sospetto che sia semplicemente ubriaco. Non viene nessuno, a parte Sae la Zozza e sua nipote. Dopo mesi di reclusione solitaria, sembrano una folla.

— Si sente la primavera nell'aria, oggi. Dovresti uscire — dice. — Andare a caccia.

Non ho mai messo piede fuori di casa. E nemmeno fuori dalla cucina, tranne che per raggiungere il piccolo bagno a qualche passo di distanza. Porto gli stessi vestiti che avevo quando lasciai Capitol City. Me ne sto semplicemente seduta accanto al fuoco. A fissare le lettere ancora chiuse che si accumulano sulla mensola del caminetto. — Non ho un arco.

— Cerca nell'ingresso — ribatte.

Una volta uscita Sae la Zozza, valuto la possibilità di un viaggio sino all'ingresso. E la escludo. Ma parecchie ore dopo, ci vado lo stesso, aggirandomi silenziosa e senza scarpe per non risvegliare i fantasmi. Entro nello studio dove presi il tè con il presidente Snow e trovo uno scatolone che contiene la giacca da caccia di mio padre, il nostro libro delle piante, la foto del matrimonio dei miei genitori, la spillatrice che mi inviò Haymitch e il medaglione che Peeta mi regalò nell'arena dell'orologio. I due archi e la faretra di frecce che Gale salvò la notte delle bombe incendiarie giacciono sulla scrivania. Indosso la giacca da caccia senza toccare il resto. Mi addormento sul divano dell'elegante salotto. Segue un terribile incubo nel quale sono sdraiata in una fossa profonda e tutti i morti che conosco per nome sfilano uno a uno lì davanti per gettarmi sopra una palata di cenere. È un sogno piuttosto lungo, tenuto conto del numero delle persone, e più mi ricoprono, più fatico a respirare. Cerco di gridare per implorarli di smettere, ma la cenere mi riempie il naso e la bocca e non riesco a produrre alcun suono. E intanto la pala continua a raschiare, ancora e ancora...

Mi sveglio con un sobbalzo. La pallida luce del mattino filtra dai bordi delle persiane. Il grattare della pala prosegue. Ancora mezzo sprofondata nell'incubo, corro nell'ingresso, esco dalla porta principale e giro sul fianco della casa, perché adesso sono abbastanza sicura di poter urlare contro i morti. Quando lo vedo, mi blocco di colpo. Il suo viso è arrossato per avere zappato il terriccio sotto la finestra. In una carriola, ci sono cinque arbusti stenti.

— Sei tornato — dico.

— Fino a ieri il dottor Aurelius non mi ha permesso di lasciare Capitol City — spiega Peeta. — Tra l'altro, mi ha detto di dirti che non può continuare a fare solo finta di curarti. Devi rispondere al telefono.

Ha un bell'aspetto. Come me, è magro e coperto di cicatrici da ustioni, ma i suoi occhi hanno perso quell'espressione confusa e tormentata. Però si acciglia leggermente mentre mi osserva. Faccio uno sforzo poco convinto per scostarmi i capelli dagli occhi e mi accorgo di avere in testa una massa aggrovigliata. Mi metto sulla difensiva. — Cosa stai facendo?

— Sono stato nei boschi, stamattina, e ho sradicato questi. Per lei — dice. — Pensavo che potremmo piantarli lungo il lato della casa.

Guardo gli arbusti, le zolle di terra che pendono dalle loro radici, e trattengo il respiro, mentre il mio cervello registra il termine "rosa". Sto per mettermi a strillare parole crudeli contro Peeta, quando mi rendo conto del

411

nome completo della pianta. Non semplicemente rosa, ma "prima rosa", *primrose*, la "primula". Lo stesso nome di mia sorella. Annuisco a Peeta in segno di assenso e mi affretto a tornare dentro casa, chiudendo la porta a chiave dietro di me. Ma il male è dentro, non fuori. Tremante per la debolezza e l'ansia, corro su per le scale. Il mio piede urta l'ultimo gradino e cado sul pavimento. Mi costringo a rialzarmi ed entro nella mia stanza. Il profumo è lievissimo ma avvelena ancora l'aria. È lì. La rosa bianca tra i fiori secchi, nel vaso. È fragile e raggrinzita, ma conserva l'innaturale perfezione coltivata nella serra di Snow. Afferro il vaso, scendo incespicando fino in cucina e getto il suo contenuto tra le braci. Quando i fiori cominciano a bruciare, una vampata bluastra avvolge la rosa e la divora. Il fuoco batte le rose, ancora una volta. Tanto per non sbagliare, frantumo anche il vaso sul pavimento.

Tornata di sopra, spalanco le finestre della stanza da letto per pulirla da ciò che resta del fetore di Snow. Che però persiste, sui miei vestiti e nei miei pori. Mi spoglio, e scaglie di pelle grandi come carte da gioco restano attaccate agli indumenti. Evitando lo specchio, entro nella doccia e mi strofino via le rose dai capelli, dal corpo, dalla bocca. Con la pelle che pizzica e si è fatta rosa acceso, trovo qualcosa di pulito da mettermi. Mi ci vuole mezz'ora per districare i capelli. Sae la Zozza apre la porta d'ingresso. Mentre lei prepara la colazione, io butto nel fuoco i vestiti che mi sono tolta. Dietro suo consiglio, mi taglio le unghie con un coltello.

Da sopra il piatto di uova, le chiedo: — Dov'è andato Gale?

— Distretto 2. Ha un gran bel lavoro, là. Ogni tanto lo vedo in TV — risponde.

Scavo dentro di me, cercando rabbia, odio, nostalgia. Trovo soltanto sollievo.

— Oggi vado a caccia — dico.

— Be', in effetti un po' di selvaggina fresca non mi dispiacerebbe — commenta.

Mi armo di arco e frecce e vado fuori, con l'intenzione di uscire dal 12 attraverso il Prato. Vicino alla piazza, ci sono gruppi di persone che indossano mascherina e guanti e hanno carri trainati da cavalli. Esaminano minuziosamente ciò che quest'inverno giaceva sotto la neve. Raccolgono resti. Un carretto è fermo davanti alla casa del sindaco. Riconosco Thom, l'ex compagno di squadra di Gale, che si è fermato un momento per asciugarsi il sudore dal viso con uno straccio. Ricordo di averlo visto nel 13, ma dev'essere tornato. Il suo saluto mi dà il coraggio di chiedere: — Hanno trovato qualcuno, là dentro?

— Tutta la famiglia. E le due persone che lavoravano per loro — mi dice Thom.

Madge. Tranquilla e gentile e coraggiosa. La ragazza che mi regalò la spilla da cui ho preso il nome. È un boccone amaro. Mi chiedo se stanotte si unirà ai personaggi che popolano i miei incubi. Gettandomi palate di cenere in bocca. — Credevo che magari, visto che lui era il sindaco...

— Non penso che essere sindaco del 12 lo abbia favorito — dice Thom.

Annuisco e continuo per la mia strada, ben attenta a non guardare nel fondo del carro. Da un capo all'altro della città e del Giacimento, la scena si ripete. La mietitura dei morti. Mentre mi avvicino alle rovine della mia vecchia casa, la strada comincia a brulicare di carri. Il Prato non c'è più, o quantomeno è cambiato radicalmente. Vi hanno scavato una buca profonda che adesso stanno rivestendo di ossa, una fossa comune per la mia gente. Faccio il giro della buca e penetro nei boschi dal mio solito posto. Ha ben poca importanza, però la recinzione non è più elettrificata ed è stata puntellata con dei lunghi rami per tenere fuori i predatori. Ma le vecchie abitudini sono dure a morire. Penso di andare al lago, ma sono così debole che riesco appena ad arrivare al punto in cui io e Gale ci incontravamo. Mi siedo sulla roccia dove Cressida ci filmò, ma è troppo grande senza il suo corpo accanto a me. A più riprese, chiudo gli occhi e conto fino a dieci, credendo che quando li riaprirò, lui si sarà materializzato senza rumore, come spesso faceva. Devo ricordare a me stessa che Gale è nel 2, ha un gran bel lavoro, e probabilmente sta baciando un altro paio di labbra.

È il tipo di giornata preferito dalla vecchia Katniss. L'inizio della primavera. I boschi che si svegliano dopo il lungo inverno. Ma la ventata di energia che è iniziata con le primule svanisce. Quando riesco a tornare alla recinzione, la nausea e le vertigini sono tali che Thom deve darmi un passaggio a casa con il carro dei morti. E aiutarmi a raggiungere il divano del salotto, dove resto a guardare i granelli di polvere che volteggiano nei fiochi raggi di luce pomeridiana.

Giro la testa di scatto quando sento soffiare, ma mi ci vuole un po' per credere che sia proprio lui. Com'è riuscito ad arrivare fin qui? Osservo i segni degli artigli di un qualche animale selvatico, la zampa posteriore leggermente sollevata da terra, le ossa sporgenti del muso. È venuto a piedi, allora, si è fatto tutta la strada dal 13. Forse lo hanno sbattuto fuori, o forse non è riuscito a rimanere là senza di lei, così è venuto a cercarla.

— Hai fatto un viaggio inutile. Lei non è qui — gli dico. Ranuncolo soffia ancora. — Non è qui. Puoi soffiare quanto ti pare. Non troverai Prim. — Si rianima, sentendo quel nome. Alza le orecchie appiattite. Si mette a miagolare, speranzoso. — Vattene! — Schiva il cuscino che gli lancio contro. — Va' via! Qui non c'è più niente per te! — Comincio a tremare, furibonda verso di lui. — Lei non tornerà! Non tornerà mai più qui! — Afferro un altro cuscino e mi alzo in piedi per avere una mira migliore. Senza alcun preavviso, le lacrime cominciano a scorrermi lungo le guance. — È morta. — Stringo forte le braccia intorno alla vita per attenuare il dolore. Mi lascio cadere sui talloni, cullando il cuscino e piangendo. — È morta, stupido gatto. È morta. — Un nuovo suono, che in parte è urlo e in parte è canto, mi esce da dentro per dare voce alla mia disperazione. Anche Ranuncolo si mette a gemere. Qualunque cosa io faccia, lui non se ne andrà. Mi gira intorno, appena fuori tiro, mentre ondate su ondate di singhiozzi straziano il mio corpo. Poi perdo i sensi. Ma lui deve aver capito. Deve essersi reso conto che l'impensabile è accaduto e che sopravvivere richiederà azioni in precedenza inconcepibili. Perché ore dopo, quando rinvengo nel mio letto, lui è lì, alla luce della luna. Rannicchiato al mio fianco, con gli occhi gialli ben vigili, che mi protegge dalla notte.

La mattina, rimane stoicamente seduto mentre gli pulisco le ferite, ma estrargli la spina dalla zampa lo fa esplodere in una serie di quei famosi miagolii da gattino svenevole. Finiamo per piangere di nuovo tutti e due, solo che stavolta ci consoliamo a vicenda. È per questo che apro la lettera, quella che Haymitch mi ha consegnato da parte di mia madre, chiamo quel numero di telefono, e verso qualche lacrima anche con lei. Peeta, con una pagnotta ancora calda in mano, si presenta insieme a Sae la Zozza. Lei ci prepara la colazione e io passo tutta la mia pancetta a Ranuncolo.

Poco a poco, tra molte giornate buttate via, torno alla vita. Cerco di seguire il consiglio del dottor Aurelius, limitandomi a fare le cose in maniera meccanica, e mi sorprendo quando una di quelle cose, alla fine, acquista di nuovo un significato. Gli parlo della mia idea di scrivere un libro, e una grossa scatola piena di fogli di carta arriva da Capitol City con il treno successivo.

Ho preso spunto dal libro delle piante che appartiene alla nostra famiglia, nel quale abbiamo annotato ciò che non si può affidare soltanto alla memoria. In cima alla pagina ci sarà l'immagine della persona, una foto, se riusciamo a trovarla. In caso contrario, uno schizzo o un dipinto di Peeta. Poi, nella mia migliore grafia, riporterò tutti quei particolari che sarebbe un delitto dimenticare. Lady che lecca la guancia di Prim. La risata di mio padre. Il padre di Peeta coi biscotti. Il colore degli occhi di Finnick. Quello che Cinna era in grado di fare con uno scampolo di seta. Boggs che riprogramma l'Olo. Rue in equilibrio sulle punte dei piedi, le braccia un po' allargate, come un uccello sul punto di prendere il volo. Non ci fermiamo più. Suggelliamo le pagine con lacrime salate e promesse di continuare a vivere proprio per dare un valore alla loro morte. Alla fine, Haymitch si unisce a noi, partecipando con ventitré anni di tributi ai quali è stato costretto a fare da mentore. Col tempo, le aggiunte si riducono. Un vecchio ricordo che ritorna. Una primula tardiva conservata tra le pagine. Curiosi brandelli di felicità, come la foto del figlio appena nato di Finnick e Annie.

Impariamo un'altra volta a tenerci occupati. Peeta fa il pane. Io vado a caccia. Haymitch beve finché non finisce il liquore, dopodiché alleva oche sino all'arrivo del treno successivo. Per fortuna, le oche sanno badare a se stesse piuttosto bene. Non siamo soli. Qualche centinaio di persone ha fatto ritorno qui, perché, qualunque cosa sia successa, questa è casa nostra. Con le miniere chiuse, si ara la terra mescolandola alle ceneri e si coltivano piante commestibili. Macchinari provenienti da Capitol City scavano per gettare le fondamenta di una nuova fabbrica dove produrremo farmaci. Benché nessuno lo semini, il Prato torna di nuovo verde.

Io e Peeta ricominciamo a crescere insieme. Ci sono ancora momenti in cui lui afferra lo schienale di una sedia e aspetta finché i flashback non sono finiti. Io mi risveglio urlando da incubi di ibridi e bambini perduti. Ma le sue braccia sono lì a darmi conforto. E in seguito le sue labbra. La notte in cui provo di nuovo quella sensazione, la fame che mi aveva assalito sulla spiaggia, so che tutto questo sarebbe accaduto comunque. Che quello di cui ho bisogno per sopravvivere non è il fuoco di Gale, acceso di odio e di rabbia. Ho abbastanza fuoco di mio. Quello di cui ho bisogno è il dente di leone che fiorisce a primavera. Il giallo brillante che significa rinascita anziché distruzione. La promessa di una vita che continua, per quanto gravi siano le perdite che abbiamo subito. Di una vita che può essere ancora bella. E solo Peeta è in grado di darmi questo.

Così, quando sussurra: — Tu mi ami. Vero o falso? — io gli rispondo — Vero.

EPILOGO

Giocano nel Prato. La bimba con i capelli scuri e gli occhi azzurri sta ballando. Il maschietto con i riccioli biondi e gli occhi grigi si sforza di starle dietro sulle gambe paffute che muovono i primi passi.

Mi ci sono voluti cinque, dieci, quindici anni per dire di sì. Ma Peeta li desiderava tanto. La prima volta che l'ho sentita muoversi dentro di me, sono stata letteralmente divorata da un terrore che pareva antico quanto la vita stessa. Solo la gioia di tenerla tra le braccia è riuscita a domarlo. Aspettare lui è stato un po' più facile. Non molto, però.

Le domande stanno appena iniziando.

Le Arene sono state distrutte da cima a fondo, hanno eretto monumenti commemorativi, gli Hunger Games non esistono più. Ma li insegnano a scuola, e la bambina sa che noi vi abbiamo preso parte. Il piccolo lo saprà tra qualche anno. Come posso parlare loro di quel mondo senza spaventarli a morte?

I miei figli, che danno per scontate le parole della canzone:

Là in fondo al prato, all'ombra del pino
c'è un letto d'erba, un soffice cuscino
il capo tuo posa e chiudi gli occhi stanchi
quando li riaprirai, il sole avrai davanti.
Qui sei al sicuro, qui sei al calduccio,
qui le margherite ti proteggon da ogni cruccio,
qui sogna dolci sogni che il domani farà avverare
qui è il luogo in cui ti voglio amare.

I miei figli, che non sanno di giocare su un cimitero.
Peeta dice che andrà tutto bene. Io ho lui e lui ha me.
E abbiamo il libro. Possiamo fare sì che i nostri figli capiscano ogni cosa in un modo che li renderà più coraggiosi. Ma un giorno dovrò spiegare i miei incubi. Perché sono venuti. E perché non se ne andranno mai del tutto.
Dirò loro come li supero. Dirò loro che, nelle mattine brutte, mi sembra impossibile trarre piacere da qualcosa perché temo che possano portarmelo via. E che in quei momenti faccio mentalmente un elenco di ogni atto di bontà che ho visto fare. È come un gioco. Ripetitivo. Persino un po' noioso, dopo più di vent'anni.
Ma esistono giochi molto peggiori a cui giocare.

RINGRAZIAMENTI

Vorrei rendere un doveroso tributo a tutti coloro che hanno messo a disposizione il loro tempo, talento e sostegno per gli Hunger Games.

Per prima cosa, devo ringraziare il mio straordinario triumvirato di editor.

Kate Egan, che con la sua perspicacia, il suo umorismo e la sua intelligenza mi ha guidato attraverso otto romanzi.

Jen Rees, il cui acume coglie dettagli che sfuggono a tutti noi.

David Levithan, che passa senza sforzo dall'uno all'altro dei suoi molteplici ruoli di Dispensatore di Annotazioni, Gran Maestro di Titoli e Direttore Editoriale.

Tra stesure sommarie, intossicazioni alimentari, alti e bassi di ogni tipo, tu sei sempre con me, Rosemary Stimola, consulente creativa e nume tutelare di pari talento, mio agente letterario e mia amica. E Jason Dravis, mio agente di spettacolo di vecchia data, mi sento fortunata ad averti a vegliare su di me mentre andiamo incontro al grande schermo.

Grazie alla grafica Elizabeth B. Parisi e all'illustratore Tim O'Brien per le bellissime copertine che con tanto successo hanno catturato l'attenzione sia delle ghiandaie imitatrici sia della gente.

Ave! all'incredibile staff della Scholastic che ha lanciato gli Hunger Games nel mondo: Sheila Marie Everett, Tracy van Straaten, Rachel Coun, Leslie Garych, Adrienne Vrettos, Nick Martin, Jacky Harper, Lizette Serrano, Katleen Donohoe, John Mason, Stephanie Nooney, Karyn Browne, Joy Simpkins, Jess White, Dick Robinson, Ellie Berger, Suzanne Murphy, Andrea Davis Pinkney.

E poi, ancora, grazie a tutto il personale addetto alle vendite della Scholastic, e ai molti altri che hanno dedicato tanta energia, esperienza e giudizio a questa serie.

Ai cinque amici-scrittori su cui conto maggiormente, Richard Register, Mary Beth Bass, Christopher Santos, Peter Bakalian e James Proimos, tantissima riconoscenza per i vostri consigli, i vostri punti di vista e per le risate.

Un abbraccio speciale al mio defunto padre, Michael Collins, che ha gettato le basi per questa serie con il suo profondo impegno nell'istruire i propri figli sulla guerra e sulla pace.

E ovviamente a mia madre, Jane Collins, che mi ha iniziato all'antica Grecia, alla fantascienza e alla moda (anche se quest'ultima non ha attecchito); alle mie sorelle Kathy e Joanie; a mio fratello Drew; ai miei cognati Dixie e Charles Pryor; e ai molti membri della mia estesa famiglia il cui entusiasmo e sostegno mi hanno fatto andare avanti.

E infine, mi rivolgo a mio marito, Cap Pryor, che ha letto Hunger Games nella primissima stesura, ha preteso risposte a domande che non avevo neppure immaginato, ed è rimasto la mia cassa di risonanza nel corso dell'intera serie. Grazie a lui e ai miei meravigliosi ragazzi, Charlie e Isabel, per l'amore che mi regalano tutti i giorni, la loro pazienza, e la gioia che mi danno.

INDICE

SUZANNE COLLINS

HUNGER GAMES

Vincere significa fama e ricchezza.

Perdere significa morte certa.

Ma per vincere bisogna scegliere.

Tra sopravvivenza e amore.

Egoismo e amicizia.

Quanto sei disposto a perdere?

Che gli Hunger Games abbiano inizio.

SUZANNE COLLINS

HUNGER GAMES
LA RAGAZZA DI FUOCO

Katniss Everdeen,
la ragazza di fuoco,
ha acceso una scintilla
che, se lasciata
incustodita, può crescere
e trasformarsi
in un incendio
che distruggerà
Panem.

«Hunger Games - Il canto della rivolta»
di Suzanne Collins
Oscar Grandi Bestsellers
Arnoldo Mondadori Editore

Questo volume è stato stampato
presso ELCOGRAF S.p.A.
Stabilimento di Cles (TN)
Stampato in Italia. Printed in Italy